KAREN ROBARDS es autora de más de veinte novelas, varias de las cuales han figurado entre los libros más vendidos de Estados Unidos. Entre otras muchas, destacan *El ojo del tigre*, *Corazón negro*, *Susurros a medianoche*, *Deseo bajo el sol*, *Confiar en un extraño*, *Desaparecida* y *Perseguida*. Muy popular entre las lectoras asiduas al subgénero histórico, ha hecho incursión, con igual éxito, en el género del suspense romántico contemporáneo. Ha recibido varias distinciones, entre ellas tres premios Silver Pen otorgado por la revista *Affaire de Coeur*.

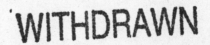

Título original: *Scandalous*
Traducción: Camila Batlles
1.ª edición: noviembre, 2015

© Karen Robards, 2001
© Ediciones B, S. A., 2015
  para el sello B de Bolsillo
  Consell de Cent, 425-427 – 08009 Barcelona (España)
  www.edicionesb.com

Publicado por acuerdo con Pocket Books,
una división de Simon & Schuster, Inc.

Printed in Spain
ISBN: 978-84-9070-154-6
DL B 20856-2015

Impreso por NOVOPRINT
          Energía, 53
          08740 Sant Andreu de la Barca - Barcelona

Escandaloso

KAREN ROBARDS

Escandaloso está dedicado a mis lectores. Este libro ha supuesto una tarea realizada con amor y confío en que les guste. Tampoco puedo olvidar a los hombres de mi vida: mi marido Doug y mis hijos Peter, Christopher y Jack. Sin su ayuda, nada de esto habría sido posible.

Prólogo

Febrero de 1810

El conde de Wickham, un hombre apuesto, rico y de treinta y un años, sonrió expectante mientras escrutaba el exuberante y verde paisaje en busca de su presa. Un pequeño movimiento entre los arbustos, un gesto de un sirviente, y el conde se apoyó la escopeta en el hombro. De pronto sonó un disparo y el estruendo reverberó a través de las titilantes ondas de calor que abrasaban la paradisíaca isla de Ceilán. Pero la detonación no provenía de la escopeta del conde.

El observador se quedó estupefacto al ver al conde salir despedido como si alguien le hubiera asestado un violento puntapié en el trasero. La sangre manaba a chorro de su espalda cuando cayó de bruces al suelo, y casi al instante una mancha carmesí empapó la parte posterior de su elegante camisa de lino. Sus sirvientes, que permanecían inmóviles presa del mismo estupor que había dejado petrificado al observador apostado en la cima de una colina a medio kilómetro, reaccionaron por fin y echaron a correr frenéticamente y gritando para auxiliar a su patrón.

Pero era demasiado tarde. El observador lo comprendió y lanzó un grito horrorizado. Su caballo se encabritó, espantado por la detonación. Debido a la sacudida el catalejo a través del cual el jinete contemplaba la escena se movió hacia abajo, enfocando una arboleda situada más allá de la confusa y caótica escena, y a través de unas ramas frondosas vio a un individuo de aspecto tosco montar de un salto sobre un viejo rocín empuñando un rifle en una mano, espolear a su montura y partir a galope.

El observador comprendió, con la misma sensación de impotencia con que había presenciado la violenta muerte del conde, que el que huía era probablemente quien había efectuado el disparo.

Marcus acababa de ser asesinado ante sus ojos.

La conmoción le impedía dar rienda suelta a su dolor; el sentimiento que le embargaba era la rabia. En su interior se acumuló una furia sombría y violenta que le hizo proferir un juramento y llenó su corazón de un afán de venganza. Después de cerrar el catalejo, azuzó a su caballo y se alejó.

Había llegado demasiado tarde. Ya nada podía hacer por Marcus. Pero quizá lograra impedir que su asesino saliera impune.

1

—Lamento ser portador de malas noticias, señorita Gabby.

Lady Gabriella Banning pensó que, más que lamentarlo, Jem Downes parecía profundamente acongojado debido a la noticia por la cual había atravesado un océano y parte de dos continentes. Éste fijó sus tristes y legañosos ojos castaños en los ojos grises de Gabby, que le miraba intrigada. Detrás de Jem, el viejo mayordomo Stivers se inclinó y se retiró discretamente, cerrando la puerta con un suave clic. El tufo a humedad que rezumaban las ropas de Jem predominaba sobre el leve olor a azufre del fuego de carbón y la vela que chisporroteaba junto al codo de Gabby. Jem sostenía su sombrero entre las manos; sus ropas de viaje estaban cubiertas de unas manchas húmedas y relucientes gotas de lluvia debido al tremendo chaparrón que caía en aquellos momentos. Sus botas y su pantalón estaban manchados de barro. En circunstancias normales, el viejo criado que llevaba toda la vida al servicio de la familia jamás se habría atrevido a presentarse de esa guisa ante ella. El hecho de que no hubiera esperado al día siguiente ni se hubiera cambiado de ropa indicaba claramente su estado de ánimo.

Casi inconscientemente, Gabby se preparó para recibir el golpe. Apretó los labios y enderezó la espalda hasta quedar sentada muy tiesa detrás del enorme escritorio situado en un rincón del despacho, al que se había retirado después de cenar para revisar las cuentas de la casa. Hasta ese momento, su mayor preocupación había sido recortar unos chelines de los gastos de la propiedad, los cuales ya había reducido al máximo. Las palabras de Jem hicieron que el corazón se le encogiera y borraran de su mente la situación financiera de la familia. El único signo externo de su repentina ansiedad era la crispación de la mano con que sostenía la pluma. Consciente de esto, Gabby dejó la pluma junto al tintero y apoyó sus manos pálidas y delgadas sobre el libro de cuentas abierto ante ella.

Fuera, los truenos descargaban con la tal violencia que el fragor traspasaba incluso los recios muros de Hawthorne Hall, semejantes a los de una fortaleza. De pronto las llamas en el hogar se encabritaron, sin duda debido a que por la chimenea habían caído unas gotas de lluvia. Gabby interpretó el súbito tronar y la intensificación de la luz casi como una señal portentosa y reprimió, no sin esfuerzo, un escalofrío. «¿Y ahora qué? —pensó mirando a Jem—. ¡Dios santo! ¿Y ahora qué?»

—¿Has visto a mi hermano?

Una vida conviviendo con el hombre más cruel que cabe imaginar había enseñado a Gabby la necesidad de mantener un talante impávido, por espantosa que fuera la calamidad que se abatiera sobre ella. Su tono era gélido.

—El conde ha muerto, señorita Gabby.

Consciente de la terrible importancia de esa noticia, Jem estrujó nervioso su sombrero hasta dejarlo casi irreconocible. Pese a sus cincuenta y tantos años, su pelo corto y canoso y sus rasgos marcados, conservaba el cuerpo menudo y esbelto del jockey que había sido antaño. La postura que presentaba en esos momentos, con la espalda encorvada debido al peso de la noticia que debía comunicar a su señora, le hacía parecer más bajo de lo que era.

Gabby emitió un breve y profundo suspiro, como si le hubieran propinado un puñetazo. Estaba preparada para que Marcus rechazara su petición o incluso la reprendiera por haberse atrevido a formularla, suponiendo que Marcus tuviera un carácter semejante a su padre. Pero no para esto. Marcus Banning, el hermanastro de Gabby, quien a raíz de la muerte de su padre acaecida hacía dieciocho meses se había convertido en el séptimo conde de Wickham, tenía sólo seis años más que ella. Hacía dos meses, en vista de que el nuevo conde no mostraba ninguna prisa por venir a Inglaterra y reclamar su herencia, Gabby había enviado a Jem con una carta dirigida a su hermano a la isla de Ceilán, donde Marcus había pasado buena parte de su vida en una plantación de té propiedad de la familia de su madre. En la carta, Gabby exponía a Marcus las circunstancias lo más escuetamente posible y le pedía permiso —y fondos— para llevar a su hermana Claire a Londres y celebrar su puesta de largo, postergada desde hacía mucho tiempo.

Había enviado a Jem a Ceilán con escasa esperanza. No obstante, tenía que hacer algo. Claire iba a cumplir diecinueve años. Gabby no soportaba pensar que su hermana se casara con el aburrido señor Cuthbert, dueño de la propiedad colindante con la suya, un hombre de mediana edad y viudo desde hacía muchos años, que era su más persistente admirador, o con Oswald Preston, el párroco local. Cada uno a su manera, ambos estaban locamente enamorados de Claire, y aunque en vida del padre de las Banning, el sexto conde de Wickham, ninguno de ellos era bienvenido en Hawthorne Hall, de un tiempo a esta parte se habían convertido en visitantes asiduos. Claire los trataba amablemente porque la amabilidad formaba parte de su naturaleza, pero la perspectiva de que su hermana contrajera matrimonio con el fornido hacendado o el mojigato de Oswald disgustaba profundamente a Gabby.

—¿Que mi hermano ha muerto? —repitió lentamente. Sintió que se le formaba un nudo en la boca del estómago a medida que las ramificaciones de ese hecho empezaron a darle vueltas en la cabeza—. ¿Estás seguro, Jem?

Qué pregunta tan tonta. En circunstancias normales, Gabby jamás la habría formulado. No era probable que Jem se equivocara en algo tan importante como la muerte del nuevo conde.

Jem la miró aún más acongojado que antes.

—Sí, señorita Gabby —respondió—. Estoy seguro. Estaba presente cuando el señor conde cayó muerto. El señor conde había ido a cazar un tigre con un grupo de amigos, y el animal salió de su madriguera y le atacó por sorpresa. Alguien disparó en un intento desesperado de salvarle la vida, pero la bala alcanzó al señor conde y murió en el acto. No pudieron hacer nada por él.

—Dios mío.

Gabby cerró los ojos, sintiéndose de repente mareada. Durante los meses siguientes a la muerte de su padre, había confiado y a la vez temido la llegada de Marcus, el hermanastro que sólo había visto una vez en su vida. Todo cambiaría con la llegada del nuevo conde: su posición y la de sus hermanas menores sin duda experimentaría un cambio. Para mejor, confiaba Gabby, aunque, como le había enseñado el destino, temía que fuera para peor.

Pero ¿qué podía ser peor que ver a Claire, y luego a Beth, sufrir la misma suerte que había padecido ella? ¿Vivir dominada e ignorada por un padre que despreciaba olímpicamente al género femenino y no sentía el menor afecto hacia sus hijas, afrontar tantas estrecheces económicas —pese a que su padre era un hombre muy rico— que en ocasiones incluso pasaban hambre y quedarse para vestir santos con escasas perspectivas de tener un marido y unos hijos ni otra vida más allá de la remota mansión de Hawthorne Hall.

De pronto Gabby comprendió qué sería peor: perder su casa y el dinero que les había permitido vivir, si no holgadamente, cuando menos con dignidad. Verse obligadas a abandonar Hawthorne Hall, tener que ganarse el sustento —y eso con suerte— como institutrices o señoritas de compañía. Beth era demasiado joven para encontrar trabajo, pensó Gabby mientras trataba de reflexionar con calma sobre el asunto, y Claire... ¿Quién iba a emplear a Claire, que poseía una belleza tan espectacular que la gente se volvía para mirarla cuando caminaba por las calles de York, la población más importante cerca de Hawthorne Hall?

«Ninguna mujer respetable ofrecería un empleo a Claire», se dijo Gabby con tristeza. En cuanto a ella, a sus veinticinco años cumplidos, con su aspecto vulgar y corriente y la cojera que padecía a resultas de un accidente sufrido a los doce años, era la única de las tres que tenía una mínima probabilidad de hallar trabajo. ¿Le permitirían llevarse a sus hermanas a vivir con ella en la casa en que tuviera la fortuna de hallar empleo?

No era probable. Seguramente no. Y menos aún cuando la señora que le ofreciera trabajo viera a Claire.

¿Qué podían hacer? La pregunta se enroscó fría como una serpiente en torno a su corazón, provocándole casi una sensación de pánico. De pronto el hacendado Cuthbert y el señor Preston le parecieron casi botes salvavidas en medio de un mar embravecido. Sin duda Claire, si se veía obligada a elegir, preferiría casarse con uno de ellos antes que quedarse de patitas en la calle con poco más que lo puesto.

«Un momento», se dijo Gabby con firmeza, tratando de reprimir el terror que empezaba a hacer mella en ella. Tenía que haber otras opciones. Pero no se le ocurría ninguna.

—¿Tenía familia... un hijo? —Gabby sintió renacer en ella una leve esperanza al tiempo que abría los ojos para mirar de nuevo a Jem.

—El señor conde estaba soltero, señorita Gabby, y según creo no tenía hijos. Sin duda habría elegido a una distinguida dama inglesa como esposa a su regreso a casa para asumir su puesto de conde de Wickham.

—Sí. —Gabby inspiró profundamente para calmarse.

Al margen de lo que les ocurriera a sus hermanas y a ella, era preciso llevar a cabo de inmediato ciertos trámites, informar del fallecimiento de Wickham a varias personas. Dado que había tenido que realizar esos mismos trámites hacía poco, a raíz de la muerte de su padre, Gabby se sentía una experta en la materia. En primer lugar debía informar de la noticia al señor Challow, el procurador de su padre, y al primo Thomas...

Al pensar en ello se estremeció.

A la muerte de Marcus, el título de conde y todo cuanto comportaba pasaba al siguiente heredero varón, el honorable Thomas Banning, hijo del difunto primo del padre de Gabby. Su padre había detestado a Thomas, y éste, junto con su despreciable y envarada esposa lady Maud y sus dos hijas, a cual más cursi, había correspondido sobradamente a la antipatía que inspiraba al conde. Gabby había visto a su primo y a su familia una media docena de veces en su vida, la última con motivo del funeral de su padre. Thomas se había mostrado escasamente cortés con ella y sus hermanas, y su esposa y sus hijas ni siquiera eso.

Al pensar que en esos momentos Claire, Beth y ella estaban a merced de Thomas, a Gabby se le encogió el corazón. Su padre, llevado por su impenitente misoginia, no había dejado nada en su testamento a sus tres hijas, según había averiguado Gabby horrorizada a su muerte. No disponían de una renta ni de dinero propio. Dependían totalmente de la generosidad —o mezquindad— del nuevo conde.

Gabby se preguntó por enésima vez si su padre habría ido al infierno.

Por terrible que fuera que una hija tuviera esos pensamientos, Gabby no podía por menos de pensar que, en caso afirmativo, era una recompensa más que merecida por el sufrimiento que su padre había causado, y seguía causando, a las personas a quienes más debía haber querido y atesorado en su vida.

Quizá Thomas permitiría que siguieran viviendo en Hawthorne Hall, pensó, aunque con escasas esperanzas. Quizás a su esposa le complacería tener como parientes pobres y dependientes de ellos a «la miscelánea de Matthew», como llamaba despectivamente a Gabby y sus hermanas, debido a que cada una era hija de las sucesivas condesas de Wickham.

Pero luego pensó de nuevo en Claire, y comprendió que sus esperanzas eran absurdas. Maud jamás permitiría que Claire hiciera sombra a sus insípidas hijas.

—Señorita Gabby, el señor conde le escribió una carta.

Al oír las palabras de Jem, Gabby se volvió de nuevo hacia el anciano.

—¿Una carta? —preguntó, asombrada al comprobar que su voz no revelaba ni un ápice de la congoja que sentía.

—La noche antes... antes de su muerte. El señor conde seguía el rastro del tigre al que me he referido cuando me topé con él, en la espesura, acompañado sólo por aquellos nativos salvajes que tenía de sirvientes. Me llamó a su tienda de campaña y me pidió que se la entregara a usted.

—Jem rebuscó en el talego de cuero que colgaba del cinto y sacó una carta algo arrugada y manchada, que entregó a Gabby.

Ella la tomó, rompió el sello y la desdobló. Era un solo folio que contenía unas breves líneas escritas con mano firme y tinta negra. Había otro folio sellado, dentro del primero, que dejó a un lado.

Querida Gabby:

Por lo que sé y por las historias que he oído contar sobre nuestro padre, he llegado a la conclusión de que has minimizado la situación en que te encuentras. Te ruego me perdones por no haberme ocupado antes del asunto. Confieso sin ambages que he descuidado mi deber de velar por el bienestar de mis hermanas y te doy permiso para llevar a nuestra hermana Claire a Londres para ponerla de largo. Encárgate de todo, sin reparar en gastos, pues te autorizo a utilizar los fondos que necesites. A tal fin adjunto una carta, que debes entregar a los abogados Challow, Mather y Yadon, con mis saludos. Dadas mis circunstancias, he pensado viajar a Inglaterra y es posible que me reúna con vosotras en Londres dentro de unas semanas. Espero con ilusión la oportunidad de que podamos conocernos más íntimamente y volver a ver a Claire y a la pequeña Beth.

Afectuosamente,

WICKHAM

Gabby sintió un nudo en la garganta al contemplar la letra clara y enérgica de la misiva. Su hermano daba la impresión de ser una persona amable y dispuesta a cuidar de ellas, y este folio, junto con la visita que Wickham había hecho a Hawthorne Hall cuando Gabby tenía once años y apenas le recordaba, era cuanto le quedaba de él.

Era duro, pero Gabby había aprendido que la vida era dura.

La otra carta sellada estaba dirigida a los señores Challow, Mather y Yadon, según observó. Luego miró de nuevo a Jem.

—¿Estás hablando con Jem, Gabby?

La puerta de la biblioteca se abrió de golpe. Lady Elizabeth Banning, una exuberante joven de quince años, pelirroja, que aún no había perdido su rollizo aspecto de adolescente, entró apresuradamente en la habitación. Al igual que Gabby, iba vestida de riguroso luto por la muerte de su padre, aunque el período de luto obligatorio había pasado, por la sencilla razón de que los vestidos más nuevos que poseían las hermanas eran sus vestidos negros. El dinero destinado a adquirir las prendas de luto había sido autorizado a regañadientes por el señor Challow a raíz de la muerte del padre de las jóvenes, aunque en rigor, según había dicho el abogado, no debería autorizar ningún gasto sin la aprobación del nuevo conde, puesto que el dinero le pertenecía ahora por derecho propio. Incluso el hecho de seguir concediéndoles una pensión mínima para que Gabby pudiera mantener la casa había sido motivo de discusión entre los tres abogados de la firma, según había revelado a Gabby el señor Challow, hasta que por fin habían acordado dejar las cosas tal cual hasta recibir nuevas instrucciones del conde de Wickham.

—Hola, Jem. ¿Qué ha dicho nuestro hermano? —Beth fijó sus ojos castaños y dulces como los de un cocker spaniel en el anciano, ahorrando a Gabby el tener que responder a su pregunta. A continuación les lanzó una andanada de preguntas al tiempo que avanzaba hacia ellos—. ¿Pudiste dar con él? ¿Le entregaste la carta de Gabby? ¿Qué respondió? ¿Podemos ir a Londres? ¿Sí o no?

—Lo siento, Gabby, traté de detenerla, pero ya sabes cómo es —dijo lady Claire Banning emitiendo un suspiro de resignación al entrar en la habitación detrás de su hermana menor. Ni siquiera su sobrio vestido negro mermaba un ápice su espectacular belleza, formada por una cascada de sedosos rizos que caían en encantadora profusión sobre sus esbeltos hombros, unos ojos enormes de color castaño dorado enmarcados por unas espesas pestañas, una tez de porcelana y unos rasgos perfectos. Por si fuera poco, tenía una figura deliciosa, debidamente rellenita en determinadas zonas y esbelta en otras—. No podía contenerse ni un minuto más.

Si Claire se ponía de largo, pensaba Gabby observando a su hermana casi con angustia, se vería abrumada por una legión de buenos partidos deseosos de casarse con ella. Lo triste era que ella misma sostenía en sus manos el instrumento que podía ofrecer a Claire el futuro que precisaba, que le pertenecía por derecho propio y que merecía.

Marcus había dado su consentimiento para que Claire se pusiera de largo. Prácticamente había dado a Gabby carta blanca para que gastara el dinero que necesitara.

Pero Marcus había muerto. Las cartas que había enviado eran meros folios sin el menor valor. Tan pronto el primo Thomas averiguara que se había convertido en el conde de Wickham, Gabby y sus hermanas tendrían suerte de no ser desalojadas de inmediato de Hawthorne Hall.

Una profunda desesperación hizo presa en Gabby. Lo que tenía que comunicar a sus hermanas era muy cruel. Si Marcus hubiera sobrevivido tan sólo tres meses más, pensó sintiendo que se le formaba un nudo en la garganta, hasta que Claire se hubiera puesto de largo...

—¡Contesta, Jem, por el amor de Dios! ¿Te has quedado mudo? ¿Conseguiste encontrar a nuestro hermano o no? —insistió Beth, brincando como un excitado cachorrito en torno al hombre que la había enseñado a ella y sus hermanas a montar, cazar, pescar y practicar numerosos deportes al aire libre. Con el tiempo las Banning habían llegado a considerarlo un cómplice y un amigo, más que un sirviente, y le trataban con bochornosa confianza, pese a que el anciano era sólo un mozo de cuadra.

Jem se mostraba más turbado que antes.

—Sí, señorita Beth, lo encontré, pero...

Jem miró impotente a Gabby, quien contempló la carta que sostenía en la mano y respiró hondo, afanándose en recobrar la compostura antes de comunicar la trágica noticia a sus hermanas.

De pronto Beth vio la carta y con un rápido ademán, acompañado por una exclamación de gozo, se la arrebató a su hermana.

—Espera, Beth... —protestó Gabby, tratando de recuperar la carta, pero su congoja prácticamente le impedía articular palabra y su débil protesta no consiguió detener a su hermana, quien se apartó de un brinco esbozando una encantadora sonrisa. El hecho de saber que habían estado a punto de ver cumplidas sus esperanzas sólo serviría para que la verdad resultara más dura de sobrellevar...

—Procura comportarte con un poco de decoro, Beth —terció Claire enojada, sentándose en una butaca junto al fuego y tratando de disimular la imperiosa curiosidad que sentía también por conocer el contenido de la misiva que Beth leía con impaciencia—. Te estás convirtiendo en un auténtico chavalote.

—Al menos no me parto el cuello tratando de mirarme en todos los espejos —replicó Beth, levantando la vista para mirar a su hermana con irritación. Luego, mientras seguía leyendo la carta, sonrió beatíficamente y miró de nuevo a Claire—. ¡Podrás ponerte de largo, Claire! Nuestro hermano nos autoriza a ir a Londres.

Claire abrió los ojos como platos y se sonrojó al tiempo que se enderezaba en la butaca.

—¿De veras, Beth? —Miró a su hermana mayor—. ¿Es verdad eso, Gabby? —Parecía como si casi no se atreviera a creer en su increíble fortuna.

Una suerte que sin duda merecía, pensó Gabby al observarla con tristeza. Habría dado cualquier cosa por ofrecer a Claire esta oportunidad...

De pronto el fuego crepitó, emitiendo un ruido parecido a una palmada, y las llamas se encabritaron inundando la habitación de calor y haciendo que todos fijaran momentáneamente la vista en ellas. El color de las llamas tiñó la pálida piel de las manos de Gabby de un extraño tono rojizo, según comprobó ésta al contemplar la carta que sostenía. Estaba segura de que su rostro presentaba el mismo tono encendido, el cual reflejaba su estado de ánimo.

Y en ese momento se le ocurrió una idea absolutamente inmoral...

—Léela tú misma —dijo Beth pasando la carta a Claire, sentándose en el brazo de la butaca que ocupaba su hermana mayor y observando su rostro con jubilosa impaciencia.

Al terminar de leer la misiva, Claire emitió un breve chillido de gozo. Las dos jóvenes juntaron sus cabezas, una de color rojo vivo y la otra negra como ala de cuervo, y empezaron a recitar las palabras al unísono sin apenas contener su excitación.

Mientras las hermanas leían la carta y el fuego se apagaba, Gabby tomó una decisión. En aquel momento descubrió, asombrada, que era una auténtica Banning. La pasión del juego corría por las venas de todos ellos y Gabby estaba ahora dispuesta a jugárselo todo a una sola carta. Era una mujer de mediana estatura, excesivamente delgada, vestida de pies a cabeza con un traje de fustán negro, su rebelde cabellera castaña recogida en un elegante moño en la nuca, un rostro pálido, de rasgos angulosos, una nariz pequeña y recta y una boca y una mandíbula que denotaban una firmeza de carácter realzada por la enérgica expresión que mostraban sus ojos grises, por lo general de mirada apacible. Gabby rodeó el escritorio, caminando con la deliberada calma que había aprendido a utilizar para ocultar su cojera, y se detuvo junto a Jem.

—¿Has contado esto a alguien? ¿A alguna persona del barco o cuando desembarcaste en Inglaterra? —le preguntó en voz baja para que sólo pudiera oírla él, mientras ambos observaban a Claire y a Beth leer de nuevo la carta. Jem parecía profundamente apenado mientras las dos jóvenes comenzaban a charlar animadamente después de leer la misiva por enésima vez. Gabby murmuró con tono apremiante—: Te he preguntado si alguien más está enterado de la muerte de mi hermano.

Sirviente y señora, que tenían aproximadamente la misma estatura, se miraron a los ojos.

—Nadie en Inglaterra, señorita Gabby —respondió Jem observándola con ceño—, salvo usted y yo. Jamás se me ocurriría contarle a un extraño los asuntos de la familia, ni a bordo del barco ni en ninguna otra parte. Imagino que en Ceilán lo sabrán algunos, mayormente nativos y gente de esa clase.

—Entonces voy a pedirte un favor muy grande —se apresuró a decir Gabby antes de que le faltara el valor—. Voy a pedirte que finjas que te separaste de mi hermano inmediatamente después de recibir estas cartas y que no presenciaste su muerte. Te pido que finjas que el conde está vivo y en Ceilán y que regresará a Inglaterra cuando lo estime oportuno.

Jem la miró desconcertado. Al observar la determinación que traslucían los ojos de Gabby, apretó los labios y emitió un silbido inaudible.

—Estoy más que dispuesto a hacer eso por usted, señorita Gabby, como bien sabe, pero la verdad acabará descubriéndose antes o después, como siempre. Y entonces, ¿qué haremos? —inquirió con un tono entre alarmado y precavido.

—Nuestra situación no será peor que ahora, sino quizás infinitamente mejor —contestó Gabby con firmeza—. Lo único que necesitamos es un poco de tiempo y un poco de suerte.

—¿No estás emocionada, Gabby? ¡Vamos a ir a Londres! —exclamó Beth entusiasmada, levantándose del brazo de la butaca y acercándose a su hermana mayor dando brincos de alegría para abrazarla tan fuerte que por poco la ahoga—. Claire tendrá su puesta de largo y nosotras visitaremos la ciudad. ¡Oh, Gabby, nunca he salido de Yorkshire!

—Ninguna de nosotras ha salido nunca de Yorkshire —apostilló Claire. Sus ojos resplandecían de emoción y avanzó hacia sus hermanas con paso apresurado, aunque, consciente de ser una señorita hecha y derecha y no una niña, se abstuvo de ponerse a brincar con el alocado frenesí de Beth.

—Londres será un regalo para todas nosotras —dijo Gabby abrazando a Beth y sonriendo de modo convincente. Al mirar a Jem de soslayo comprobó que éste la observaba preocupado, como si de pronto le hubieran salido unos cuernos y una cola.

—¿Podremos comprarnos vestidos nuevos? —preguntó Claire con aire soñador.

A Claire le encantaba la ropa bonita y solía pasar horas contemplando los bocetos de la ropa de moda en publicaciones como *Ladie's Magazine*, que aunque su padre le había prohibido llevar a casa, la joven se las ingeniaba para adquirirlas. Aunque no era excesivamente vanidosa, Claire era consciente de su gran belleza y concedía gran importancia a temas como los peinados de moda y el estilo de un vestido. Anhelaba ponerse de largo, pero dadas las circunstancias la posibilidad parecía muy remota. Era preciso reconocer que había encajado ese contratiempo con serenidad y resignación. Pero ahora la situación había cambiado e iba a ponerse de largo por fin. Pese a los riesgos, Gabby se alegraba profundamente de poder ofrecerle esa oportunidad.

—Desde luego —respondió Gabby, negándose a mirar de nuevo a Jem y sabiendo perfectamente a lo que se exponía—. Las tres nos compraremos un vestuario nuevo.

El fuego volvió a emitir un sonoro chisporroteo y las llamas se intensificaron, haciendo que Gabby se sobresaltara. Mientras sus hermanas comentaban excitadas su inesperado golpe de suerte, Gabby no pudo evitar dirigir una mirada inquieta y de soslayo a la chimenea.

¿Por qué tenía la persistente sensación de que, por nobles que fueran sus motivos, acababa de hacer un pacto diabólico?

2

Al cabo de dos semanas, el viejo carruaje del conde de Wickham avanzaba a trompicones por las encharcadas carreteras en dirección a Londres. Stivers y la señora Bucknell, el ama de llaves, junto con un lacayo y una doncella, habían partido unos días antes para abrir la mansión familiar de Grosvenor Square, la cual llevaba cerrada más de una década, y contratar a cuantos sirvientes adicionales fueran necesarios para la intendencia de la casa. Jem, que no cesaba de murmurar frases de advertencia cada vez que se cruzaba con Gabby, iba sentado en el pescante junto a John, el cochero, con el sombrero calado hasta las cejas para protegerse de la llovizna. Claire y Beth, sentadas en el interior del coche, charlaban animadamente bajo la atenta mirada de Twindle, la anciana institutriz que llevaba trabajando para la familia desde el nacimiento de la madre de Claire y había permanecido con ellos tras la muerte de ésta. Gabby, sentada junto a Claire sobre el raído asiento de terciopelo, el cual, pese a sus esfuerzos por eliminarlo, no había perdido el olor a humedad, sonreía cuando era preciso mientras contemplaba por la ventanilla el pantanoso páramo que dejaban atrás. La empapada tierra, el firmamento gris y la incesante lluvia le eran tan familiares y queridos como los terrenos de Hawthorne Hall. No había conocido otro hogar, y comprendía apenada que, al margen de cómo se desarrollara ese juego, su futuro, y el de sus hermanas, probablemente residía en otro lugar.

Tras haber decidido aprovecharse de la situación que se presentaba, Gabby había pasado numerosas noches en vela atormentada por los remordimientos. Le preocupaba cometer un acto ilícito, pero permitir que sus hermanas sufrieran debido a su falta de coraje le parecía infinitamente peor. Aplacaba su conciencia diciéndose que, aunque no ocurriera ningún incidente que desmontara su plan, no se proponía seguir fingiendo eternamente; tan pronto como Claire estuviera casada, ella «recibiría la noticia» de la muerte de Marcus, con lo cual pondría fin al engaño. ¿Qué tenía de malo ganar un poco de tiempo para mejorar la situación de la familia?

—¿Te duele la pierna, Gabby? —preguntó Claire, volviéndose hacia su hermana mayor mientras Beth se enzarzaba en una animada conversación con Twindle sobre los lugares apropiados que debía visitar una joven durante su estancia en Londres. El Anfiteatro de Astley y los animales de la Bolsa eran, a juicio de Twindle, aceptables. Covent Garden («No me explico dónde has oído hablar de ese lugar, Beth») no lo era bajo ningún concepto. Claire, que a lo largo de los años se había acostumbrado a la cojera de Gabby, hasta el punto que ni ella ni Beth daban mayor importancia a la pierna deforme de su hermana, pues constituía una parte tan propia de ésta como su pelo liso como la cola de un caballo, no se mostraba excesivamente preocupada al respecto.

—¿Por qué lo preguntas? ¿Es que tenía el entrecejo fruncido? —repuso Gabby tratando de sonreír despreocupadamente—. La pierna no me duele. Estaba repasando la lista de lo que tengo que hacer cuando lleguemos a Londres.

—¿Crees que tía Salcombe accederá a apoyar a Claire, Gabby? —preguntó Beth con expresión preocupada, interrumpiendo su conversación con Twindle. Aunque era demasiado joven para gozar de la diversión que ofrecían los bailes, fiestas y veladas en los legendarios bastiones de la alta sociedad como Almack's, había participado en los preparativos de la puesta de largo de Claire con entusiasmo.

—No puedo asegurarlo, claro está, pero confío en que lo haga. A fin de cuentas, me invitó a ponerme de largo bajo su tutela cuando cumplí los dieciocho años, diciendo que, como ella no tenía hijos, le encantaría presentar a su sobrina en la alta sociedad. Y tú eres tan sobrina suya como yo, aparte de tener muchas más posibilidades de éxito.

Gabby dirigió la última frase a Claire, acompañada de un guiño. Se abstuvo de añadir que cuando había recibido esa invitación de su tía, hacía muchos años, la perspectiva de ponerse de largo en Londres le había causado una alegría inmensa, hasta que su padre había comentado riendo que por lo visto su hermana Augusta había olvidado que su sobrina mayor era coja y la pondría en ridículo en cualquier baile al que tuviera la insensata ocurrencia de llevarla. Gabby no había tenido el privilegio de ver lo que el conde había respondido a su hermana, pero la invitación había sido rechazada y su tía no había insistido. Al principio Gabby se había sentido profundamente dolida, pero al cabo del tiempo había comprendido que era mejor así. No habría podido dejar a Claire y Beth, a la sazón de once y ocho años respectivamente, al cuidado sólo de Twindle y Jem para protegerlas de los excesos de su padre, ni siquiera durante los breves meses de su puesta de largo y presentación en sociedad, y la idea de abandonarlas para siempre si contraía matrimonio, que era el fin último de aquella frivolidad, habría sido impensable. Por lo demás, su padre jamás habría consentido que Gabby se hubiera llevado a sus hermanas a vivir con ella, ni a Londres ni a la casa de su nuevo marido. Lo que pertenecía a Matthew Banning, le pertenecía por completo, tanto si lo valoraba como si no.

—Lady Salcombe es una persona muy exigente, señorita Gabby —comentó Twindle al tiempo que una expresión de inquietud ensombrecía su enjuto rostro. Debido a la circunstancia de haber vivido en Londres durante varios años antes de emplearse en Hawthorne Hall, Twindle conocía, aunque superficialmente, a numerosos e importantes caballeros y damas de la alta sociedad.

—Bueno, si se niega a ayudarnos tendremos que arreglárnoslas nosotras mismas —dijo Gabby con fingida jovialidad.

Aunque no conocía los usos y costumbres de Londres, no era tan ingenua como para no comprender que la ayuda de la hermana de su padre era imprescindible para que la presentación de Claire en sociedad fuera un éxito. Dado que ella misma se había quedado para vestir santos, Gabby se sentía perfectamente capaz de hacer de carabina a su hermana. Como hijas de un conde, aunque se tratara de un conde tan excéntrico y retraído como lord Wickham, a sus hermanas y a ella les correspondía un lugar en la sociedad. Pero lo único que sabía Gabby sobre las costumbres de una capital como Londres era lo que había leído en libros, oído de labios de Twindle y observado en los invitados de su padre, bastante poco recomendables por cierto, a lo largo de los años. Apenas tenía amistades en Londres. Tal como había dicho a Claire, si lady Salcombe se negaba a ayudarlas ya se las arreglarían solas. Pero no tan bien, ni tan fácilmente, como si la noble dama accedía a prestarles su apoyo.

En el fondo de su mente persistía la machacona idea de que debían aprovechar al máximo el tiempo que ella había logrado arrebatar de las fauces del destino: era la única oportunidad que tenía Claire para presentarse en sociedad.

—¿Tenemos otros parientes en Londres que puedan ayudarnos si nos falla tía Salcombe? —preguntó Beth con curiosidad.

—¿Aparte del primo Thomas y lady Maud? —contestó Gabby, y sonrió al ver que Beth torcía el gesto—. Tenemos varios parientes, según creo, pero prefiero empezar por lady Salcombe. Como sabéis, nuestra tía es, o era, un pilar de la alta sociedad.

Gabby trató de encauzar la conversación por otros derroteros, preguntando si la aldea que contemplaba a través de la ventanilla era West Hurch. Al igual que consideraba preferible mantener la muerte de Marcus y la apremiante naturaleza de este viaje ocultas a sus hermanas y todo el mundo excepto Jem, estaba convencida de que era preferible que Claire y Beth no se obsesionaran con el carácter poco convencional de su estructura familiar. Aunque era cierto que tenían unos parientes tan distinguidos como pudiesen serlo los parientes de su padre, dudaba que alguno de ellos pudiera, o quisiera, ayudarlas en la puesta de largo de Claire. Nunca habían visitado Hawthorne Hall ni habían mostrado el menor interés por Gabby y sus hermanas. El problema era que cada hijo del conde había nacido de una madre distinta, y esas madres pertenecían a diferentes extractos sociales. Elise de Melancon, la madre de Marcus, se había trasladado a Londres desde Ceilán para ponerse de largo, confiando en pescar un buen partido. Era una belleza de linaje mediocre y una heredera de considerable fortuna. Su unión con el conde de Wickham había satisfecho a ambas partes, pero al cabo de dos años de convivencia con su flamante marido, la hermosa condesa se había aburrido de la vida matrimonial y había regresado a Ceilán con su hijito. A raíz de la muerte de la dama, dos años más tarde, el conde había vuelto a Londres en busca de una nueva esposa. Esta vez su incauta víctima había sido la madre de Gabby, lady Sophia Hendred, una dama de alcurnia pero ni extraordinariamente bella ni muy rica, la cual había muerto de parto tres años después de nacer Gabby. La madre de Claire, Maria Dysart, una belleza de escaso linaje sin fortuna, había atraído a Wickham durante una visita a Bath y había contraído un ventajoso matrimonio con el conde, recientemente enviudado. Había resistido el tiempo suficiente para dar a luz a Claire, antes de sucumbir a una enfermedad degenerativa, según decían. La madre de Beth era hija de un oscuro clérigo. Afortunadamente para las legiones de solteras que aún quedaban, por la época en que la esposa del conde, de soltera señorita Bolton, se había caído por la escalera de Hawthorne Hall partiéndose el cuello, el conde había sufrido un accidente de equitación que le había obligado a permanecer en una silla de ruedas el resto de su vida. Desde entonces no había vuelto a entrar ninguna otra condesa en Hawthorne Hall, lo cual había obligado a Gabby a desempeñar el papel de ama de casa y madre adoptiva de sus hermanas menores, un papel que le venía como anillo al dedo.

—Imagínate, Claire, el año que viene por estas fechas probablemente te habrás convertido en una señora casada —comentó Beth con incredulidad, brincando ligeramente sobre el asiento. Teniendo en cuenta las sacudidas que daba el coche a causa de los baches, ese movimiento resultaba nimio, pero Beth no había podido estarse quieta desde que supo que iban a viajar a Londres.

—He pensado en ello —admitió Claire un tanto preocupada. Miró a Gabby—. Y a decir verdad, no estoy segura de que desee casarme. No quiero dejaros a vosotras dos y temo que el caballero en cuestión resulte ser como papá.

Esta confesión dejó a las demás ocupantes del carruaje en silencio por unos momentos. Gabby fue la primera en recuperar el habla.

—No es necesario que te cases si no quieres —dijo con convicción, aunque la perspectiva de que sus desesperados planes no sirvieran para nada hizo que un escalofrío le recorriera la columna vertebral. No había previsto esa posibilidad. Confiaba en que Claire, cuyo dulce corazón hacía que fuera muy maleable y su espectacular belleza le procuraría numerosas oportunidades, cayera locamente enamorada al verse expuesta a un mundo repleto de hombres que no sólo fueran excelentes partidos sino caballeros atractivos y encantadores. De lo contrario... ya lo resolvería cuando se presentara el caso—. En cuanto al temor de que tu futuro esposo se parezca a papá, no creo que conozcas a muchos caballeros que sean tan... tacaños e intratables como nuestro padre, ni tan crueles con sus esposas e hijos, de modo que no tienes que preocuparte por eso.

—Es cierto —apostilló Twindle con vehemencia—. El señor conde era único en ese aspecto, te lo aseguro.

—Y quizá Gabby, Twindle y yo vayamos a vivir contigo cuando te cases —añadió Beth sonriendo—. De modo que tampoco tienes motivos para preocuparte por eso.

Gabby, procurando controlar la expresión de su rostro cuando su hermana menor dio inocentemente en el clavo, condujo de nuevo la conversación hacia un terreno menos peligroso.

Pernoctaron en Newark y prosiguieron viaje al día siguiente. La primera vez que vislumbraron Londres fue al atardecer. El carruaje ascendió por un altozano y de pronto vieron la ciudad extendida a sus pies como un banquete. Se arracimaron en las ventanillas para admirar las torres y los tejados, los infinitos grupos de edificios, la cinta plateada del Támesis que serpenteaba a través de la ciudad, todo ello resplandeciendo como gemas al sol crepuscular. No obstante, cuando el carruaje entró en Londres propiamente dicho y atravesó traqueteando el puente de acceso a unas calles atestadas de vehículos de diversos tamaños y formas, ya había anochecido, y Gabby dio gracias a la providencia de que el resplandor de la incipiente luna les señalara el camino. El cochero se vio obligado a aminorar la marcha, y al poco incluso las estimulantes vistas de la metrópoli dejaron de aliviar la fatiga de las viajeras. Arremolinadas de nuevo en las ventanillas, al principio contemplaron con asombro la marea humana a través de la cual se abrían camino. Iluminadas por la novedosa luz de gas de las farolas, que prestaba un resplandor amarillento a la bruma suspendida como un manto sobre la ciudad, las vistas de Londres resultaban ante sus ojos de jóvenes crecidas en el campo tan fascinantes como visiones de otro mundo. Luego se percataron de que esos ciudadanos que transitaban por las calles presentaban, en general, un aspecto sucio y desarrapado, mientras que los que vieron circulando en vehículos tenían un aire arrogante y en muchos casos decididamente hosco. Unos olores pestíferos empezaron a colarse en el carruaje, haciendo que las viajeras torcieran el gesto y se miraran consternadas. No tardaron en identificar la causa: unas estrechas zanjas llenas de agua y residuos que flotaban en su superficie, las cuales discurrían junto a la calzada. A ambos lados de la calle se alzaban destartalados edificios de madera, tan arracimados que parecían formar una sola fachada. Ésta quedaba interrumpida cada poco por unos callejones oscuros y angostos en los que desaparecían personajes de aspecto siniestro, como ratas huyendo por un agujero. Al observar un individuo de aspecto particularmente malvado, Claire se hizo eco del estado de ánimo de sus acompañantes al dar gracias en voz alta de que el desvencijado aspecto del carruaje y el maltrecho estado del escudo grabado en la portezuela disuadiera a cualquier atracador. Cuando por fin entraron en el elegante barrio de Mayfair, identificado con tono agradecido por Twindle, el tráfico se redujo y las calles parecían menos transitadas. Cuando el carruaje se detuvo en la calle empedrada frente a Wickham House, la luna lucía en el cielo y había pocos transeúntes por la calle. Todas se sentían hambrientas, cansadas, irritables y, en el caso de Claire, muy mareada. Gabby, que iba sentada junto a la portezuela, aspiró aliviada una profunda bocanada de aire fresco y relativamente perfumado cuando Jem la abrió y extendió la escalerilla, tras lo cual alargó la mano para ayudarla a apearse.

—Gracias a Dios. De haberse prolongado el viaje, nos habríamos puesto todas enfermas —dijo.

Después de dirigir una breve sonrisa a su sirviente, que fruncía el entrecejo con aire disgustado, Gabby apoyó un pie en la calle, arrebujándose en su capa para protegerse del inesperado, aunque no desagradable, frescor de la noche abrileña. Por lo menos, pensó tratando de asirse a un pensamiento positivo, la lluvia había cesado, aunque la calle estaba llena de charcos oscuros que relucían bajo el resplandor de la luna.

—Aún está a tiempo de renunciar a su plan, señorita Gabby —murmuró Jem con tono preocupado.

Ella se volvió y ambos se miraron durante unos tensos instantes. «Lo peor de los sirvientes que te conocían desde siempre, como Jem, que prácticamente había contribuido a criarla, era que se tomaban la libertad de expresar su opinión cuando les venía en gana», pensó Gabby con enojo, por inoportunas que fueran sus observaciones.

—No; es demasiado tarde. Estoy decidida, Jem, de modo que deja de darme la lata —respondió en voz baja.

—Hágame caso, señorita, esto no puede acabar bien —murmuró Jem con tono hosco, tras lo cual guardó silencio cuando Beth se dispuso a bajar del carruaje.

Después de dirigirle una mirada irritada, Gabby hizo caso omiso del anciano y echó un vistazo alrededor mientras esperaba que Jem ayudara a sus hermanas y a Twindle a apearse. En cada esquina de la plaza había farolas de gas encendidas. Su oscilante resplandor, junto con la brillante luz de la luna, permitía ver la calle con bastante claridad. Gabby vio un carromato que avanzaba a trompicones, empujado por un vendedor ambulante que gritaba «¡Empanadas de carne!» como si no confiara en que alguien le prestara atención. Otro coche, más nuevo y elegante que el de ellas, pasó traqueteando sobre los adoquines. Sus parpadeantes luces y sus cortinas descorridas permitieron a Gabby ver a una elegante dama y a un no menos elegante caballero sentados en él. En la zona cubierta de hierba en el centro de la plaza, un par de desastrados golfillos conversaban con un hombre que sostenía una linterna, que Gabby dedujo, o mejor dicho confió, en que fuera el vigilante.

—Caramba, Claire, ya eres mayorcita para ponerte a vomitar en los coches —se quejó Beth tras saltar a la calle, volviéndose para observar a su hermana, que en ese momento se disponía a apearse del coche.

Gabby sonrió ante el enojo de Beth, pero apenas prestó atención a los lamentos de su hermana. En lugar de ello, contempló satisfecha Wickham House. Al menos a primera vista, daba la impresión de que Stivers y la señora Bucknell habían realizado una excelente labor. Pese a que la casa había permanecido cerrada durante muchos años, presentaba un aspecto tan impecable como el resto de las mansiones de la plaza. Es más, casi podía decirse que era la más hermosa y la mejor cuidada.

—La próxima vez siéntate tú frente a ella —protestó Beth sacudiéndose su falda negra mientras se acercaba a Gabby.

Claire, que apareció en la portezuela del coche pálida y mustia como un narciso después de una tormenta, se excusó:

—Lo siento, Beth.

—La señorita Claire no ha podido evitar sentirse indispuesta, señorita Beth, de modo que deje de protestar. Y ya le he advertido mil veces que está muy feo que una señorita emplee expresiones vulgares, —reprendió Twindle a Beth, apoyándose en la mano de Jem para apearse tras ella del carruaje.

—Pues a mí me parece aún más feo que una señorita se ponga a vomitar sobre su hermana —replicó Beth.

Mientras Twindle y Jem auxiliaban a Claire, que seguía disculpándose, Gabby, inmune a esas disputas entre sus hermanas, volvió a contemplar la casa.

La fachada era imponente, observó con orgullo: Wickham House, un edificio de ladrillo con unos elegantes escalones de piedra y una balaustrada de hierro forjado, tenía cuatro plantas. Stivers y la señora Bucknell habían realizado en pocos días un trabajo ingente para adecentar la casa. Todo ofrecía un aspecto inmaculado, desde la aldaba de bronce hasta los escalones perfectamente barridos de la entrada y los relucientes cristales de las cuatro hileras de ventanas. Las lámparas situadas a ambos lados de la puerta habían sido encendidas para darles la bienvenida, y todas las habitaciones de la casa estaban iluminadas. Aunque las cortinas estaban corridas, tras ellas resplandecían unas luces, dando la impresión de que en la majestuosa mansión se celebrara una fiesta.

—Qué bien ha calculado Stivers la hora de nuestra llegada, ¿verdad? —comentó Beth con admiración, interrumpiendo las reflexiones de Gabby.

Tras ellas, John, el cochero, había empezado a descargar el equipaje del techo del carruaje mediante el sencillo trámite de soltar las correas que sujetaban las bolsas y los baúles y arrojarlos al suelo. Después de entregar a Claire al cuidado de Twindle, Jem se situó junto al vehículo para recoger las piezas y colocarlas en un montón.

—Cuidado con ese baúl. Contiene el neceser de la señorita Claire —gritó Twindle, a pocos pasos de ellos.

El cochero farfulló unas palabras por toda repuesta, seguidas por el estrépito de un bulto al chocar contra el suelo y un quejido por parte de Twindle.

—Stivers parece haber hecho un trabajo admirable —comentó Gabby, y se recordó ordenar al mayordomo que en adelante fuera más austero en la utilización de velas.

Dadas las circunstancias, Gabby se proponía gastar lo justo. «Stivers no solía ser tan dispendioso», pensó un tanto perpleja mientras subía los escalones de la entrada. Debido al esfuerzo que representaba para ella, lo hizo lentamente y con cuidado a fin de no tropezar. La seguía Beth, y Claire, apoyada en el brazo de Twindle, cerraba la retaguardia.

La puerta se abrió antes de que Gabby la alcanzara y ante ellas apareció un lacayo que no conocían, sin duda uno de los nuevos sirvientes contratados por Stivers. El recibidor estaba tan iluminado como los salones de celebraciones en York, donde, durante los meses anteriores a la muerte de su padre, Claire había asistido, acompañada por Gabby, a dos bailes.

—Hola —dijo Gabby sonriendo al lacayo al tiempo que salvaba el último escalón—. Como habrá deducido, soy lady Gabriella Banning y éstas son mis hermanas, lady Claire y lady Elizabeth. Y ésta es la señorita Twindlesham.

—Sí, señora, las hemos estado esperando toda la tarde —contestó el hombre, haciéndose a un lado con una reverencia y abriendo la puerta de par en par—. ¿Desea que llame a un mozo para que lleve el equipaje hasta la casa?

—Sí, gracias —respondió Gabby entrando en el recibidor.

Lo primero que le impresionó fue al ambiente cálido y acogedor de la casa. Pese a que hacía muchas décadas que ningún miembro de la familia había vivido en ella, rebosaba vitalidad. El suelo de mármol relucía; el candelabro brillaba; en el gran espejo en arco situado a su derecha se reflejaban unas paredes empapeladas en delicados tonos crema y verde que sorprendentemente no se habían desteñido, y el abigarrado marco del espejo, así como los de los numerosos cuadros que adornaban las paredes, mostraba un dorado tan brillante que parecía nuevo. Los vivos rojos y azules de la alfombra oriental eran tan intensos como si ésta hubiera sido confeccionada el día anterior. La balaustrada de la amplia y elevada escalinata situada a la derecha mostraba un satinado lustre. Gabby olfateó el aire pero no detectó el menor olor a humedad o moho. El perfume de unas flores primaverales dispuestas en un jarrón de Meissen se combinaba con el olor a cera de abejas y de... ¿comida? Imposible. Era imposible que Stivers hubiera calculado la llegada de sus amas con semejante precisión.

Mientras se quitaba los guantes, Gabby frunció el entrecejo, perpleja, al oír rumor de voces al fondo. Éstas parecían provenir del otro lado de la pequeña puerta situada a la izquierda que daba acceso al salón; el comedor, dedujo Gabby.

—¡Bienvenidas sean, señorita Gabby, señorita Beth y señorita Claire! —Una afable sonrisa iluminó el cadavérico rostro de Stivers mientras avanzaba presuroso desde el fondo de la estancia—. Le ruego me disculpe, señorita Gabby. He estado esperándolas toda la tarde, y les habría abierto yo mismo la puerta, pero tuve que resolver una pequeña disputa en la cocina. El cocinero del señor (ya conoce usted a esos franchutes) no tiene ni remota idea de cómo comportarse en la cocina de una distinguida mansión inglesa. Pero espero haber solventado el problema y confío en que esos platos extranjeros la complazcan, señorita Claire. —La última frase fue pronunciada por el mayordomo con cierto tono paternal.

—Se nota que has estado muy ocupado, Stivers. Te felicito —dijo Gabby mientras Claire murmuraba unas palabras ininteligibles en respuesta a la alusión de Stivers al delicado estómago de la joven. Gabby tenía la persistente sensación de que algo no encajaba—. ¿El cocinero del señor? ¿A qué te refieres, Stivers? ¿Has birlado a alguien su cocinero?

Gabby formuló la pregunta medio en broma, pero la jubilosa sonrisa que transformó el rostro de Stivers la alarmó. En todos los años que éste había servido a la familia, es decir, desde que ella había nacido, Gabby jamás había visto a Stivers tan alborozado.

—No, señorita Gabby. Me refiero al cocinero que el señor conde se ha traído de tierras extranjeras. Su hermano, el conde de Wickham, está aquí, señorita Gabby.

Gabby miró estupefacta al mayordomo.

—¿Wickham? ¿Aquí? ¿De qué estás hablando, Stivers? —inquirió cuando recobró el habla.

De pronto la puerta de doble hoja que conducía al supuesto comedor se abrió de golpe. Un grupo de personas vistosamente ataviadas apareció en el recibidor, riendo y charlando animadamente.

—Llegaremos tarde al teatro de la comedia —se quejó una rubia madurita vestida con un traje amarillo muy escotado que miraba sonriendo al hombre que sujetaba del brazo. Se trataba de un hombre alto, bien plantado, moreno, ataviado con un impecable traje de etiqueta, y era el centro de atención del nutrido grupo que se aproximaba a ellos.

—Señor —dijo Stivers emitiendo una discreta tosecita.

El hombre miró alrededor con expresión inquisitiva. Al ver a los recién llegados, se detuvo en seco, junto con sus acompañantes. De pronto Gabby se dio cuenta de que se había convertido en el blanco de todas las miradas. Consciente del desastrado aspecto de sus hermanas y de ella misma, con sus anticuados trajes de luto desaseados y arrugados debido al prolongado viaje, y el leve olor a vómito que rezumaban, se estremeció. Luego, pensando que no debía sentirse incómoda ante unos extraños que incomprensiblemente se habían adueñado de su casa, enderezó la espalda, echó los hombros hacia atrás, alzó el mentón y observó a los intrusos arqueando una ceja con gesto de altivez.

Por unos breves instantes, Gabby y el extraño de pelo negro se miraron a los ojos. Éste tenía los ojos de un azul intenso, un tanto hundidos y enmarcados por unas espesas cejas negras. Aparentaba unos treinta y cinco años y tenía la piel muy tostada, como si hubiera pasado mucho tiempo expuesto a un sol muy distinto del tibio sol inglés. De rasgos finamente cincelados, su rostro era duro y atractivo. Su cuerpo, de espaldas anchas y caderas estrechas, quedaba realzado por la camisa con chorreras, el frac negro, el chaleco plateado y el calzón negro.

—Llegáis con retraso —comentó con tono jovial, como si las hubiera estado esperando—. Damas y caballeros —dijo soltándose del brazo de la rubia—, concédanme unos momentos para saludar a mis hermanas.

Gabby se quedó boquiabierta mientras el extraño avanzaba hacia ella.

—Supongo que tú eres Gabriella —dijo éste con una breve sonrisa mientras ella le contemplaba estupefacta. Luego tomó su mano inerme y la besó—. Bienvenida a Wickham House. Confío en que el viaje no os haya fatigado.

3

Era una mujer que no tenía nada de particular, salvo la arrogancia con que le observaba, pensó. Era de una altivez irritante: por más que fuera hija de un conde, había rebasado la edad del primer rubor juvenil. Delgada como un palo, vestida con un nada favorecedor traje de riguroso luto y un tanto desaliñada, a diferencia de la atractiva dama que él llevaba del brazo, poseía unos rasgos que jamás atraerían a un experto en mujeres como él. Decidió borrar la arrogancia de esa mujer, cosa que se ufanó de haber conseguido con las primeras palabras que le dirigió. Cuando se llevó la mano de Gabriella Banning a los labios, ella le miró horrorizada, como si la hubiera abofeteado. Sus labios entreabiertos temblaron, pero de ellos no brotó sonido alguno. Le miró con ojos como platos. La delicada mano que él rozó con sus labios estaba fría como el hielo, o como la de un cadáver. Y a propósito de cadáveres, el escaso color que mostraba su rostro se disipó al cabo de unos segundos, dejándolo de una palidez fantasmal.

La reacción de Gabriella fue exagerada, aunque era lógico que la inesperada presencia de su hermano en Londres le causara gran sorpresa. Él no pudo por menos de fruncir el entrecejo: ¿había sido efectivamente la reacción de Gabriella demasiado exagerada? ¿Acaso lo sabía?

No a menos que fuera clarividente, se dijo. ¿Cómo iba a saberlo? La historia que le había llevado hasta allí la conocían sólo unos pocos y leales camaradas. Persiguió al asesino de Marcus hasta Colombo, donde se le escapó. Su intuición le había llevado a la bulliciosa zona de los muelles. Allí volvió a hallar su rastro, que siguió hasta Londres, donde por fin dio con su presa, que se pudría en la habitación de un burdel tan repugnante que el olor del cadáver había pasado inadvertido durante tres días. Alguien había dado con el asesino antes que él. Esa persona era su auténtica presa: el hombre que ordenó la muerte de Marcus. El mensaje con el que Marcus le había mandado llamar a Ceilán decía: «Ven inmediatamente. Aunque parezca increíble he hallado lo que andabas buscando.» Él no lo había creído, pero se trasladó a Ceilán. Aunque había llegado demasiado tarde: Marcus había caído asesinado ante sus propios ojos, confirmando paradójicamente lo que le decía en la nota. Ahora lo único que podía hacer era encontrar al hombre que debió ordenar la muerte de Marcus. El mejor sistema era asumir la identidad de Marcus, confiando en que el asesino, pensando equivocadamente que no había logrado matar a su víctima, lo intentaría de nuevo.

Hasta la fecha, su plan no había dado resultado. Después de exhibirse por todo Londres sin éxito, llegó a la amarga conclusión de que el hombre al que buscaba era suficientemente inteligente para no dar un paso en falso.

Ahora se hallaba frente a la hermana de Marcus, que le observaba como si él fuera un bicho salido de debajo de una piedra. Pero no podía saber que él no era Marcus. A menos que tuviera un espía en Ceilán.

No obstante, él la examinó más de cerca con una perspicacia disimulada por sus párpados entornados. Gabriella iba vestida de riguroso luto, como exigía la muerte de un pariente cercano, y su asombro al verle resultaba desmesurado a tenor de las circunstancias. Pero si vestía de luto por la muerte reciente de un ser querido, no habría ido a Londres para organizar la presentación de su hermana en sociedad, un hecho que, gracias a la parlanchina señora Bucknell y al menos locuaz pero amable Stivers, él había averiguado que era la razón de la inoportuna intromisión de las hermanas en sus planes. Una mirada más detenida bastó para que comprobara que la vestimenta de Gabriella no sólo estaba pasada de moda, sino vieja y raída. Por consiguiente, llevaba luto por una persona que había muerto hacía tiempo.

¿Cómo interpretar entonces la reacción de Gabriella a su presencia? ¿Era quizás el tipo de mujer a quien confundía cualquier imprevisto? A juzgar por su pronunciada mandíbula, él no lo creía.

—¿M... Marcus? —balbució ella con voz grave, vacilante y sorprendentemente ronca.

—¿Te sorprende verme, querida hermana? —repuso él con desparpajo, soltando su mano y mirándola sonriente a los ojos.

Receloso, observó con atención sus dilatadas pupilas. El iris gris era frío y límpido como la incesante llovizna inglesa. Su limpidez le tranquilizó: esa mujer —esa distinguida dama inglesa— no ocultaba secreto alguno. En él no veía más que lo evidente: a su hermano mayor, el cabeza de familia, un hombre al que ella no conocía y que, como él comprendió de golpe, tenía el futuro de ella en sus manos, que se había presentado de improviso para seguramente entrometerse en la vida de ella y de sus hermanas. Visto desde esa perspectiva, cabía interpretar el asombro de Gabriella en parte como consternación y parecía más justificado. Estaba claro que al margen de quién fuera la persona por quien ella guardaba luto, no era Marcus Banning, séptimo conde de Wickham. En definitiva, no era por él.

Más tranquilizado, dirigió después la vista hacia las otras tres mujeres del grupo, quienes le observaban con un aire de sorpresa y curiosidad normal.

Dedujo que la enjuta anciana que le examinaba con ojos perspicaces era una especie de tutora o institutriz, que lógicamente protegía a las jóvenes que tenía a su cuidado. La hermosa joven —tan bella que él la contempló pasmado antes de lograr controlar su expresión— que se apoyaba en el brazo de la anciana debía de ser Claire, la segunda hermana. Y la joven rolliza, risueña y pelirroja debía de ser Elizabeth.

Por supuesto.

—¿De veras eres Marcus? —Elizabeth, la más joven, avanzó hacia él con las manos extendidas para saludarlo alegremente y expresándose con tono entusiasmado.

Pero Gabriella, que había recobrado la compostura, la retuvo por el brazo. Frenada pero sin dejarse intimidar por el gesto de su hermana, la joven le miró sonriendo con descaro.

—Desde luego —respondió él, tomando las manos de la joven y mirándola sonriente. Gabriella soltó el brazo de su hermana a regañadientes y él, resistiendo la tentación de volverse hacia ella para observarla atentamente, fijó la vista en la joven—. Y tú debes de ser Elizabeth.

—Sí, pero recuerda que me llamo Beth.

—Muy bien, Beth —contestó él sonriendo mientras le soltaba las manos y alzaba la vista para contemplar a la otra hermana. Aunque se abstuvo de mirar a Gabriella, era consciente de que ésta le observaba con el entrecejo fruncido, como un ave a una serpiente—. Y tú eres Claire.

La hermosa joven le sonrió tímidamente. ¡Santo cielo, qué belleza! Tendría que esforzarse en tener siempre presente que era su hermana.

—Sí.

Tras dedicarle una sonrisa puramente fraternal en respuesta a la suya, el hombre se volvió hacia la institutriz. Gabriella seguía mirándole de hito en hito, haciéndolo sentir profundamente incómodo. Sea lo que fuere que preocupaba a esa mujer, decidió que lo mejor era fingir no haber reparado en su extraña reacción. Al notar que él observaba a la anciana, Gabriella se volvió ligeramente para presentársela, con voz tan ronca como antes pero menos vacilante:

—Te presento a la señorita Twindlesham, que se ha ocupado de nosotras durante muchos años.

—Señorita Twindlesham —dijo él inclinándose—. Bienvenida a Wickham House.

—Gracias, señor.

La señorita Twindlesham lo estudiaba con expresión relajada y él tuvo la impresión de haber aprobado un examen. Claire seguía sonriéndole, y la joven Beth lo miraba arrobada. La única de sus nuevas parientas que no parecía entusiasmada de verle era Gabriella, quien le observaba con ceño y expresión recelosa.

Él la miró con una sonrisa que confiaba trasluciera solamente afecto fraternal.

—¿No vas a presentarnos a tus hermanas, Marcus? —preguntó Belinda situándose junto a él y tomándolo del brazo.

Belinda, la esposa de lord Ware, un anciano e inválido aristócrata que vivía todo el año en su casa solariega de Devonshire, hacía cada año un viaje a Londres donde, pese a su afición al juego y a los hombres, era recibida en todas partes. Él la había conocido durante una partida de naipes, poco después de su llegada a Londres, y desde entonces eran amantes. Pero el aire posesivo de Belinda empezaba a irritarle, y, aunque todos la consideraban una belleza, sus maduros rasgos no podían compararse con los de Claire, su nueva hermana.

Al hacer las presentaciones, él evitó que su rostro traicionara sus pensamientos.

—Lady Ware, permitid que os presente a lady Gabriella, lady Elizabeth y lady Claire Banning, y a la señorita Twindlesham.

Gabriella, según observó él, haciendo gala de un innato don de juzgar la calidad de las personas, ofreció sólo dos dedos a Belinda. Murmuró una frase de rigor mostrando una expresión que denotaba que no se sentía honrada por esa presentación. Las dos jóvenes sonrieron y tendieron la mano a Belinda, mientras que la señorita Twindlesham le hizo una pequeña reverencia.

El hombre concluyó las presentaciones señalando con un gesto a los otros componentes del grupo.

—Les presento también a lady Alicia Monteigne, la señora Armitage, lord Denby y el honorable señor Pool.

El intercambio de saludos corteses fue interrumpido por Stivers, quien, tras consultar algo rápidamente con un lacayo, se aproximó al hombre.

—¿Sí, Stivers?

—Los coches están dispuestos, señor.

—Gracias —respondió él asintiendo.

Luego se dirigió a sus amigos, los cuales, pensó con regocijo, parecían un hatajo de pavos reales observando con curiosidad a un cuarteto de cuervos que se sentían acosados, y dijo en voz alta:

—Opino que debemos irnos si no queremos perdernos toda la función. Gabriella, Claire, Beth, mañana seguiremos hablando. Entretanto, sé que Stivers se ocupará perfectamente de vosotras.

Los asistentes al teatro prorrumpieron de nuevo en voces y risas mientras se despedían de las hermanas y tomaban los sombreros, gabanes, bastones y capas que les entregaban los sirvientes. Luego se abrió la puerta y salieron. Aunque era abril, la noche era tan fría que todos se pusieron a tiritar.

Cuando el hombre se volvió por última vez para mirar a sus hermanas recién halladas, vio que Gabriella, que se hallaba en el centro del recibidor rodeada por los otros, se había vuelto para verles partir. Sus miradas se cruzaron brevemente antes de que el lacayo cerrara la puerta. Pero cuando el hombre montó en la calesa que le aguardaba y se instaló cómodamente junto a la cálida, perfumada y voluptuosa Belinda, no pudo borrar de su mente la expresión de Gabriella. Tardó unos minutos en recordar dónde había visto con anterioridad esa expresión, pero por fin recordó el ingrato episodio: en el transcurso de una campaña peninsular, en el rostro de un joven soldado que había recibido un disparo en el vientre. Durante los segundos antes de que el muchacho perdiera el conocimiento y muriera, sus ojos no reflejaban dolor ni terror, como cabía esperar, sino absoluta incredulidad.

Eso era algo que él había visto en los ojos de Gabriella mientras ésta le observaba partir: absoluta incredulidad.

4

—Debo decir —comentó Beth con entusiasmo, volviéndose hacia sus hermanas cuando la puerta se cerró tras el espectacular grupo de extraños— que nuestro hermano está de infarto. ¿Habéis visto alguna vez a un tío más guapo e impresionante?

—En cualquier caso, ha sido una sorpresa encontrárnoslo aquí —dijo Claire—. Aunque en su carta decía que dentro de unas semanas se reuniría con nosotras en Londres. Lo cierto es que parece muy amable. Y sin duda es muy distinguido. —Y volviéndose hacia Gabby añadió con tono pensativo—: ¿Crees que podemos encargar que nos confeccionen de inmediato dos trajes nuevos? Creo que lady Ware y los otros nos tomaron por provincianas. ¿Te fijaste en el vestido de lady Ware? ¡Qué maravilla! ¿Crees que me sentaría bien uno como el suyo?

—No a menos que quieras ofrecerte como una mercancía en Haymarket —bufó Gabby, recobrando en cierta medida la compostura una vez su hermano supuestamente difunto se había marchado.

—No es un vestido apropiado para jóvenes que se presentan en sociedad —apostilló Twindle—. En cuando a usted, señorita Beth, ¿qué le he dicho sobre utilizar expresiones vulgares? Los demás se llevarán una pésima impresión de usted si la oyen hablar de esa forma.

—¡Señorita Gabby, señorita Claire, señorita Beth, Stivers acaba de avisarme que habían llegado ustedes! —La señora Bucknell, una mujer menuda y rolliza, entró apresuradamente en el recibidor. Pese al tono escandalizado de su voz, su cara rubicunda y poco agraciada mostraba una amplia sonrisa—. Menuda sorpresa deben de haberse llevado al ver aquí al señor conde, ¿verdad? Pensé que iba a enviarnos a Stivers y a mí de regreso a casa, dado que había instalado aquí su residencia de soltero, pero tan pronto Stivers le dijo que iban a trasladarse aquí para la puesta de largo de la señorita Claire, nos pidió que nos quedáramos y nos ocupáramos de todo en la casa, lo cual hicimos, por supuesto. Parecen muertas de cansancio —comentó chasqueando la lengua en señal de desaprobación—. Especialmente usted, señorita Claire. Imagino que estarán deseando retirarse a sus habitaciones, como cualquiera, menos un lerdo como Stivers, se habría dado cuenta. Mandaré que les suban una jofaina de agua caliente para que se refresquen. Luego les serviremos la cena en la salita, señorita Gabby, en vista de que el comedor está todavía patas arriba tras la cena ofrecida por el señor conde a sus amigos. ¿O prefieren que les subamos una bandeja con la cena a sus habitaciones?

Gabby recobró la compostura para saludar al ama de llaves afectuosamente y responder a sus preguntas.

—La señorita Claire está deseando acostarse —dijo Twindle con firmeza, conduciendo a Claire hacia la escalera.

La señora Bucknell, emitiendo unas exclamaciones de protesta debido a las duras pruebas que tenían que soportar las personas de salud delicada, se encargó de conducirlas ella misma a sus aposentos.

—Señorita Beth —dijo Twindle volviéndose hacia la joven—, dejo que usted y la señorita Gabby decidan si debe subir también a acostarse, pero permita que le recuerde que Londres no va a desaparecer. Mañana por la mañana seguirá aquí.

Beth miró a Gabby con expresión implorante.

—Si subo ahora a acostarme no podré pegar ojo. Claire, me parece increíble que seas tan pusilánime como para acostarte temprano en nuestra primera noche en Londres.

—En otras circunstancias no lo haría, pero me duele la cabeza y tengo el estómago revuelto —se justificó Claire mientras subía la escalera.

—Pues claro que debes acostarte, Claire. Sube tú también, Beth, y al menos lávate la cara y las manos. Yo subiré enseguida, en cuanto haya hablado con Stivers. Si te apetece, dentro de tres cuartos de hora tú y yo tomaremos una ligera colación, unos fiambres, señora Bucknell, en la salita. Luego me iré enseguida a la cama. Si quieres visitar mañana por la mañana algunos de los lugares más interesantes de Londres, te aconsejo que hagas otro tanto. De lo contrario estarás de un humor de perros.

Beth esbozó una mueca, pero siguió dócilmente a Claire y Twindle escaleras arriba. Cuando hubieron subido un tramo y Gabby supuso que no podían oírla, se volvió hacia el mayordomo.

—¿Es cierto que él ya estaba aquí cuando la señora Bucknell y tú llegasteis, Stivers? —preguntó en voz baja.

Stivers la miró con ceño.

—¿Se refiere al señor conde, señorita Gabby?

—Sí. ¿Había instalado su residencia en Wickham House cuando llegasteis? —Pese a sus esfuerzos por disimularlo, su voz denotaba una profunda preocupación.

—Sí, señorita Gabby. Por algo que dijo su mayordomo, creo que se llama Barnet, el señor conde llegó a Inglaterra hace unas dos semanas y se instaló inmediatamente en Londres, proponiéndose trasladarse a Hawthorne Hall más adelante.

La expresión de Gabby sin duda dejaba traslucir sus pensamientos, pues Stivers se apresuró a añadir:

—¿Ocurre algo, señorita Gabby?

Gabby trató de poner en orden la multitud de pensamientos que se agolpaban en su mente. Todo indicaba que sus planes, sus angustias, sus discusiones con Jem y sus noches en vela habían sido en vano. Marcus estaba vivito y coleando y se había instalado aquí, en Wickham House. Y parecía encantado de verlas.

Era increíble. ¿Cómo era posible que Jem cometiera un error tan garrafal? Quizá su hermano sólo había resultado herido y se había recuperado. Pero Marcus no daba la impresión de haber sufrido un percance últimamente, ni de haber estado enfermo en toda su vida.

Había algo que no encajaba.

—No, Stivers —mintió, procurando esbozar una breve sonrisa—. Es que me ha sorprendido ver aquí a mi hermano, eso es todo.

—Ciertamente, la señora Bucknell y yo también nos llevamos una sorpresa, señorita Gabby, pero es una alegría para todos que el señor conde haya regresado para ocupar el lugar que le corresponde, ¿no es así?

—Desde luego —contestó Gabby con una sonrisa forzada y dirigiéndose hacia la escalera. Al cabo de un momento se detuvo, apoyándose con una mano en la balaustrada, y se volvió hacia Stivers—. Supongo que Jem habrá llevado el coche a los establos. Pues ve a decirle que deseo hablar con él ahora mismo. Llévalo a algún sitio donde podamos hablar sin que nadie nos oiga y dile que enseguida me reuniré con él.

—Muy bien, señorita Gabby.

Conociendo la larga y afectuosa relación que mantenían las jóvenes Banning con el lacayo, Stivers no expresó sorpresa alguna ante esa petición. Cuando el mayordomo se retiró con una reverencia, Gabby, aturdida y confundida, subió la escalera. Trató de recordar tantos detalles como pudo de la única ocasión en que había visto a su hermano, cuando su padre, por alguna misteriosa razón, le había hecho acudir a Hawthorne Hall. En aquella época Marcus era un joven delgaducho de diecisiete años, no muy alto, de pelo negro, tez pálida y ojos... ¿de qué color tenía los ojos?

Debían de ser azules, por supuesto. Un añil intenso. ¿Acaso no había vuelto a verlos hacía escasamente un cuarto de hora? El color de los ojos no cambia.

Pero el resto de su persona sí había cambiado mucho, a juzgar por lo que Gabby recordaba. ¿Era posible que aquel jovencito se hubiera convertido en ese hombre alto, musculoso y atractivo que acababa de ver?

Evidentemente sí, por imposible que pareciera.

Marcus había sido un joven reservado, un tanto tímido, según recordaba también Gabby. Aficionado a la lectura. Y que añoraba su hogar. Las pocas conversaciones que habían mantenido se habían centrado en el abuelo de Marcus, a quien el joven adoraba, y su anhelo de regresar a su hogar junto a él. Gabby recordaba que le había envidiado por tener un abuelo encantador y un hogar feliz al que regresar, aunque estuviera situado en una isla llena de paganos, como solía decir su padre.

Al cabo de un tiempo había venido a buscarlo una persona y Marcus se había marchado de Hawthorne Hall sin más explicaciones. Si Gabby había preguntado adónde había ido Marcus y por qué, no recordaba las respuestas. Lo más probable es que no se lo hubiera preguntado. Su padre no era el tipo de hombre a quien uno hacía preguntas caprichosas.

Ni ninguna otra clase de preguntas.

—He dispuesto para usted los aposentos de la condesa, señorita Gabby, si no tiene inconveniente. Le presento a Mary, su doncella. Mary, ésta es lady Gabriella. Confío en que te ocupes bien de ella.

Sobresaltada por las palabras de la señora Bucknell, Gabby alzó los ojos y vio que la joven sirvienta que estaba junto al ama de llaves, con la vista tímidamente fija en el suelo, hacía una pequeña reverencia a su nueva ama. Era una muchacha delgada, pecosa y de pelo rubio, que no sabía cómo iba a ser recibida. Gabby se afanó en sonreírle y, seguida por el ama de llaves y la doncella, entró en las habitaciones dispuestas para ella.

Los aposentos de la condesa consistían en dos habitaciones. La primera era una espaciosa alcoba, elegantemente decorada en tonos suaves y ligeramente desteñidos de rosa vivo y crema. Las paredes estaban cubiertas por un damasco color crema. Las cortinas y la colcha que cubría la cama de columnas eran de seda rosa ribeteadas por un grueso fleco con nudos. En el hogar ardía un agradable fuego, un lujo del que no habían gozado en las alcobas de Hawthorne Hall hasta después de morir su padre. La segunda habitación, que la señora Bucknell describió como el vestidor, contenía varios espejos, un tocador con una nutrida e interesante colección de frascos y cajitas, y varios armarios roperos de gran tamaño. Frente a uno de ellos estaba el baúl de Gabby, aún sin abrir. Al otro lado de la habitación había una puerta compuesta por seis paneles, pintada de color crema, con un pomo de cristal. Estaba cerrada.

—Esa puerta conduce a la alcoba del señor conde —explicó la señora Bucknell al ver que Gabby la observaba—. Como ésta es la habitación más espaciosa y digna de una dama, y apenas requería ningún arreglo, decidí instalarla aquí, señorita Gabby, confiando en que no le importara que estuviera contigua a la de su hermano. ¿He hecho bien?

Aunque Gabby no estaba segura de decir la verdad, aseguró a la señora Bucknell que había hecho lo correcto, consiguiendo librarse de la anciana cuando llegó la esperada jofaina de agua caliente. Con ayuda de Mary, Gabby se lavó rápidamente la cara y las manos y se peinó antes de abandonar su alcoba. Quería bajar antes que Beth, para hablar unos minutos con Jem y averiguar el motivo que le había inducido a error.

Stivers la estaba esperando. El mayordomo apareció de las entrañas de la casa en el preciso momento en que Gabby llegó a la planta baja.

—He conducido a su criado a la biblioteca, señorita Gabby. Tenga la bondad de seguirme —contestó a la pregunta de ésta.

Gabby asintió al tiempo que le daba las gracias y le siguió. Al entrar en la estancia de paredes artesonadas y techo elevado, repleta de libros, esperó a que Stivers se retirara y cerrara la puerta tras él antes de acercarse a Jem, que se hallaba frente al fuego, con las manos a la espalda y el entrecejo fruncido en gesto de preocupación.

—¿Sabes que mi hermano vive en esta casa? —preguntó Gabby en voz baja, cruzando los brazos y frotándose los codos nerviosamente—.

Explícame, si puedes —añadió mirando al lacayo a los ojos—, cómo es posible.

Jem meneó la cabeza. Parecía tan confundido como ella.

—Es imposible, señorita Gabby. Absolutamente imposible. El señor conde, su hermano, fue abatido por un disparo en la isla donde vivía. Lo vi con mis propios ojos.

Gabby respiró hondo para serenarse.

—Quizá resultó herido pero no murió.

—Le aseguro que estaba muerto, señorita Gabby. Disculpe mi rudeza, pero al señor conde le dispararon un balazo que le atravesó el corazón. Sé muy bien cuando un hombre está muerto, señorita Gabby. No soy tan tonto como para confundirme en una cosa así.

Gabby le observó.

—Tienes que estar equivocado, Jem. De lo contrario, ese... ese hombre que dice ser mi hermano es un fantasma o un impostor.

—Yo no creo en fantasmas, señorita Gabby —replicó Jem malhumorado.

—Yo tampoco. —Pese al calor que reinaba en la habitación, Gabby se estremeció al pensar en la otra posibilidad—. Pero la idea de que sea un impostor es tan poco probable que resulta absurda. Además, conoce nuestros nombres, el de Claire, Beth y el mío.

Gabby frunció ligeramente el ceño al recordar que a Beth la había llamado Elizabeth antes de que ésta le corrigiera. Hacía unos años, cuando Marcus había pasado una temporada en Hawthorne Hall y había jugado con la pequeña Beth, la llamaba por ese diminutivo. Y en su carta se había referido a ella como Beth. Por otra parte, a ella la había llamado Gabriella, cuando años atrás la había llamado Gabby...

Pero el mero hecho de llamar a sus hermanas por su nombre completo no significaba nada. Habían transcurrido muchos años y Marcus era ahora un hombre adulto, que probablemente sólo se acordaba de ellas vagamente.

Al igual que Gabby.

—¿Qué aspecto tiene el señor conde? —preguntó Jem lentamente.

Pues claro, pensó Gabby con alivio. Jem había visto recientemente a su hermano, por lo que sin duda podría identificarlo.

—Es alto, bien plantado, de pelo negro y ojos azules. Muy guapo.

Jem pareció perplejo.

—No puedo decirle si era guapo o no. Eso es cosa de las mujeres. Pero en cuanto a lo demás, sí, encaja con el hombre que vi.

—Entonces debe de tratarse de Marcus —dijo Gabby con una profunda sensación de alivio. Si su hermano estaba vivo y en Londres, y según parecía más que dispuesto a costear la puesta de largo de Claire, Gabby ya no tenía de qué preocuparse. No era preciso que pusiera en práctica su plan. La misiva que había enviado al señor Challow, adjuntando la carta de Marcus, no era una mentira. Ya no tenía que engañar a nadie, y Claire no tenía que apresurarse en atrapar un marido...

—Señorita Gabby, sea quien fuere ese caballero, es imposible que sea el señor conde. A menos que haya resucitado y vague por el mundo.

Las palabras de Jem desinflaron el globo de felicidad de Gabby. Desmoralizada, le miró a los ojos. ¿Por qué había sido tan tonta de pensar que esto resultaría sencillo? Según su experiencia, nada en la vida era sencillo.

—Es preciso que le veas —dijo Gabby—. Es la única forma de asegurarnos.

—Sí. Eso mismo pensaba yo.

—Ha salido. Seguramente llegará tarde.

—Con su permiso, señorita Gabby, esperaré aquí hasta oírle regresar. Entonces saldré un instante al recibidor y le echaré un vistazo sin que él se dé cuenta.

—Yo esperaré contigo.

Jem meneó la cabeza.

—No es necesario, señorita. Suba a acostarse, que yo le diré la verdad por la mañana.

Pero Gabby insistió:

—No podré pegar ojo hasta saberlo a ciencia cierta.

En esos momentos oyeron voces en la entrada. Beth, que había bajado, preguntaba si su hermana había aparecido o no.

Gabby suspiró resignada.

—Debo reunirme con mi hermana. Ordenaré a Stivers que te traiga algo de cena. Regresaré tan pronto Beth se haya ido a dormir.

—Para qué discutir con usted, sería una pérdida de tiempo —replicó Jem frunciendo el entrecejo.

—Sí —respondió Gabby tranquilamente—, sería una pérdida de tiempo.

Tras estas palabras fue a reunirse con Beth. Tomaron una cena fría y luego se dedicaron a explorar la casa. Beth demostró con sonoras exclamaciones su admiración por todo, desde el elegante salón hasta el interesante jardín y la casita situada detrás de la mansión. Gabby, aunque menos expresiva, se sintió no menos impresionada. Cuando su hermana subió por fin a acostarse, Gabby fingió retirarse también para librarse de Mary, de Stivers y del resto de solícitos sirvientes, puesto que era más de medianoche. Acostumbrada a vestirse sola —las hermanas se habían visto obligadas a compartir una doncella, la cual habían dejado en Hawthorne Hall—, se quitó el camisón que Mary le había ayudado amablemente a enfundarse y se puso un vestido, que al menos estaba limpio aunque era casi idéntico al que se había quitado hacía un rato. Luego se cepilló el pelo, volvió a recogérselo en un moño en la nuca y bajó sigilosamente la escalera para reunirse con Jem en la biblioteca.

Aunque la reacción del sirviente no sorprendió a Gabby, Jem se mostró disgustado al verla y pasaron un cuarto de hora enzarzados en una animada discusión, aunque en voz baja, sobre la conveniencia de que ella estuviera ahí. Por fin, Jem se rindió. A continuación se sentaron a esperar el regreso de Marcus, cada cual sentado cómodamente a un lado del hogar. Pasó una hora, y otra, y otra. El reloj en la repisa acababa de dar las cuatro, mientras Gabby se esforzaba en no caer dormida en la butaca de orejas, cuando el inconfundible sonido de alguien entrando en la casa la hizo despabilar de nuevo.

Jem, que seguía sentado al otro lado del hogar, también se sobresaltó. Ambos cambiaron una mirada cargada de significado al oír el distante clic de una puerta y el sonido amortiguado de unos recios pasos encaminándose hacia la escalera. Se pusieron de pie casi simultáneamente y Gabby tomó la delantera mientras se dirigían de puntillas hacia la puerta de la biblioteca.

5

El hombre alto y moreno que era —o posiblemente no— el conde de Wickham atravesó el oscuro recibidor para tomar la vela que un sirviente había dejado encendida para él sobre una mesilla. Al caminar su gabán se movía airosamente en torno a sus piernas, realzando la anchura de su musculosa espalda. Otra sombría figura, algo más alta y bastante más corpulenta que el conde, salió de pronto del salón situado a la derecha, sosteniendo una vela con una mano y protegiendo con la otra la llama para que no se apagara. Wickham se detuvo, como si le hubiera sorprendido. El otro individuo se acercó a él y ambos empezaron a hablar en voz tan baja que Gabby, por más que aguzó el oído, no logró oír lo que decían.

—Ése es Barnet, el mayordomo del señor conde. Hace un rato me topé con él en la cocina —murmuró Jem al oído de Gabby mientras avanzaban sigilosamente por la sombra que proyectaba la escalera.

Gabby, que avanzaba arrimada a la fría superficie de yeso de la pared, era consciente de su acelerado pulso. El hecho de ver a aquellos dos hombres altos y fuertes conversando en el silencio de la noche le produjo una sensación siniestra. Por primera vez pensó que el hombre que decía ser su hermano podía ser realmente un impostor, embarcado en quién sabe qué nefasto plan.

—¿Y bien? ¿Es Wickham? —preguntó en voz baja a Jem. Al pensar en la posibilidad de que no lo fuera, un escalofrío de aprensión le recorrió lentamente la espina dorsal. Ansiaba que Jem reconociera su error, que confesara que había cometido una equivocación de proporciones monumentales y que Marcus estaba vivo, ahora mismo, hablando con aquel gigante en el recibidor. Sólo de esa manera Gabby se calmaría y respiraría por fin tranquila.

—Ya le he dicho que no puede ser el señor conde —respondió Jem meneando la cabeza—. Aunque aún no he podido verlo con claridad, estoy convencido de que el señor conde está muerto.

Siguieron avanzando con sigilo, ocultos por la amplia escalinata y la oscuridad que presidía aquella parte del recibidor. La única iluminación provenía de las oscilantes llamitas de las velas. La precaria luz transformaba los cuerpos de los dos hombres en siluetas sólidas y oscuras, dibujando sobre sus rostros una caprichosa sinfonía de luces y sombras. Gabby comprendió que a Jem le iba a ser difícil reconocer los rasgos del presunto Marcus, y se lamentó de no haber previsto antes las dificultades de esa empresa. Habría sido preferible tratar de identificarlo a la luz del día, no en las sombras de la noche y a la escasa luz de unas velas.

En ese momento Gabby habría dado cualquier cosa por hallarse a salvo en su cama confortable y calentita...

El accidente ocurrió tan repentinamente que no pudo evitarlo. De pronto, mientras seguía avanzando con una mano apoyada en la pared para guiarse y con los ojos fijos en su objetivo, tropezó con algo, quizás una esquina de la alfombra o la pata de una estrecha consola, perdiendo el equilibrio. Su pierna mala cedió y Gabby cayó de bruces.

—¿Quién va?

Una voz formuló la hosca pregunta en el preciso momento en que Gabby aterrizaba estrepitosamente en el frío suelo de mármol. Por suerte, dado que cayó cuan larga era, consiguió parar el golpe con las manos. Jem emitió una ronca exclamación y, abandonando el inútil intento de ocultarse, corrió a socorrer a su ama. Se arrodilló junto a ella, alzándola por los hombros con sus curtidas manos de jinete al tiempo que le preguntaba si se había hecho daño.

Gabby no respondió. Horrorizada, con los ojos como platos y las manos crispadas sobre la dura superficie del suelo en que yacía, se volvió hacia los dos hombres que, tal como se temía, la miraban fijamente.

Al contemplarlos desde el suelo, aproximadamente al nivel de los tobillos de ambos, ofrecían un aspecto terroríficamente gigantesco y amenazador.

Los dos hombres sostenían las velas en alto. Gabby, tendida en el suelo y auxiliada por Jem, pestañeó, deslumbrada por la luza de las llamas, mientras se esforzaba en ver los rostros de los hombres. Pero no distinguió más que el brillo de sus ojos. De pronto, al bajar la vista, contuvo una exclamación de terror al ver que la apuntaba el plateado cañón de una pistola empuñada por su presunto hermano con mano firme y experta.

—¿Qué significa esto, Gabriella? —preguntó éste con asombro, empleando un tono muy distinto del áspero bramido con que antes había exigido que se diesen a conocer. Tras guardar la pistola en el bolsillo de su gabán, Wickham, suponiendo que lo fuera, depositó la vela sobre la mesilla y se dirigió pausadamente hacia ellos. Su mayordomo le siguió, sosteniendo su vela en alto para iluminar la escena.

Gabby tragó saliva convulsivamente, haciendo caso omiso de las punzadas de dolor que sentía en diversos puntos de su anatomía mientras trataba de incorporarse. Pero lo máximo a lo que podía aspirar era a asumir una digna postura sentada, reconoció al tiempo que se cubría las piernas con la falda. Ponerse de pie le exigía un esfuerzo que en aquellos momentos le resultaba imposible. Después de repasar rápidamente los daños sufridos, Gabby se dio cuenta de que se le había deshecho el moño y su cabellera castaña y lisa le caía en greñas sobre la cara. Las palmas de las manos le escocían debido al choque contra el suelo. Sentía un hormigueo y aguijonazos de dolor en las rodillas. Su cadera izquierda y su pierna mala le dolían abominablemente.

Pero aun así confió en no haberse lastimado gravemente.

Entonces alzó la vista y comprobó que Wickham —no podía evitar pensar en él, al margen de lo ocurrido— y su mayordomo la observaban fijamente. Su estado físico perdió toda importancia. Wickham la miraba a ella y a Jem con ceño, entrecerrando los ojos y con una expresión pensativa que disgustaba a Gabby. Su mayordomo, situado detrás de Wickham, les observaba sobre el hombro de éste. Era de complexión atlética y tenía la cara aplastada como la de un púgil, por lo que su expresión de ira resultaba tan terrorífica como una amenaza expresada verbalmente.

—¿Qué hacías recorriendo sigilosamente la casa en plena noche?

La serenidad con que Wickham formuló la pregunta le dio un tono más perverso y aterrador que un grito. Al mirarle a los ojos, Gabby sintió que tenía la garganta reseca. Sí, ¿qué hacía moviéndose sigilosamente por la casa en plena noche?, se preguntó. Antes de que pudiera ofrecer una respuesta medianamente convincente, Wickham la miró achicando los ojos.

—¿Acaso me espiabas, hermanita? —preguntó con un fingido tono afable que a ella le hizo erizar el vello de la nuca. Wickham siguió, con las cejas arqueadas y una expresión que era casi una parodia de amable curiosidad.

Gabby respiró hondo confiando en que no se notara su nerviosismo.

—En absoluto... —contestó fríamente, dispuesta a evitar tener que decir una mentira descarada y poco convincente informándole que sus actos no le concernían.

Pero antes de que pudiera terminar la frase, Jem se levantó prestamente y se interpuso entre ella y los otros dos, encarándose con ellos como un viejo pero valiente perro faldero que trata de proteger a su ama de un par de lobos feroces. Gabby llegó a la amarga conclusión de que el perro faldero seguramente tendría más éxito que ella.

—¡Ella no es su hermana, bribón! Usted no es el conde de Wickham. ¡El conde de Wickham ha muerto! —gritó Jem indignado.

Gabby se quedó estupefacta al oír tan inoportuna afirmación. Vio, espantada, cómo reaparecía la pistola, tan rápidamente que parecía casi un truco de prestidigitación, apuntando en esta ocasión directamente a Jem.

—¡No! ¡No! —exclamó Gabby, temiendo ser ella quien presenciara ahora un asesinato.

La revelación de Jem, en las presentes circunstancias, posiblemente había sido un error fatal. «Pobre idiota —pensó estremecida—, ¿cómo se te ha ocurrido decir eso?» Sujetándose en el brazo de Jem, que la asió del codo para ayudarla a incorporarse, consiguió levantarse no sin dolor. Una vez de pie, haciendo caso omiso del dolor que sentía en la pierna y la cadera, apoyó la mano en el hombro de Jem para conservar el equilibrio y esbozó una sonrisa encantadora —o eso esperaba— dirigida al hombre que empuñaba la pistola.

—Jem sólo está bromeando. ¿Dónde está tu sentido del humor, Marcus?

Se produjo una breve pausa. Jem, junto a ella, hizo un gesto de impaciencia pero guardó un orgulloso silencio, sin duda percatándose demasiado tarde de que el lanzar ese desafío en plena noche, cuando se hallaba a solas con el impostor y su compinche, había sido una insensatez. La pistola seguía apuntándole con firmeza. Gabby pensó que si lo que Jem había declarado era cierto, ambos corrían grave peligro. ¡Un peligro mortal!

Pero era demasiado tarde. El mal ya estaba hecho, se temió. Las palabras no podían borrarse, pero confió en haber logrado suavizar la situación. De lo contrario nadie acudiría a rescatarlos: sus hermanas y Twindle dormían a pierna suelta dos pisos más arriba, y los sirvientes se hallaban en la planta superior de la casa. Ella y Jem estaban indefensos, a merced del supuesto Marcus.

—Es inútil, querida —replicó Wickham con una dulzura que puso a Gabby la piel de gallina—. No trates de engañarme. Permíteme que te diga que eres una pésima embustera. Me has observado como si fuera un fantasma desde el momento en que me viste. —Wickham emitió una breve y áspera carcajada mientras la miraba fijamente a los ojos—. La cuestión es qué vamos a hacer ahora.

Sus ojos relucían a la luz de las velas. Gabby se encogió cuando el supuesto Wickham apuntó al corazón de Jem como si se propusiera matarlo. Rápidamente, éste extendió el brazo para obligarla a situarse detrás de él. Gabby clavó los dedos en el hombro del lacayo al ver que el falso Wickham amartillaba con un dedo largo y bronceado la pistola con que encañonaba a Jem.

El sonido que se produjo al quitarle el seguro a la pistola estalló como una detonación en el denso silencio.

De pronto, mientras contemplaba el cañón del arma, a Gabby se le ocurrió una idea.

—Muy bien, seas quien seas, exijo que pongas fin a esta situación —dijo con firmeza, tratando de comprobar si su pobre pierna era capaz de sostenerla. Al notar que así era, retiró cautelosamente la mano del hombro de Jem y se situó junto a él. Luego alzó la vista y miró al impostor con expresión severa—. Deja de esgrimir esa pistola. Es inútil que trates de atemorizarnos. Sé muy bien que Jem y yo no corremos el menor peligro de que nos dispares.

Gabby sintió que el lacayo se estremecía. La miró de soslayo, pero ella no hizo caso. El falso Wickham la observó con aire pensativo.

—¿De veras? —dijo, moviendo los dedos sobre la reluciente pistola como si la acariciara con afecto. El arma, observó Gabby, seguía amartillada y apuntada hacia Jem. No obstante, estaba segura de estar en lo cierto—. ¿Cómo lo sabes?

—Un disparo despertaría a los sirvientes —respondió con calma—. Lo sabes tan bien como yo. Por otra parte, dos cadáveres ensangrentados en el vestíbulo presentarían un serio problema: tendrías que desembarazarte de ellos y eliminar todo rastro de sangre antes de que apareciera alguien. Luego tendrías que explicar el hecho de que Jem y yo hubiéramos desaparecido. Nuestra desaparición causaría un enorme revuelo y te convertirías en sospechoso, lo cual, dadas las circunstancias, estoy segura de que prefieres evitar.

El falso conde la miró a los ojos durante unos instantes.

—Reconozco que tienes mucho valor, señora mía —dijo torciendo los labios ligeramente. Pese al murmullo de protesta de su compinche, quien observaba furioso a Gabby y Jem sobre el musculoso hombro de su patrón, el falso Wickham colocó de nuevo el seguro de la pistola y se la guardó en el bolsillo—. ¿Qué crees, Gabriella? ¿Que no os he matado porque temía despertar a los sirvientes o porque me considero incapaz de desembarazarme de dos... cadáveres ensangrentados, según has dicho?

—No tengo ni idea —contestó Gabby sin dejarse amedrentar—. Ni me importa.

—Bribones, mañana a estas horas los soldados os estarán pisando los talones —declaró Jem con vehemencia. Al parecer había deducido que dado que la pistola había desaparecido y el impostor había respondido sin agresividad al reto lanzado por Gabby, el enemigo estaba a punto de ser derrotado—. Si estuviera en vuestro pellejo me largaría de aquí cuanto antes. No estoy muy seguro de que hacerse pasar por un conde no sea un delito castigado con la horca.

Era una provocación innecesaria, pensó Gabby. El falso Wickham se volvió hacia Jem, examinándolo desde su cabeza entrecana hasta sus gruesas botas, dando la impresión de que no se había perdido detalle.

—Estoy empezando a cansarme de vosotros. No puedo consentir que difundáis estas patrañas por todo Londres —dijo el impostor con aire pensativo. Tras lo cual cruzó los brazos, achicó los ojos y observó a Gabby y a Jem.

—Deje que yo me ocupe de estos cadáveres, capitán —terció su gigantesco compinche, quien hasta ahora había permanecido en silencio—. No me costará nada desembarazarme de ellos.

—Bien, adelante. —El impostor miró a Gabby con una sonrisa sarcástica.

Jem se apresuró a colocarla de nuevo a su espalda, casi derribándola al suelo, tras lo cual sacó de un bolsillo interior una pistola que Gabby ignoraba que portara. Observó horrorizada cómo el mayordomo esgrimía la pistola ante las narices de sus adversarios, encarándose con ellos con la expresión de quien tiene todos los ases aunque los otros dos fueran mucho más altos que él y tuviese que inclinar la cabeza hacia atrás para mirarles a la cara.

—Nos os acerquéis a la señorita Gabby, canallas —farfulló Jem—. Vaya a la biblioteca y enciérrese en ella, señorita. Yo me encargaré de...

El impostor adelantó el brazo en un movimiento tan rápido que Gabby casi no lo advirtió, propinando a Jem un tremendo puñetazo en el mentón. Jem se desplomó sin decir palabra, aterrizando estrepitosamente en el suelo. La inofensiva pistola se deslizó por el suelo. Sonriendo despectivamente, Barnet se agachó para recogerla.

Por un momento Gabby se quedó inmóvil, contemplando horrorizada a su desdichado sirviente y protector postrado, inconsciente, a sus pies. Luego miró con ojos encendidos a su falso hermano, quien permanecía impasible frotándose los nudillos con el pulgar de la otra mano. Su compinche, situado tras él, se rió satisfecho al tiempo que se guardaba la pistola en el bolsillo. Su desfachatez hizo que Gabby se tensara, a punto de perder los estribos.

—Has ido demasiado lejos —dijo fríamente a su falso hermano. Tras agacharse torpemente junto a Jem y tocarle para cerciorarse de que estaba vivo, alzó los ojos y miró furiosa al agresor—. Quienquiera que seas, sea cual fuere el juego que te llevas entre manos, esta farsa ha terminado. Si no te marchas inmediatamente de mi casa, llevándote a ese... grotesco mono, me pondré a gritar hasta despertar a todo el mundo.

—Es una imprudencia lanzar amenazas que no puedes cumplir, Gabriella —replicó el otro con tono burlón.

—¿De veras? —contestó ella, abriendo la boca para ponerse a gritar.

El impostor se lanzó al instante sobre ella, como un ave de rapiña sobre su presa, tapándole la boca con una mano y rodeándole con el brazo la cintura antes de que pudiera emitir siquiera un quejido. Por más que Gabby se resistió con todas sus fuerzas, él no tardó en dominarla. Al cabo de unos segundos sintió como éste la alzaba en el aire, sosteniéndola de espaldas a él, aferrándola por los brazos para inmovilizarla mientras seguía tapándole la boca con la mano.

—Así se hace, capitán —dijo Barnet, situado junto a su patrón, asintiendo con gesto de aprobación mientras Gabby pugnaba por liberarse—. Ahora veremos si eres capaz de gritar.

—Suéltame —exclamó Gabby, pero sólo consiguió emitir un bronco gemido.

La mano del impostor le cubría la boca por completo, hincándole sus largos dedos en la mejilla. Gabby no podía gritar y apenas podía respirar. Pero podía propinar patadas, cosa que hizo con energía pese al dolor que le causaba, golpeando las espinillas del impostor —era una lástima que llevara unos delicados escarpines, pensó Gabby— con una ferocidad de la que no se había creído capaz. Le mordió la mano al tiempo que se revolvía frenéticamente, hundiendo los dientes en la parte más carnosa de la palma. Al notar el gusto salado de la piel, Gabby sintió una intensa satisfacción.

—¡Maldita sea! —gritó el hombre, apresurándose a retirar la mano.

Gabby inspiró hondo y fue a chillar con todas sus fuerzas. Pero el extraño le taponó la boca con un objeto que sabía a cuero, sofocando su grito. Sorprendida, Gabby se atragantó y sintió que le faltaba el aire mientras trataba de escupir aquel objeto de sabor aceitoso. Se estaba asfixiando...

—Te está bien empleado, jovencita —dijo el impostor con aspereza, mirándola fijamente a los ojos al tiempo que cambiaba de postura para alzarla en el aire y sujetarla contra su pecho.

Debatiéndose con todas sus fuerzas, boqueando mientras trataba de escupir con la lengua el objeto que la asfixiaba, sudando de furia y temor, Gabby se revolvió frenéticamente golpeando con los puños el pecho del extraño. Pero sus fuerzas fueron mermando a medida que su desesperación aumentaba. Poco a poco, sus patadas en el aire se hicieron menos contundentes, sus desesperados intentos por liberarse disminuyeron y al cabo de unos momentos cesaron por completo. El impostor la sujetaba por los brazos y las piernas con sus musculosos brazos, que la aprisionaban como si fueran barras de hierro. Gabby comprendió con creciente desespero que sus intentos por liberarse era inútiles. De momento, sólo tenía fuerzas para respirar.

—Llévatelo y vigílalo hasta que te diga qué hacer con él —dijo el falso Wickham a Barnet, indicando con un gesto de la cabeza a Jem, que seguía postrado e inconsciente en el suelo—. Ahora siento la apremiante necesidad de... mantener una conversación privada... con mi querida hermanita.

6

Esforzándose en evitar que su cabeza tocara el hombro del extraño, Gabby mantuvo el cuello y el mentón en alto mientras él la transportaba a través del largo recibidor como si pesara tan poco como una pluma, lo cual, pensó con tristeza, se aproximaba bastante a la realidad. Él era infinitamente más corpulento y fuerte que ella, hasta el punto de que toda pugna física entre ellos resultaba ridícula. Él podía hacerle lo que quisiera, sin que Gabby pudiera evitarlo.

Era precisamente su indefensión lo que la enfurecía, de lo cual se alegraba. Era mucho mejor estar furiosa que atemorizada. El temor mermaba las fuerzas...

Aunque estaba demasiado oscuro para que Gabby distinguiera con claridad la expresión del extraño, veía sus ojos y le miró a ellos con rabia, confiando en transmitirle los improperios que la repugnante mordaza le impedía formular de viva voz.

Sea cual fuere el plan que se había trazado ese canalla, pensó Gabby, sólo podría evitarlo conservando la calma.

—Deduzco que emprendiste tu pequeña emboscada desde la biblioteca —dijo Wickham. Un comentario sin duda propiciado por el fino haz de luz que se filtraba por la puerta cerrada de la biblioteca.

Ni siquiera resollaba de cansancio, pensó Gabby, que por culpa de la mordaza apenas podía respirar. Ya fuera debido a esos esfuerzos, al agotamiento o —por más que le fastidiara reconocerlo— el temor, el corazón le latía con violencia.

El impostor se detuvo ante la puerta de la biblioteca y consiguió hace girar el pomo mediante una hábil maniobra sin soltar a su presa. Cuando se abrió la puerta, entró llevando a Gabby en brazos y volvió a cerrarla de una patada.

—De modo que tú y tu sirviente me estabais esperando. ¿No crees que fue una imprudencia, dadas las circunstancias?

En vista de que ella no podía responder, y él lo sabía, la pregunta, formulada mientras la arrastraba a través de la biblioteca, adquirió un tono puramente retórico. Gabby observó que el fuego casi se había apagado en el hogar, pero seguía emitiendo un débil resplandor anaranjado que iluminaba la zona que circundaba la chimenea. El falso Wickham la depositó en la misma butaca orejera de cuero negro que Gabby había ocupado antes. Sujetándola por las muñecas con su fuerte mano, el impostor se acuclilló frente a ella para observarla con aire pensativo. Sus anchos hombros impedían a Gabby ver buena parte de la habitación. Su rostro de piel atezada y rasgos duros estaba tan próximo al de ella, que Gabby se sintió incómoda. Sus ojos de color añil estaban clavados en los suyos; sus labios fruncidos en un gesto adusto. Por más que se resistiera a reconocerlo, no podía negar que era un hombre impresionantemente atractivo, lo cual no impedía que le odiara con toda su alma. Enderezando la espalda y alzando el mentón, Gabby le miró con manifiesta antipatía.

—Debiste guardar en secreto tus sospechas —continuó el impostor con tono de reproche—, hasta exponérselas al señor Challow u a otro de su calaña. Encararte conmigo protegida tan sólo por un viejo mozo de cuadra ha sido una estupidez.

Aunque Gabby pensaba lo mismo, aquellas palabras sólo sirvieron para echar más leña al fuego de la rabia que bullía en su interior. Por supuesto, no era un consuelo pensar que ella no se había propuesto encararse con él; el enfrentamiento se había producido a consecuencia de su caída, que había sido accidental. No obstante, de haberlo consultado con la almohada antes de tratar de descifrar la verdad que rodeaba la llegada a Londres de su supuesto hermano, el resultado de su desenmascaramiento habría sido muy distinto.

—Ahora —prosiguió su captor con un tono amable que hizo que Gabby sintiera deseos de escupirle a la cara—, como consecuencia de tu estupidez, te encuentras en un grave apuro.

Tras estas palabras la miró sonriendo. Era una sonrisa pausada, de satisfacción, decididamente burlona. Para no propinarle una patada, lo cual le costó lo suyo, dado que el falso conde tenía la espinilla colocada justo delante de sus pies, Gabby se dijo que con sus suaves escarpines sólo conseguiría lastimarse su propio pie. Estaba claro que no conseguiría librarse.

Para evitar sucumbir a la tentación, se concentró unos momentos en el aspecto puramente físico. El calor del fuego la agobiaba; probablemente porque estaba sofocada debido a la lucha mantenida con él. El escote cerrado y las mangas largas de su vestido de casimir hacían que se sintiera aún más incómoda, y el picor en la nariz debido al mechón que le caía sobre la cara acababa de rematar las cosas. Sacudió la cabeza en un vano intento de apartar el mechón, el cual volvió a caerle sobre la cara.

Por supuesto. Todo le salía mal.

Gabby arrugó la nariz en una protesta silenciosa y miró enfurecida al impostor, que tenía los ojos fijos en sus labios entreabiertos. Gabby sintió que le faltaba el aliento al pensar que quizá le aguardaba una suerte peor que el morir asesinada...

—Si tratas de gritar volveré a amordazarte —le advirtió él y, para alivio de Gabby, le sacó la mordaza de la boca. Ella tosió y se estremeció, después de lo cual inspiró una profunda bocanada de aire.

La mordaza, observó Gabby mientras abría y cerraba el maxilar y los labios resecos tratando de restituirlos a la normalidad, era uno de los guantes de cuero de su falso hermano. Estaba humedecido con su saliva. Él lo contempló con repugnancia antes de arrojarlo sobre la mesa. Luego volvió a mirarla. Tenía el rostro tan próximo al de ella que Gabby distinguió la leve arruga vertical entre sus espesas cejas negras, las arruguitas en las esquinas de los ojos y el oscuro vello que le cubría las mejillas y la mandíbula. El resplandor del fuego añadía una caprichosa luz anaranjada que se reflejaba en su pelo corto y negro y en sus ojos de color añil.

—¿Te propones estrangularme lentamente? —le espetó Gabby con tono beligerante pese a la sensación de hinchazón que experimentaba en la lengua.

El impostor emitió una áspera risotada.

—No me tientes, querida. Eres muy impertinente. Ahora voy a hacerte unas preguntas y quiero que me respondas la verdad —le advirtió dando un brusco tirón a sus muñecas.

Gabby entrecerró los ojos y le miró fijamente. Percibió el olor a licor en su aliento, así como un leve tufo a tabaco. Al identificar el primer olor y observar más detenidamente la inquieta expresión de sus ojos, pensó que quizás estuviera un poco bebido. No borracho, pero ligeramente ebrio. Gabby conocía por amarga experiencia la expresión de un hombre que ha bebido, que era la que mostraba en esos momentos su presunto hermano.

Lo miró con gesto despectivo.

—Aunque te cueste creerlo, dada tu evidente propensión a mentir, algunos tenemos la costumbre de decir la verdad —dijo. Sus labios y su lengua habían recobrado su función normal.

El impostor esbozó una sonrisa sardónica.

—Espero que no insinúes que tú eres la única que dice la verdad.

—Por supuesto que yo... —replicó Gabby indignada—. ¿A qué te refieres?

—No es necesario ser muy inteligente para darse cuenta de que estás interpretando una farsa.

Gabby lo miró con ojos como platos.

—¿Que estoy interpretando una farsa? ¡Qué desfachatez! Sobre todo viniendo de alguien que finge descaradamente ser mi pobre hermano difunto.

—Ya. —La sonrisa del impostor adquirió una expresión burlona—. Esto nos plantea una cuestión interesante: si sabías que Wickham estaba muerto, ¿por qué te trasladaste a Londres, enviando a tus sirvientes para que abrieran Wickham House antes de tu llegada, decidida a presentar a tu hermana en sociedad en lugar de quedarte en Yorkshire y guardar luto, como era tu deber? Reconozco que es una cuestión que me intriga.

Gabby le fulminó con la mirada. Aunque fuera un sinvergüenza, era preciso admitir que tenía unos reflejos increíblemente rápidos.

—Apenas conocía a mi hermano. No tiene nada de extraño que no sienta la necesidad de guardar luto por él —respondió a la defensiva. Al darse cuenta, alzó el mentón para añadir—: En cualquier caso, no veo por qué tengo que justificarme ante ti.

—En eso te equivocas. Verás, yo soy, a todos los efectos, Wickham. Y tú y tu sirviente sois, por lo que he podido deducir, los únicos que sabéis que no es cierto. Una situación muy comprometida, hermanita.

Gabby calló mientras reflexionaba sobre ello. Su falso hermano seguía acuclillado frente a ella, sujetando cada una de sus muñecas con una mano. Aunque sus dedos le aferraban las muñecas, sin oprimirlas, Gabby sabía que no tenía la menor probabilidad de librarse. Dada sus escasas fuerzas, las manos de su captor le parecían unas esposas en toda regla. Su corpulenta figura impedía todo intento de levantarse de la silla, de huir de la habitación y más aún de él.

Lo miró a los ojos. El falso Wickham había dejado de sonreír. El resplandor de las llamas arrancaba destellos a sus ojos negros, entrecerrados y fijos en los suyos. Tenía los labios apretados en un gesto displicente y adusto. Su aspecto era implacable, pensó, capaz de todo, incluso de asesinarla. De pronto, al percatarse de su completa vulnerabilidad, fue presa de una angustiosa sensación de pavor. Un escalofrío le recorrió el cuerpo y se le puso carne de gallina. La única ocasión en que se había sentido tan desvalida había sido...

No. No quería recordarlo. Se negaba a ello. Ya no era la misma persona que había sido aquel día, el día en que se había jurado que jamás permitiría que un hombre le infundiera pavor.

Enderezándose, olvidándose de aquellas manazas que le sujetaban las muñecas, del musculoso cuerpo situado ante ella que le impedía todo intento de fuga y del peligro mortal que quizá corría, Gabby le miró descaradamente a los ojos.

—Si abandonas de inmediato esta casa y renuncias a tu falsa pretensión, te doy mi palabra de que no haré que los guardias te persigan ni revelaré a nadie tu intento de usurpar la identidad de mi hermano.

Ambos se miraron fijamente a los ojos. Luego él emitió un sonido despectivo, entre bufido y risa burlona, y se levantó bruscamente, soltando las manos de Gabby. Antes de que ésta pudiera darse cuenta —aunque no le hubiera servido de nada, pensó con amargura, ya que cualquier golpe que le asestara habría tenido el impacto de la picadura de un mosquito—, su falso hermano se inclinó sobre ella y la asió por el cuello. No lo oprimió, sino que dejó que Gabby sintiera la fuerza de sus manos mientras le alzaba con los pulgares, lenta y suavemente, el mentón.

Sus musculosas y cálidas manos, de largos dedos, la sostenían por el cuello como un collar implacable, intimidándola en silencio. Gabby lo miró aterrorizada. Notó que el corazón le latía con violencia y que palidecía. Aferrando los brazos de la butaca para no sujetar a su agresor por las muñecas —lo cual, pensó, era precisamente lo que éste quería que hiciera— respiró hondo para calmarse. Si ese canalla había decidido estrangularla, ella no poseía la fuerza física para impedírselo. Su única arma era su inteligencia.

—Aclaremos una cosa para evitar cualquier malentendido entre nosotros: estás completamente a mi merced —dijo el impostor esbozando una sonrisa detestable.

Acto seguido se inclinó sobre ella, deslizando las manos sobre su cuello casi como si la acariciara, mirándola a los ojos. Cuando Gabby le devolvió la mirada, tratando de presentar un talante indómito mientras buscaba desesperadamente una salida, cualquier vía de escape, sintió que el faldón del voluminoso gabán del impostor se apoyaba en sus piernas. Algo duro le rozó la rodilla.

La pistola, pensó Gabby con renovadas esperanzas. Si consiguiera hacerse con la pistola, ese canalla tendría que comerse sus palabras...

—El hombre que amenaza a una mujer... —dijo con serena precisión, introduciendo disimuladamente la mano en el bolsillo del gabán. El interior del bolsillo, forrado de seda, era cálido y amplio. Gabby palpó la pistola, y, al tiempo que se apoderaba de la pesada y oportuna arma, agregó—: es despreciable.

—No obstante... —respondió el falso Wickham, deteniéndose cuando Gabby, empuñando la pistola pero sin haberla sacado del bolsillo, la amartilló.

Al quitarle el seguro se produjo un sonido bronco e inconfundible para el impostor. La expresión de sorpresa que reflejó su rostro era casi cómica. Gabby se permitió esbozar una sonrisa feroz mientras extraía la pistola del bolsillo y la apoyaba contra las costillas del hombre.

Ambos se miraron a los ojos. Por unos breves instantes, ninguno se movió ni dijo una palabra.

—Suéltame —le ordenó ella con tono frío y enérgico.

Él bajó la vista, como para cerciorarse de que el objeto con que le amenazaba era efectivamente una pistola. Luego, con los ojos centelleantes y crispando el maxilar, retiró lentamente y con renuencia las manos del cuello de Gabby.

—Muy bien. Ahora retrocede. Despacio. Y mantén las manos donde pueda verlas.

El impostor obedeció, irguiéndose y retrocediendo uno, dos y tres pasos. Se movía con cautela. Después de mirar la pistola, no apartó los ojos de Gabby. Molesta por el mechón que aún le colgaba sobre los ojos, Gabby se arriesgó a quitar una mano de la pistola para apartárselo hacia atrás.

—Debo advertirte que el gatillo es muy ligero —dijo el impostor sin darle mayor importancia.

Gabby sonrió irónicamente.

—Más motivos para no obligarme a flexionar el dedo. Retrocede un poco más. Así.

Gabby avanzó rápidamente hasta sentarse en el borde de la resbaladiza butaca, apoyando los pies con firmeza en la alfombra, empuñando la pistola con ambas manos y apuntando al tórax del impostor. Éste la observó: las manos alzadas a la altura de los hombros con las palmas hacia arriba y expresión adusta. Llevaba el gabán abierto, mostrando su inmaculada camisa, su calzón negro y el suave tono plateado de su chaleco. Miró a Gabby. Tenía el maxilar crispado y sus ojos centelleaban de furia. Parecía un hombre indignamente acosado por una mujer. Gabby no pudo por menos de sonreír.

—¿Qué debo hacer con un canalla como tú? —se preguntó en voz alta, disfrutando de la sensación que le producía haber invertido las tornas—. ¿Matarte de un tiro o entregarte a las autoridades?

—Haz lo que quieras, pero mientras meditas sobre las opciones piensa también en lo siguiente: si revelas a la gente que no soy Wickham, me veré obligado a frustrar tu plan anunciando que, en efecto, Wickham ha muerto.

Gabby achicó los ojos, lo miró con recelo —un gesto más amenazador de lo que él podía imaginar— y respondió con tono áspero:

—No podrás revelar nada si estás muerto.

—Cierto, pero no creo que desees convertirte en una asesina. El castigo es la horca, ¿sabes?

—Matar a un hombre que me ha encañonado con una pistola y me ha amenazado con estrangularme no puede considerarse un asesinato —protestó Gabby.

Él se encogió de hombros.

—¿Te importa que baje los brazos? Se me han dormido las manos... —Sin esperar respuesta, bajó los brazos y agitó las manos para restituirles la circulación. Luego cruzó los brazos y la observó con curiosidad—. Es el tribunal quien determinará si ha sido o no un asesinato, pero para cuando tomen esa decisión, lo de menos será que te declaren culpable o inocente. Piensa en el escándalo. Estoy seguro de que no deseas causar ese sufrimiento a tu familia.

Gabby apretó los labios. Le costaba reconocer que ese canalla tuviera razón. Pero lo que decía era espantoso, horrible, terroríficamente cierto. Si pretendían encontrar un excelente partido para Claire, no podían permitirse que un escándalo las salpicara.

—Reconozco que tu advertencia no es baldía —respondió Gabby sonriendo sarcásticamente—. Si te mato de un tiro, trataré de ocultar el hecho.

El impostor arqueó las cejas.

—Lo cual te presentará un dilema, tal como me indicaste antes: ocultar un cadáver ensangrentado. No podrás mover mi cuerpo. Debo de pesar unos cuarenta kilos más que tú. —De pronto levantó la vista y sonrió con expresión jovial—. Llegas en el momento oportuno, Barnet. Supongo...

Pero Gabby no oyó el final de la frase, pues volvió instintivamente la cabeza. Barnet no estaba en ninguna parte y la puerta de la biblioteca seguía cerrada. Mientras Gabby se percataba de ello —no le llevó más de una fracción de segundo— y comprendió que el otro se había burlado de ella, un ruido y un movimiento la hicieron mirar de nuevo al frente. Pero era demasiado tarde: abalanzándose, el impostor la sujetó por las muñecas con tanta fuerza que le hizo daño y la obligó a bajar la pistola al tiempo que forcejeaban...

Gabby nunca tuvo la certeza de si pretendía apretar el gatillo o no. El caso es que la pistola se disparó con un violento culatazo y una detonación ensordecedora.

El impostor emitió un grito y retrocedió trastabillando, llevándose la mano al costado. Por unos instantes que a ambos les pareció una eternidad, se miraron a los ojos, ella horripilada, él con incredulidad.

—Santo Dios, me has herido —dijo él.

7

Gabby lo miró como si temiera que fuese a desplomarse muerto. Su horrorizada expresión hizo que él sonriera sarcásticamente mientras seguía apretándose el costado donde le había alcanzado la bala. Por mucho que ella lo deseara, él sabía que esa herida no lo mataría. No había ningún órgano vital situado sobre el hueso de la cadera.

No obstante, sangraba. Copiosamente. Sintió el tacto tibio de la sangre en la palma de su mano. Curiosamente, la herida no le dolía. Al menos de momento, pero pasada la conmoción inicial le dolería, y mucho.

Su «hermana» le había sorprendido. Lo cual no ocurría con frecuencia. Había sobrevivido tanto tiempo en este peligroso juego gracias a que en el fondo era un hombre cauto. Pero ¿quién podía adivinar que esa escuálida y distinguida dama inglesa con aspecto de solterona tendría el valor de desafiarle, y menos aún de apuntarle con su propia pistola y dispararle?

Él jamás lo habría imaginado.

Lo más divertido del caso era que, después de abandonar el teatro y acompañar a Belinda a su casa, había rechazado su proposición de que se quedara con ella para llevar a cabo la peligrosa pero necesaria operación de recorrer los peores antros de juego de la ciudad, confiando en presentar un blanco suficientemente tentador para que su presa abandonara su escondrijo y tratara de matarlo. Era el tipo de operación en la que se exponía a caer muerto de un tiro, por lo que solía permanecer ojo avizor toda la noche. No dejaba de ser una ironía que, tan pronto había entrado en una casa donde imaginaba razonablemente a salvo, se había topado con una mujer más peligrosa que cualquiera de los matones que merodeaban por los barrios bajos de Londres.

Una mujer que en esos momentos le observaba con sus grandes ojos grises y los labios entreabiertos, su esbelto cuerpo —el cual, según había comprobado al transportarla en brazos, poseía su buena porción de encantos femeninos— tenso como si, para colmo, se dispusiera a correr junto a él con el fin de socorrerlo.

Una mujer que, pese a todos los motivos que lo desaconsejaban, empezaba a despertar un gran interés en él.

—Me has herido —repitió con incredulidad, sin apartar la vista de Gabby. Luego el susto inicial empezó a disiparse y la herida comenzó a dolerle. El dolor era tan agudo que estuvo a punto de perder el conocimiento.

8

—Tú tienes la culpa. No debiste tratar de arrebatarme la pistola. ¡Dios mío! ¡Estás sangrando!

El último comentario lo pronunció en el momento en que el falso Wickham retiró la mano del costado para examinarla y Gabby vio la palma manchada de sangre. Permanecía sentada en el borde de la butaca de cuero, con una mano apoyada en la mejilla y los ojos desmesuradamente abiertos. La pistola, que había caído de su mano fláccida segundos después de producirse el disparo, se hallaba a sus pies, sobre la alfombra. El aire estaba impregnado del olor acre de la pólvora.

—¿Te preocupa todavía tener que desembarazarte de mi cadáver ensangrentado? —preguntó él esbozando una breve sonrisa que no logró mitigar la angustia de Gabby.

Estupefacta, le observó sacarse el faldón de la camisa, dejando al descubierto una generosa porción de carne musculosa y tostada, recubierta por un vello negro. Al bajarse el calzón unos centímetros, mostró una herida irregular y sanguinolenta en el costado izquierdo, sobre el hueso de la cadera. Después de examinarla, el falso Wickham dejó caer el faldón y se apretó la herida con la mano.

—¿Es grave? —preguntó Gabby, sintiendo náuseas.

—No; sólo es una herida superficial.

Fuera o no una herida superficial, era obvio que el falso conde sentía los efectos de la misma. Movió la mano libre tentativamente hacia atrás, hasta tocar el respaldo de una reluciente butaca de escritorio de palisandro, situada a su espalda. Haciendo una mueca, retrocedió un paso y se apoyó en ella. En esos momentos Gabby observó que había palidecido, lo cual no hizo sino incrementar su pavor.

—Debemos llamar al médico —dijo.

Reuniendo las fuerzas que le quedaban, se levantó y avanzó hacia él, haciendo caso omiso del dolor que sentía en la pierna. La gravedad del momento le había hecho olvidar las ofensas que había sufrido y le habían llevado a disparar contra él. Su falso hermano mostraba una palidez cadavérica y entornó los ojos en un rictus de dolor. Apoyando una mano suavemente en su antebrazo, Gabby miró la mano con que se apretaba la herida. Se había apartado el gabán, junto con el faldón de su chaqueta, y tenía los dedos apoyados en parte en el chaleco y en parte en la camisa. La sangre se escurría a través de ellos, deslizándose sobre los nudillos como lágrimas teñidas de rojo. Gabby se estremeció.

—Es preciso buscar algo con que restañar la sangre... —dijo.

Él emitió una risita despectiva.

—No me digas que, después de haber tratado de matarme, ahora vas a hacer de enfermera. Si quieres hacer algo útil, ayúdame a despojarme del gabán. Esta prenda infernal me está estorbando. —El falso conde casi jadeaba.

Obediente, Gabby sujetó el cuello del pesado gabán mientras él sacaba el brazo del costado en que estaba herido. Al situarse detrás para ayudarle a sacar el otro brazo, Gabby oyó de pronto el sonido amortiguado de unos pasos que avanzaban por el recibidor y miró instintivamente la puerta. Al parecer, el otro también lo había oído. Miró a Gabby crispando el maxilar y con la frente perlada de sudor.

—Tenías razón al decir que el sonido de un disparo despertaría a todo el mundo —dijo—. ¿Qué vamos a hacer, Gabriella? ¿Guardamos nuestros secretos mutuos o no?

La puerta de la biblioteca se abrió bruscamente y apareció Jem, con una cuerda atada a una muñeca y colgando. Entró precipitadamente seguido por el gigante llamado Barnet, quien empuñaba la pistola que Jem había esgrimido anteriormente. Era evidente que el anciano no se sentía amedrentado por el arma, cosa que parecía desconcertar a Barnet. Por lo demás, ambos estaban despeinados, sofocados y con expresión de alarma. Barnet tenía un ojo amoratado e hinchado.

—¡Señorita Gabby! ¡Oh, señorita! ¡Gracias a Dios está viva! Si ese canalla la ha lastimado...

Jem se detuvo en seco, sin terminar la frase, observándolos a ambos con ojos desorbitados —al impostor, pálido y sudoroso, apoyado en el respaldo de la butaca, oprimiendo con una mano la herida que no cesaba de sangrar, y a Gabby, indemne, de pie junto a él, sosteniendo con ambas manos el grueso gabán del hombre— mientras trataba de descifrar la situación.

—No me diga que esa mosquita muerta ha disparado contra usted, capitán —exclamó Barnet, quien al igual que Jem se había parado en seco mientras asimilaba la escena. Apuntó a Gabby con la pistola, quien retrocedió instintivamente hacia el impostor.

—Baja el arma, Barnet —le ordenó el falso Wickham con tono hosco.

—De todos modos está descargada —apostilló Jem con tono triunfal mientras se apresuraba hacia Gabby.

—¡Maldito seas, so...! —Tras mirar indignado a Jem, Barnet se tragó el resto de la frase, guardó la pistola en el bolsillo y corrió hacia su maltrecho patrón, dirigiendo de paso una breve mirada de censura a Gabby—. ¡Caray, señorita, no debió hacer eso!

—Si la señorita Gabby ha disparado contra él, puedes estar seguro de que ese bellaco se lo merecía —declaró Jem, asumiendo la defensa de su ama. Mientras hablaba, se quitó la cuerda de la muñeca y la arrojó al suelo—. ¡Habría hecho bien en matar a ese sinvergüenza!

—Calla, Jem —protestó Gabby, temiendo que se reanudara la disputa entre éste y Barnet.

No obstante, Barnet se limitó a dirigir una mirada venenosa a Jem. Cuando se agachó junto al impostor para examinar la herida más de cerca, era evidente que sólo le preocupaba su patrón.

—¿Está malherido, capitán? ¡Caray, debe de estar más bebido de lo que yo suponía para dejar que una mujer tan enclenque le pegara un tiro!

—Por lo que a ti se refiere, la señorita Gabby es lady Gabriella —le espetó Jem, sujetando a Gabby por la muñeca para llevársela de allí.

—Suéltame, Jem. Como ves, en este momento no puedo marcharme... —dijo ella con expresión traspuesta.

—Por el contrario, prefiero que te vayas —repuso el impostor. Hablaba con esfuerzo mientras soportaba los intentos de Barnet de restañar su herida con el faldón de la camisa con una paciencia que agudizaba su tormento—. Barnet es más que capaz de prodigarme los cuidados necesarios, créeme. Después de ponernos de acuerdo en si somos enemigos o aliados, puedes marcharte tranquilamente.

—No sería muy amable por mi parte marcharme dejándote en ese estado —contestó Gabby.

El impostor la miró impávido.

—Si a eso vamos, tampoco fue muy amable por tu parte pegarme un tiro, así que yo de ti no me preocuparía por esos detalles en estos momentos.

Gabby emitió una exclamación de indignación.

—¡Amenazabas con estrangularme!

—Debiste suponer que no lo haría.

El hombre esbozó una mueca cuando al parecer Barnet le tocó un punto sensible. Por un instante Gabby sintió grandes deseos de felicitar a Barnet.

—¡Que no habrías...! —Gabby se detuvo, meneando la cabeza. Al ver a su falso hermano en aquel estado lamentable, pálido y sangrando, recobró la compostura—. Ahora, eso carece de importancia. Debemos avisar al médico.

El impostor negó con la cabeza.

—Ya te he dicho que Barnet se basta para ayudarme. Vamos, quiero saber qué has decidido.

—La señorita tiene razón, capitán. Será mucho mejor que le vea un médico.

—No quiero que me vea un maldito matasanos, y deja de llamarme capitán o nos veremos en un apuro, Barnet —farfulló el otro crispando la mandíbula.

Una mancha escarlata había empapado la parte de la camisa, antes inmaculada, que tenía aplicada sobre la herida, extendiéndose lenta pero inexorablemente a través del chaleco gris plateado. Era evidente que de no haber estado apoyado en la butaca, el herido no habría podido sostenerse en pie.

—No es a un médico a quien debemos avisar, sino a los guardias —terció Jem mirando a Barnet con amarga satisfacción—. ¡So cafre! Te advertí que esto acabaría mal.

Barnet se incorporó, blandiendo los puños y dejando caer el faldón de la camisa de su amo como si fuera un estandarte rojo.

—Escucha, estúpido enano, todavía me quedan fuerzas para daros vuestro merecido a ti y a tu señora, así que te aconsejo que no lo olvides.

—Calla, Barnet —le ordenó el impostor bruscamente.

Tras mirar a su amo, Barnet guardó silencio, rezongando, y siguió ocupándose de la herida.

—Ahora os vais a enterar de lo que es bueno, canallas —dijo Jem con satisfacción al percibir el sonido de pasos que bajaban por la escalera, acompañados por un barullo de desconcertadas voces que exclamaban entre sí, demasiado lejanas para entender lo que decían—. Antes de que termine el día, daréis con vuestros huesos en Old Bailey.

—En tal caso, ten la seguridad de que antes te retorceré el pescuezo, para impedir que disfrutes presenciándolo —replicó Barnet.

—¡Aquí, en la biblioteca! ¡Apresuraos! —dijo Gabby, alzando la voz para que la oyeran en el recibidor.

Le respondió un murmullo de ansiosas voces al tiempo que lo que sonaba como una legión de personas se precipitaba hacia la biblioteca.

—No se preocupe, capitán, no permitiré que se lo lleven sin plantarles cara. —Barnet volvió a incorporarse de un brinco con mirada alarmada.

—No, estate quieto, Barnet —dijo el impostor sujetando a su compinche del brazo. Miró a Gabby y añadió—: El tiempo apremia. ¿Vamos a guardar nuestros secretos mutuos o no, Gabriella?

Ella apretó los labios y le miró a los ojos. El impostor la observaba con mirada sombría, recelosa. Tenía la frente perlada de sudor y el entrecejo arrugado debido al dolor. Su chaleco mostraba una mancha roja que se extendía, y el faldón de su camisa estaba empapado de sangre, que chorreaba por el borde. Barnet, sujeto por la mano de su amo, contemplaba la puerta abierta con la expresión feroz de una fiera enjaulada.

—No —contestó Gabby meneando la cabeza, escandalizada ante la mera idea de acceder a ese pacto.

Guardar silencio sobre la falsa identidad de ese canalla era impensable. No sólo cometería una falta, sino que era peligroso. Él podía traicionarla en cualquier momento. O, en caso de no poder hacerlo personalmente debido a su herida, podía ordenar a Barnet que la liquidara a ella y a Jem, puesto que eran los únicos que estaban enterados del engaño. Participar en el fraude de que este peligroso extraño era su hermano Marcus, conde de Wickham, hacía que el modesto plan que ella había concebido para salvar a sus hermanas y a ella misma de su penosa situación pareciera de lo más inocente. Era un fraude a gran escala, de una magnitud peligrosa, y ella no quería participar en él.

El impostor torció el gesto al oír su respuesta y abrió la boca como si se dispusiera a decir algo. Pero en ese preciso instante apareció Stivers en la puerta de la biblioteca, vestido con un calzón de tirantes que se había puesto sobre el camisón, con los pies embutidos en unos zapatos con los cordones sin atar. Al verlos, avanzó hacia ellos pero de pronto se paró en seco, observándolos estupefacto. Detrás de Stivers aparecieron Claire, Beth, Twindle, la señora Bucknell y varios sirvientes, todos en camisón y cubiertos, con diversas prendas, que corrían entrechocándose hasta que se detuvieron, tratando de apartar al mayordomo para ver lo que ocurría en la biblioteca.

—Vamos, capitán, yo le sacaré de aquí —masculló Barnet.

El furibundo hombretón, empeñado en huir de allí para proteger a su patrón, trató de obligarle a que le rodeara los hombros con un brazo. El impostor miró a Gabby al tiempo que trataba de apartar a Barnet con un gesto de impaciencia.

—Es una lástima que tus hermanas y tú no podáis asistir a los bailes de la temporada —comentó con aire amable y compungido, en voz baja para que sólo pudieran oírle los tres que se hallaban en la biblioteca—. El período de luto por la muerte de un hermano es un año, si no me equivoco. Y posteriormente, sin duda comprobaréis que vuestras circunstancias han cambiado mucho.

Gabby lo miró de hito en hito. Ella no tenía más que revelar lo que sabía para demostrar a todos que era un charlatán. Teniendo en cuenta su maltrecho estado, incluso con ayuda de Barnet tenía escasas esperanzas de huir. Cualquier castigo que recibiera lo tenía más que merecido...

Pero sus hermanas y ella, que no se merecían esto, sufrirían también. Cuando se supiera que Marcus había muerto, el primo Thomas asumiría el título de nuevo conde que le pertenecía por derecho propio, y Claire, Beth y ella estarían condenadas a vivir, en el mejor de los casos, como sus parientes pobres.

Con la certeza de una verdad incontrovertible, a Gabby se le ocurrió de pronto que sería infinitamente más ventajoso para sus hermanas y para ella permitir que ese hombre, quienquiera que fuere, asumiera la identidad del conde antes que permitir que fuera el primo Thomas quien se quedara con el título.

A menos, claro está, que el impostor acabara con ella y con Jem antes de que el plan de Gabby, destinado a mejorar la situación suya y de sus hermanas, pudiera prosperar.

Todo dependía de lo que ella hiciera ahora. Gabby miró al impostor a los ojos. Había llegado el momento de elegir el camino del honor y la verdad, el camino de la seguridad personal... que también era el camino de la pobreza y la desgracia, para Claire, Beth y para ella misma.

—No cabe duda de que eres un canalla —masculló Gabby, con los ojos fijos en los suyos.

Se le ocurrió que si había hecho un pacto con el diablo al optar por mantener en secreto la muerte de Marcus, el impostor debía de ser el mismo diablo, que había acudido para obligarla a cumplir ese pacto. Luego, al comprender que lo que había supuesto una opción en realidad no lo era, alzó la voz para que la oyeran todos.

—Será mejor que avisemos al médico, Wickham —dijo con claridad, sin dejar de mirarle a los ojos.

El impostor acogió su cambio de opinión con una sonrisa fugaz y una leve inclinación de la cabeza. Barnet, que permanecía al lado de su amo, miró a Gabby con suspicacia. Jem, que estaba junto a ella, contuvo una exclamación de asombro y pareció a punto de estallar de indignación.

—Señorita Gabby... Pero señorita Gabby... ¿qué...?

Desviando la vista del impostor —no de Wickham, se recordó— para fijarla en su sirviente, Gabby lo miró a los ojos cuando éste empezó a protestar y meneó la cabeza.

—Calla —murmuró con firmeza pero en voz baja para que no la oyeran los demás.

Jem, torciendo el gesto al comprender lo que ocurría pero obedeciendo a su ama, se quedó boquiabierto, mostrando la expresión de alguien que se dispone a tomarse una medicina que sabe a rayos. Luego cerró la boca con un sonido brusco y audible. Tras lo cual miró al gigante Barnet con un odio por lo general reservado a los presuntos ladrones de caballos.

—Marcus está sangrando —dijo Gabby.

Sus palabras fueron acogidas con un coro de exclamaciones por los recién llegados.

Durante unos momentos se quedaron inmóviles. Luego todos avanzaron precipitadamente, exclamando y parloteando mientras se agolpaban en torno a los ocupantes de la biblioteca. Gabby sintió que la empujaban y zarandeaban y al mirar alrededor comprobó que estaba cercada por los cuatro costados.

—¡Oh, Marcus! —exclamó Claire, aferrando el brazo de Gabby

mientras examinaba más de cerca al herido, cuya sangre seguía chorreando sobre la alfombra.

—¡Señor! —exclamó Twindle estrujándose las manos, horrorizada al comprender la magnitud del desastre—. ¡Ay, señor, está usted muy pálido! Tenga, utilice esto para restañar la sangre. —Tras quitarse el gorro de dormir que encasquetaba su pelo gris trenzado y recogido en un moño, se lo ofreció a Barnet, que lo tomó con expresión de repugnancia, pero dobló el gorro de lino blanco para formar con él un apósito y se arrodilló para aplicarlo sobre la herida.

—¡Cómo no va a estar pálido! ¡Tiene un agujero de bala en un costado! —terció despectivamente uno de los nuevos lacayos, sonrojándose al percatarse de la fulminante mirada que le dirigió Twindle.

—Es preciso avisar de inmediato a la guardia. Díganos quién le hirió, señor —dijo la señora Bucknell, mirando ansiosamente alrededor como si temiera que hubiese un ladrón oculto entre las sombras.

—Me temo que ha sido culpa mía. Manipulé torpemente mi pistola —explicó Wickham dirigiéndose a todos—. Me avergüenza reconocer que la guardé en el bolsillo de mi gabán, creyendo que estaba descargada, y cuando la saqué se disparó.

—Como ves, Stivers, el señor conde está herido. Me disponía a enviar a Jem en tu busca —dijo Gabby, asumiendo el control de la situación sin mayor dificultad gracias a su experiencia en la intendencia de una casa. Sin duda era la persona más adecuada para organizar las cosas de forma rápida y eficaz—. Hay que avisar inmediatamente al médico. Estoy segura de que sabrás localizarlo.

—Sí, señorita Gabby. —Claramente impresionado por el hecho de ver a su amo sangrando pero mostrando el aire de un hombre capaz de estar a la altura de las circunstancias, Stivers acató la orden con una breve reverencia.

Haciendo un gesto imperioso al lacayo que seguía turbado por su anterior torpeza, el mayordomo salió de la estancia con el lacayo pisándole los talones.

—Ya te he dicho que no necesito un médico. Barnet hará lo que sea preciso —dijo Wickham, que estaba a punto de desplomarse sobre la butaca, mirando a Gabby con gesto autoritario.

—No seas idiota —respondió Gabby secamente, entregando el gabán a un sirviente. Wickham apretó los labios ante el descaro con que Gabby desobedecía lo que él consideraba una orden, pero no dijo nada.

Quizá, pensó ella al observar el color ceniciento de su rostro, su presunto hermano se sentía demasiado débil para ponerse a discutir con ella—. Barnet —el hosco gigante agachado junto a Wickham alzó la vista y la miró con recelo— sin duda puede serte de gran ayuda, pero es necesario que un médico examine esa herida.

Wickham guardó silencio. Barnet dudó unos instantes antes de decir:

—Tiene usted razón, señorita.

—Lady Gabriella para ti —terció Jem ásperamente.

Gabby le dirigió una mirada de censura, advirtiéndole en silencio que no fuera impertinente.

El reducido grupo de sirvientes y miembros de la familia se volvió hacia Gabby, esperando sus órdenes. Al mirar a Wickham observaron que sudaba copiosamente y que apenas era capaz de mantenerse contra el respaldo de la butaca, mientras que las gotas de sangre que caían a sus pies habían empezado a formar un charco.

—Barnet, será mejor que ayudes al señor conde a subir a sus habitaciones para esperar al médico —ordenó Gabby—. Francis —añadió dirigiéndose al lacayo que les había acompañado desde Hawthorne Hall—, ayuda a Barnet. Señora Bucknell, haga el favor de subir vendas, toallas limpias y agua caliente. Haré lo que pueda para detener la hemorragia hasta que llegue el médico.

Acostumbrada a dirigir una casa, Gabby se expresaba con autoridad. Todos la obedecieron en el acto.

—Señorita Claire, señorita Beth, regresemos a nuestras habitaciones. Aquí lo único que hacemos es estorbar —dijo Twindle mirándolas.

—Jamás podría dormir... —Beth se detuvo al percatarse de la mirada severa que le dirigió Twindle.

—¿Cómo es que tú estabas presente, Gabby? ¿Y Jem? —preguntó Claire, que seguía junto a Gabby, frunciendo el entrecejo mientras Twindle trataba de llevársela arriba.

—Se ha desmayado —anunció Barnet con voz ronca.

Al volverse, Gabby observó horrorizada que el supuesto Wickham había perdido el conocimiento. Tenía el rostro ceniciento, los ojos cerrados y yacía inerte entre los brazos de Barnet, que le sostenía con ambas manos por la cintura. A continuación, Barnet cambió de postura y alzó a su patrón en brazos como si fuera un niño. Luego miró a Gabby con expresión temerosa.

—Señorita, yo... esto... —balbució.

—Lleva al señor conde arriba —le ordenó ella con calma.

Barnet asintió con la cabeza, aliviado de que alguien le indicara lo que debía hacer, y se dirigió hacia la puerta transportando el peso muerto de Wickham. Antes de seguirles, Gabby se volvió para añadir:

—Por favor, señora Bucknell, vaya ahora mismo en busca de lo que le he pedido. Acompáñame, Jem, a ti también te necesito. Lo mejor que podéis hacer los demás es volver a la cama.

9

El médico llegó al amanecer. Las primeras y tenues luces empezaban a filtrarse entre las cortinas corridas en el dormitorio del conde, y en la calle se oía el estrépito de ruedas y la campanilla del vendedor de bollos. Los sirvientes, que habían vuelto a acostarse de madrugada, estaban levantados. Wickham, desnudo hasta la cintura, el calzón aflojado y bajado en el lado izquierdo para mostrar la herida en toda su extensión, despojado de sus botas, yacía boca arriba en el centro del amplio lecho de columnas, cubierto por unas cortinas rojas, que constituían la pieza más importante de la habitación, con su morena cabeza apoyada en un par de mullidas almohadas. Las mantas habían sido retiradas hasta los pies de la cama, y pese al tono levemente ceniciento de su rostro, el bronceado de su piel contrastaba con la blancura de las sábanas.

Teniendo en cuenta las dimensiones del barroco lecho de palisandro tallado, era asombroso que casi lo llenara, observó Gabby. Sus hombros ocupaban la mayor parte de la anchura del colchón, y sus pies, embutidos en unos calcetines, casi alcanzaban el extremo inferior del lecho.

Pese a estar herido y semidesnudo, presentaba un aspecto imponente. Gabby se estremeció al recordar lo indefensa que se había sentido cuando él la había aferrado por el cuello con sus grandes manos.

Pensó de nuevo en que se había metido en un juego peligroso. Pero en esos momentos, a menos que quisiera hacer peligrar todo cuanto era importante para ella, no veía otra salida.

No creía que su complicidad pusiera en riesgo su vida, al menos en un futuro inmediato. Pero su pudor era una cosa muy distinta. Se encontraba en una situación que no dejaba de turbarla. Había contribuido a cuidar a su padre durante su última enfermedad, y en ocasiones había tenido que echar una mano cuando uno de los sirvientes de Hawthorne Hall sufría un accidente o enfermaba, de modo que el cuerpo masculino no representaba una novedad para ella. Pero como soltera que era, y no precisamente una jovencita, jamás había imaginado que se encontraría sentada junto a un extraño casi desnudo y extraordinariamente viril.

Esforzándose en no prestar atención a los poderosos y desnudos hombros de Wickham, su ancho torso cubierto por un encrespado vello negro, su musculoso abdomen o —¡qué rubor!— su ombligo, expuesto casi por completo, Gabby, pese a sus buenas intenciones, no conseguía concentrarse en su tarea. Mientras atendía al herido, le resultaba prácticamente imposible no notar la textura ligeramente áspera de su vello pectoral, no fijarse en la sedosa suavidad y el calor que exhalaba su piel, o en la firmeza de sus músculos, o percibir su olor ligeramente acre. Con todo, Gabby estaba decidida a no dejarse impresionar por su desnudez. Ahora era su paciente, sólo eso.

Así, aunque sentada muy tiesa en el borde de la cama, mostraba un talante sereno y eficaz mientras trataba de detener la hemorragia. Manteniendo una presión constante con ambas manos, una apoyada en la otra, sobre el grueso apósito formado por unos paños de lino y unas toallas que había aplicado en la sangrante herida, procuraba no mirar más allá de sus manos y el apósito que sostenía, en todo caso no más de lo estrictamente necesario. Era el segundo apósito que utilizaba en una hora. El primero había quedado completamente empapado.

Wickham había perdido una gran cantidad de sangre. «¿Cuánta más podía perder sin que su vida corriera peligro?», se preguntó Gabby preocupada.

—Si pretendes atormentarme, lo estás consiguiendo. —Wickham, que había recuperado el conocimiento unos minutos después de que le acostaran en la cama, la observó con recelo. Hablaba con un hilo de voz, pero con evidente sarcasmo. Tenía el entrecejo fruncido y se movía inquieto en un vano intento de sustraerse a sus cuidados—. Tu tratamiento me duele más que la herida.

—Estate quieto —respondió Gabby bruscamente—. Si te mueves tanto sólo conseguirás que la herida te duela más.

—Teniendo en cuenta que fuiste tú quien me disparaste, he de admitir que tus muestras de preocupación me resultan muy poco convincentes.

—Es obvio que no te has parado a pensar en que si mueres, habiéndote hecho pasar por Wickham, mi situación no será mejor que cuando murió mi verdadero hermano.

—Ya. —Esbozó una breve sonrisa aunque con evidente esfuerzo—. Entonces imagino que mi vida está a salvo en tus manos.

—Lo lamento, pero así es.

—¡Ay! —gimió de dolor cuando Gabby se movió un poco para aplicar más presión sobre el punto en que la sangre comenzaba a manar de nuevo. Gabby sintió la calidez de la sangre que empapaba el apósito...

—¿Por qué no vendas la herida y dejas de hurgar en ella? —le espetó el falso conde cuando ella ejerció más presión sobre el apósito—. Al presionarla me haces un daño tremendo.

—Es lo menos que te mereces —replicó con tono frío y sereno sin dejar de apretar el apósito sobre la herida.

El hombre hizo una mueca de dolor.

—¿De veras? No me cabe duda de que disfrutarías sometiéndome al tormento de las empulgueras o al potro. —Se volvió hacia su compinche, situado junto al lecho observando la escena con un gesto de impotencia—. Tráeme algo de beber, Barnet. Estoy seco como un desierto.

—Sí, capi... señor.

Cuando Barnet fue por la bebida, oyeron unos discretos golpes en la puerta. Jem, mostrando una severa expresión de disgusto, más pronunciada desde que Gabby había afirmado que el impostor era su hermano, fue a abrirla.

—Ha llegado el médico —anunció con tono hosco.

Cuando el médico, un hombre grueso de pelo canoso, entró acompañado por un murmullo de voces, Gabby vio a Stivers y a la señora Bucknell, con expresión preocupada, entre un grupo de sirvientes que se habían congregado en el pasillo, ante el dormitorio del conde. Dadas las circunstancias —¿quién sabe lo que su falso hermano podía decir en un estado semiinconsciente, o influido por el dolor?—, Gabby había decidido que era preferible que sólo Jem, Barnet y ella misma atendieran al herido.

—¿Agua? ¿Agua? —protestó Wickham con tono airado, atragantándose, cuando Gabby se volvió hacia la puerta para observar al médico que acababa de llegar—. Quiero una copa de vino, o licor. Llévate esto y tráeme una bebida decente.

Barnet, que había alzado con delicadeza la cabeza de su amo de las mullidas almohadas para ayudarle a beber el vaso de agua que le había traído, logró impedir que éste arrojara el vaso al suelo arrebatándoselo de las manos. Al hacerlo, dejó caer la cabeza del herido con menos delicadeza que al alzarla.

—¡Maldito seas, Barnet! ¿Tú también quieres matarme?

—Lo siento, capi... señor.

En ese momento el médico se acercó al lecho, frotándose las manos y saludando a Gabby con una inclinación de la cabeza.

—Soy el doctor Ormsby, señora. Veamos. Según me han dicho, se trata de una herida de bala. Ajá. Disculpe, señora, permítame que eche un vistazo...

Gabby se levantó para ceder su lugar al médico.

—Lárguese. No consentiré que un medicucho de tres al cuarto me ponga las manos encima. —Wickham miró furioso al médico, que se disponía a quitar el apósito empapado de sangre para examinar la herida.

Sorprendido, Ormsby lo dejó caer y retrocedió con expresión ofendida.

—Señor...

—Te comportas como un crío —terció Gabby con aspereza—. El médico debe examinar la herida. Entiendo que temas que te haga daño, pero no tienes más remedio que soportarlo.

Wickham la miró indignado.

—No temo que me haga daño.

—Ah, pues yo creí que sí —respondió Gabby.

La miró como si deseara arrojarle algo a la cabeza.

—Muy bien —cedió Wickham apretando el maxilar—. Examine la herida, pero con cuidado.

Gabby reprimió una sonrisa mientras Ormsby, con expresión un tanto recelosa, quitó de nuevo el apósito que cubría la herida. Apretando los labios, hurgó y palpó el hueso de la cadera y el abdomen del paciente con ambas manos. Cuando levantó de nuevo la vista, observó que el paciente había palidecido aún más y sudaba copiosamente. Aunque no había emitido un solo quejido, Gabby estaba segura de que la exploración le había dolido. Dadas las circunstancias —a fin de cuentas, ese hombre la había amenazado a ella y a Jem, entre otras canalladas—, Gabby no lo lamentó demasiado.

—La bala está alojada en la herida —declaró Ormsby, incorporándose y dirigiéndose a Gabby—. Es preciso intervenir quirúrgicamente para extraerla.

El paciente lo miró horrorizado.

—No permitiré que un matasanos me meta mano en la herida.

—Blue Ruin, señor.

En aquel momento reapareció Barnet, ofreciendo a su patrón una petaca de plata. Éste, con expresión tensa, miró a su compinche y asintió con la cabeza. Barnet le entregó la petaca y le levantó la cabeza para ayudarle a beber.

—Será más sencillo si está borracho —comentó Ormsby con gesto de aprobación, despojándose de su chaqueta.

—Le he dicho que no consentiré que usted... —gruñó el paciente. Se recostó de nuevo sobre las almohadas, con los ojos entornados y relucientes, la mandíbula crispada.

Gabby apretó los labios, recordándose que la recuperación del falso Wickham era tan importante como si se tratara de su verdadero hermano.

—Si la bala está ahí, es preciso extraerla para que la herida cicatrice —dijo secamente.

—Si no la extraemos, la herida se infectará —apostilló el médico, entregando su chaqueta a Jem y arremangándose—. ¿Han traído agua caliente?

Gabby le indicó con un gesto la jofaina y la palangana.

—Excelente.

—No hay más remedio —dijo Gabby al impostor. Éste la miró a los ojos, dándole a entender que consideraba que su presente situación era culpa de ella. Luego miró a Ormsby y asintió brevemente con la cabeza.

—De acuerdo. Pero mucho cuidado con lo que hace.

—Siempre procuro tener cuidado, señor —respondió el médico inclinando la cabeza.

Barnet ofreció de nuevo la petaca a su patrón mientras Ormsby, dándose aires de importancia, empezó a colocar sus instrumentos sobre una mesita que pidió a Jem que acercara al lecho. En esta ocasión el paciente bebió un largo trago. Luego volvió a mirar a Gabby.

—Necesito que me ayude alguien, señora. Si desea ordenar a una de las doncellas que me eche una mano...

—Barnet puede ayudarle en lo que necesite —bramó Wickham tras echarse al coleto otro trago.

El médico dirigió a Gabby una mirada significativa.

—Maldita sea, no haga muecas a mi espalda. Si tiene alguna ob... objeción, si se opone a que le ayude Barnet, dígamelo clara... claramente, a la cara.

Gabby dedujo que aquel leve balbuceo indicaba que el contenido de la petaca empezaba a surtir efecto.

—Quizá sea preciso, señor —respondió Ormsby—, que su sirviente, que es un hombre fornido, le sostenga para evitar que se mueva. No quisiera errar con el bisturí.

El falso Wickham puso una cara como si la mera perspectiva le horrorizara.

—Si lo hace, tenga por seguro que las consecuencias serán muy desagradables. —Miró a Ormsby con tal ferocidad que el médico retrocedió instintivamente, pero Barnet volvió a tender la petaca a su amo, suavizando la tensión.

—Una idea excelente —comentó Ormsby en voz baja en un aparte a Gabby, mientras Wickham bebía otro largo trago—. Su marido... esto... es un hombre de carácter.

—Es mi hermano —replicó Gabby con aspereza al verse obligada a mentir.

No obstante, se dijo, era mejor que empezara a acostumbrarse a ello. De momento y para un futuro inmediato, el desvergonzado canalla que yacía postrado en el lecho era, a todos los efectos, su hermano.

—Te ruego que salgas de la habitación, que... querida hermana. —Era evidente que Wickham había oído la descarada mentira de Gabby sobre su parentesco. Y no menos evidente que el contenido de la petaca seguía surtiendo efecto: yacía despatarrado en la cama, con las mejillas ligeramente encendidas—. Tu sirviente... Jem... puede ayudar, proporcionar al médico lo que... éste necesite. No quiero que... presencies esta car... carnicería.

—Exagera usted, milord —contestó Ormsby, ofendido—. Sepa usted... —Pero «milord» le dirigió una mirada fulminante y Ormsby tragó saliva—. Da lo mismo. —Luego bajó la voz y dijo a Gabby—: Dado que su hermano es un hombre corpulento y fuerte, me temo, señora, que... en el fragor de la batalla, ya me entiende, tengamos que utilizar a más de un sirviente para... esto... sujetarlo.

Gabby miró al paciente, que les observaba con suspicacia pero estaba demasiado ocupado apurando la petaca para interrumpirles. Por supuesto que un sirviente podía ocupar el lugar de ella, pero temía que dadas las circunstancias fuera una imprudencia. Si aquel bribón revelaba el fraude, ella saldría perdiendo tanto como él.

—Vete —dijo Wickham mirándola con irritación.

—Es preferible que me quede —contestó Gabby, mirándole a los ojos con tajante resolución.

Él al parecer descifró el mensaje, o no tuvo ganas de seguir discutiendo. En cualquier caso, no volvió a protestar.

Tras concluir los preparativos, el médico miró a Barnet y asintió con la cabeza.

Barnet, con expresión hosca, dejó la petaca en la mesita y se sentó en el borde de la cama.

—Muerda esto, señor —dijo torneando un pañuelo de lino hasta tensarlo. Pese a lo bebido que estaba, su patrón pareció comprenderlo. Hizo una mueca y abrió la boca para que Barnet encajase el pañuelo entre sus dientes. Luego Barnet le rodeó el torso y los brazos, inmovilizándolo.

Lo que ocurrió a continuación fue extremadamente desagradable. Ormsby se puso a hurgar en la herida para localizar la bala, mientras el paciente se revolvía y emitía sonidos guturales de dolor a través del pañuelo que mordía. La sangre empezó a manar como el clarete en una boda. Tal como Ormsby había pronosticado, Barnet no bastaba para sujetarlo y pidieron a Jem, que accedió de mala gana, que se sentara sobre sus tobillos y le sujetara las rodillas con las manos.

Cuando el médico logró extraer la bala, Gabby sudaba casi tan copiosamente como el paciente.

—¡Ajá! Ya la tengo —dijo Ormsby, mostrando con aire de triunfo la sanguinolenta y maltrecha bala. Luego la depositó en una palangana que le acercó Gabby.

En el momento culminante, Wickham, quejándose incesantemente, había arqueado la espalda hasta conseguir incorporarse, pese a los esfuerzos de Barnet y Jem por sujetarlo, y cuando el médico había extraído la bala se había estremecido de dolor. Luego se había desplomado de nuevo mientras la sangre manaba del orificio producido por Ormsby y se deslizaba por el lecho. Chasqueando la lengua en señal de desaprobación, el médico se había puesto a restañar la sangre. El paciente, jadeando y con la cabeza apoyada en el hombro de Barnet, había escupido el pañuelo que sujetaba entre los dientes.

—Creo que voy a vomitar —dijo con tono gutural.

Mientras Jem se levantaba, liberándole los tobillos, y Barnet le sostenía la cabeza sobre un lado de la cama, Wickham se puso a vomitar como un descosido. Gabby consiguió acercarle la palangana en el momento justo.

10

Cuando Gabby salió del dormitorio del conde, estaba tan cansada que se sentía mareada. Después de desinfectar la herida con polvos de albahaca y vendarla, dejando un gran número de pociones para ser administradas al paciente, Ormsby se había marchado, prometiendo regresar al día siguiente. El paciente, agotado y aún bajo los efectos del Blue Ruin, se había quedado aletargado. Barnet había expresado su intención de permanecer junto a su amo hasta que éste se restableciera. Jem había salido con Gabby al pasillo, que por fortuna estaba desierto; los sirvientes que se habían congregado allí hacía un rato, seguramente habían acompañado a Ormsby hasta la puerta, ansiosos de enterarse de lo sucedido.

—Si tienes algo que decir, como parece ser, ya me lo dirás más tarde. Estoy demasiado cansada para escucharte —dijo Gabby malhumorada, adivinando la intención de Jem en sus ojos. Entre el vello entrecano de su incipiente barba se veía claramente un morado. Gabby recordó el puñetazo que Wickham le había propinado. De genio vivo pese a su pequeña estatura, seguramente Jem tampoco lo olvidaría.

—Bonito fregado en el que se ha metido, señorita Gabby, y usted lo sabe —dijo Jem en voz baja—. Jamás he visto a un par de sinvergüenzas como ésos. Lo mejor que ha hecho usted en su vida fue disparar contra ese bellaco. Es un...

—Piensa lo que quieras, pero cierra la boca —le interrumpió Gabby secamente—. Sea quien fuere, no puede ser peor para nosotros que el primo Thomas.

—Puede que el señor Thomas sea un idiota, pero al menos no debemos temer que nos asesine mientras dormimos —replicó Jem—. Esos desvergonzados merecen ser deportados o ahorcados. Deje que envíe a Bow Street...

Jem se detuvo bruscamente cuando Mary apareció en el pasillo portando una palangana de agua caliente. Al ver a Gabby, la joven le hizo una breve reverencia.

—Buenos días, Mary.

—Buenos días, señora. La señora Bucknell me dijo que subiera esto a su habitación.

—Te lo agradezco, Mary. Enseguida me reuniré contigo.

Cuando Mary se alejó, Gabby se volvió de nuevo hacia Jem.

—Si revelamos que ese hombre no es Wickham, él revelará que Wickham ha muerto —dijo secamente—. Muerto Wickham, el primo Thomas hereda el título. Ya sabes cómo es el primo Thomas. Si se convierte en conde de Wickham, todos, mis hermanas, yo, tú y el resto del servicio, nos veremos en graves apuros. Esta situación no es la ideal, pero es mejor que la otra, te lo aseguro.

Jem frunció el entrecejo y meneó la cabeza con aire dubitativo.

—Si está empeñada en seguir adelante, sabe que puede contar conmigo, señorita Gabby —dijo—. Pero a mi modo de ver es un error. Esos canallas...

Una doncella apareció en lo alto de la escalera, andando hacia ellos cargada con un cubo de carbón en el hombro que sostenía con ambas manos. Jem calló. Aprovechando la oportunidad que se le ofrecía, Gabby se dirigió hacia la puerta de su habitación.

—Me voy a acostar, y te aconsejo que hagas lo mismo —dijo a Jem cuando la doncella pasó haciendo una breve reverencia.

—Dudo mucho que pueda volver a pegar ojo mientras esos canallas estén en esta casa —contestó él con tono hosco—. Y dado que me han instalado en la casita de los establos, ¿quién velará por ustedes?

—Por fortuna, de momento no es necesario que nadie vele por nosotras. Ni uno ni el otro están en situación de causarnos daño alguno. Uno está herido y el otro debe atenderle. Lo que significa que estamos a salvo.

Tras este optimista comentario, Gabby apoyó la mano en el pomo de la puerta.

—Es cierto, a menos que piensen que es más urgente liquidar a quienes pueden revelar sus crímenes que atender a sus heridos, en cuyo caso estamos perdidos. Mantenga los ojos bien abiertos, señorita Gabby, que yo también lo haré, y no se fíe de ellos.

Tras escuchar esa sombría advertencia, Gabby entró en su habitación y dejó que Mary la ayudara a desvestirse. Poco después, cayó rendida en la cama y al cabo de unos minutos se quedó dormida.

—Vas a despertarla. Déjala tranquila.

—Pero es más de mediodía —protestó Beth en voz baja.

—Debe de estar muy cansada —dijo Claire sin alzar la voz.

—Gabby nunca duerme hasta tan tarde.

—Pero su descanso no suele verse turbado por un disparo en plena noche.

—¡Pamplinas! Gabby no es tan melindrosa como para quedarse durmiendo todo el día por una insignificancia como ésa. Tú y yo también oímos el disparo y ello no ha impedido que nos levantáramos. Estoy convencida de que Gabby no querría dejar de visitar la ciudad el primer día que estamos en Londres.

—Eres tú quien quiere ir a visitar la ciudad —replicó Claire.

Gabby entreabrió los ojos y vio a sus hermanas junto a su cama. Claire sujetaba a Beth del brazo, tratando de llevársela. Beth se resistía con cara de pocos amigos. Por supuesto, ninguna de las dos sabía que Gabby había permanecido despierta casi toda la noche.

—No pierdas el tiempo tratando de cachondearte de mí —prosiguió Claire.

—Y pensar que Twindle no deja de reñirme por utilizar expresiones bastas —ironizó Beth meneando la cabeza—. Te guardas bien de utilizarlas cuando ella está presente.

—Anda, vamos. —Con lo que Gabby consideró auténtica nobleza, Claire resistió la tentación de lanzar una andanada contra su hermana menor—. Deja que Gabby siga durmiendo. Ya iremos mañana de compras.

—¿De compras? —repitió Beth con tono despectivo—. Si ésa es tu idea de una jornada interesante, a mí me parece un aburrimiento Yo...

—Bueno, ya estoy despierta —terció Gabby con tono quejumbroso, abriendo los ojos del todo y colocándose boca arriba. Las cortinas estaban echadas, sumiendo la habitación en una semipenumbra. No obstante, a tenor del resplandor que se filtraba y los ruidos procedentes de la calle, Gabby dedujo que era mediodía. Durante unos momentos sintió una leve sensación de euforia que logró aplacar su agotamiento: se hallaban en Londres...

—Ya has conseguido tu propósito —le reprochó Claire a Beth cuando ambas se volvieron hacia Gabby—. ¿Qué te habría costado dejarla dormir?

—No importa. Tengo demasiadas cosas que hacer para pasarme el día durmiendo. ¿Qué hora es? —preguntó Gabby frotándose los ojos, irritados debido al cansancio.

—Más de las once —respondió Beth con tono escandalizado, como si el hecho de dormir hasta tan tarde fuera la mayor depravación. Su padre, que había padecido insomnio durante años, jamás había permitido que ningún miembro de la familia se levantara pasado el amanecer. Aunque hacía más de un año que el hombre había muerto, las hermanas habían comprobado que es difícil romper un hábito.

—¡Qué tarde! —ironizó Gabby, indicando a Beth que descorriera las cortinas.

Cuando Beth lo hizo y la luz del sol penetró a raudales en la alcoba, Gabby pestañeó para acabar de despabilarse y se incorporó en la cama. Su rebelde cabellera, que jamás lograba sujetar del todo con unas horquillas, cayó sobre sus hombros y ella se percató de los diversos dolores y molestias que sentía en todo el cuerpo. El peor era un dolor sordo en la cadera y la pierna. Al esbozar una mueca recordó con toda claridad la caída que lo había provocado. Además de ese episodio recordó algo más desagradable: en la habitación contigua había un hombre que fingía ser su hermano; un hombre que la había amenazado y agredido, contra el cual había disparado justificadamente. Un hombre que era un delincuente peligroso, cuyo siniestro secreto ella conocía...

Al recordarlo se estremeció. Se consideraba afortunada de que la hubieran despertado sus hermanas, en lugar de que el compinche de ese hombre la asesinara mientras dormía.

Pero era mejor ahorrarse esos pensamientos para otra ocasión. De momento Gabby no podía hacer nada con respecto al hombre que ocupaba la habitación contigua. Y la forma más rápida de librarse de él era seguir adelante con su plan de lograr que Claire contrajera un matrimonio ventajoso. A partir de entonces la situación sería muy distinta y ese canalla recibiría su merecido.

—Mira lo cansada que parece nuestra hermana. Debes aprender a pensar también en los demás, Beth.

Beth se indignó.

—Beth tiene razón, Claire. No quiero perderme nuestro primer día en Londres —se apresuró a decir Gabby para evitar otra disputa.

—¿Lo ves? —le espetó Beth a Claire con impertinencia.

Claire, olvidando momentáneamente su noble condición, contestó a su hermana menor sacándole la lengua.

—¿Queréis hacer el favor de tirar de la campanilla para avisar a mi doncella? Tengo que levantarme. Para empezar, debemos ir a visitar a la tía Salcombe, si no hoy lo antes posible, y supongo que no tardaremos en recibir visitas...

Gabby observó a sus hermanas. Ambas iban vestidas con uno de sus anticuados vestidos de luto, como los que tenía ella. Una deplorable situación que Gabby se proponía remediar de inmediato. Cuanto antes se exhibiera Claire elegantemente ataviada, fuera vista, cortejada y se casara, antes podría Gabby respirar aliviada. Por más que tratara de racionalizar el problema, no podía evitar sentir que estaba sentada sobre un polvorín que le estallaría en las narices en el momento más inesperado.

—Necesitas comprarte ropa elegante, Claire. Al igual que nosotras. Con estos viejos trapos ofrecemos un aspecto lamentable.

Claire, que se disponía a tirar del cordón de la campanilla, asintió con énfasis.

—No me digas que vamos a ir de compras —rezongó Beth.

Gabby apartó las mantas y se levantó de la cama, haciendo caso omiso del dolor que sintió en la cadera y la rodilla al apoyar los pies en la alfombra.

—Eso es justamente lo que vamos a hacer.

Cuando Gabby se hubo vestido, consiguió aplacar las protestas de Beth prometiéndole que visitaría todos los lugares interesantes de Londres en cuanto ella y sus hermanas estuvieran presentables. Beth, mientras contemplaba a través de la ventana a los elegantes transeúntes, tuvo que reconocer que con aquellos espantosos vestidos ofrecían un aspecto desastroso. Luego, respondiendo a una pregunta de Claire, Gabby tuvo que ofrecer una detallada explicación sobre las circunstancias que les llevaron a Jem y a ella a presenciar el episodio en que Wickham había resultado herido. Cuando las tres abandonaron la habitación de Gabby y se disponían a bajar la escalera, tuvieron la mala suerte de toparse con Barnet, que acababa de salir de la alcoba del conde, con el entrecejo fruncido y portando una bandeja con un cuenco lleno de caldo y un vaso de cerveza.

—¿Cómo se encuentra Wickham? —le preguntó Beth, cuando Gabby se hubiera limitado a saludarle con una breve inclinación de la cabeza.

—No muy bien —respondió Barnet, que parecía preocupado—. Está débil como un gatito y, como pueden ver, no ha probado bocado.

—¡Me niego a tomarme ese asqueroso caldo, que parece agua de fregar los platos! —Por la puerta abierta se oyó la voz de Wickham, débil pero beligerante.

Barnet miró a Gabby con expresión de impotencia.

—Usted misma oyó lo que dijo el doctor Ormsby, señorita: que el señor sólo podía tomar líquidos hasta que volviera a visitarlo.

—Quizá si nosotras... —se ofreció Claire, haciendo ademán de tomar la bandeja de manos de Barnet.

—¡Gabriella! ¿Eres tú? Entra —ordenó el impostor con voz perentoria.

Gabby arrugó el entrecejo. Se sintió tentada de hacer caso omiso de ese grosero bellaco, pero tamaño desaire, tan impropio de ella, habría chocado e intrigado a sus hermanas. A fin de cuentas, se suponía que el herido era su hermano.

—¡Gabriella!

—Dame eso —dijo Gabby bruscamente, arrebatando la bandeja a Barnet. Era muy pesada, pensó mientras miraba a Claire a los ojos—. La habitación del paciente no es un lugar apropiado para vosotras. Bajad y decidle a Stivers que sirva la comida. Yo bajaré dentro de unos minutos.

—Pero Gabby...

Picada por la curiosidad, Beth echó un vistazo al interior de la habitación. Pero debido a la disposición de los aposentos del conde sólo se veía un par de butacas tapizadas de brocado dorado situadas frente al hogar.

—Marchaos —dijo Gabby, volviéndose para entrar en la habitación.

—Puede llevarle de nuevo la bandeja si lo desea, señorita, pero me ha ordenado que pida a la cocinera que le prepare un buen par de bistecs y un budín. Si no obedezco sus órdenes el capi... quiero decir el señor conde, me cortará la cabeza.

—Pero a mí no me la cortará —replicó Gabby, con más convicción de la que sentía.

Barnet sostuvo la puerta abierta para que pasara, observándola con respeto. Ella entró en la habitación y Barnet cerró la puerta. Luego se oyeron los pasos de éste, de Claire y Beth alejarse por el pasillo.

Gabby se quedó a solas con el hombre que tenía sobrados motivos para temer. Ese pensamiento la hizo vacilar. Se detuvo y echó un vistazo al lecho, consciente de sentirse como Daniel cuando entró en la guarida de los leones.

11

Tenía una figura delgada y delicada, y estaba tan nerviosa como un cabo en una habitación llena de generales. Le miró con ojos desorbitados. Estaba pálida. Perfecto, pensó él con satisfacción. Confiaba en ser él quien la ponía nerviosa. En todo caso lo bastante nerviosa para pensárselo dos veces antes de revelar a nadie la verdad de la situación.

El hecho de estar confinado en una cama mientras se recuperaba de la herida que ella le había inflingido era, según él, desastroso. Para empezar, no podía impedir que ella se retractara del pacto que habían hecho. Sólo podía confiar en que, por la cuenta que le traía, Gabby mantuviese la boca cerrada.

Pero esa confianza era, en el mejor de los casos, frágil. La precaria situación en que se hallaba desde que se hacía pasar por Marcus había desembocado, desde que Gabby y su sirviente habían averiguado el engaño, en una situación extremadamente peligrosa. Con anterioridad, sólo le había preocupado toparse con alguien que conociese a Marcus o a él mismo. Dado que Marcus había vivido toda su vida en Ceilán y no había puesto los pies en Inglaterra salvo para una breve visita hacía muchos años, y él había pasado su infancia en Ceilán antes de trasladarse a la India, la posibilidad era real pero, a su modo de ver, suficientemente improbable como para que el engaño diera resultado. Con todo, desde que había asumido la identidad de Marcus tenía la sensación de caminar sobre cáscaras de huevos.

Los acontecimientos de la noche anterior habían convertido esas cáscaras de huevo en líquido, un líquido viscoso en el que temía estar hundiéndose rápidamente.

—Acércate —dijo a Gabby con el tono que habría empleado con uno de sus subalternos.

Ella se tensó, alzó el mentón y arqueó las cejas con expresión arrogante. Pese al horrible vestido negro que llevaba, que parecía confeccionado para una mujer mucho mayor y más corpulenta que ella, presentaba el porte de una gran dama , y él, a juzgar por la expresión de su rostro, no era sino un vulgar lacayo. De no haberse sentido tan infernalmente débil y molesto, habría sonreído.

—Te ruego que te acerques, querida Gabriella —dijo rectificando el tono antes de que ella diera media vuelta y se marchara, como parecía dispuesta a hacer por la expresión de su rostro—. Deseo decirte algo.

—¿De qué se trata? —preguntó Gabby secamente, pero dirigiéndose hacia el lecho.

No obstante, él sospechó que su obediencia se debía más bien a la bandeja que sostenía que a un acto de sumisión.

—Deseo recordarte nuestro pacto.

Gabby se tensó de nuevo y vaciló ligeramente.

—Ten la seguridad de que no necesito que me lo recuerdes —respondió con frialdad—. No faltaré a mi palabra.

—Recuerda que no debes contar a nadie nuestro secreto.

—¿Me consideras capaz de ir contándolo por ahí? Te equivocas. Si la gente supiera que he accedido a semejante pacto, mi reputación quedaría por los suelos.

—Si te sirve de consuelo, no ante mis ojos.

—No me consuela. —Dejó la bandeja sobre la mesita de noche más bruscamente de lo que era necesario, haciendo que la cuchara tintinease sobre el plato y se derramaran unas gotas de caldo.

Al observar que era la misma bandeja que había rechazado hacía un rato, él torció el gesto.

—Le dije a Barnet que se llevara eso a la cocina y me trajera algo comestible —dijo con tono brusco, más de lo que se había propuesto.

Gabby le miró frunciendo el entrecejo. Las cortinas que cubrían las largas ventanas que daban al jardín posterior de la casa estaban descorridas y Gabby sintió en su rostro la caricia del sol. Él observó que tenía los ojos de un color gris diáfano, como la lluvia, y un perfil tan delicado como un camafeo. Poseía, como él había comprobado la noche anterior al sostenerla en brazos, más encanto femenino del que se apreciaba a simple vista. La disparidad entre la imagen que Gabby ofrecía y la mujer que él adivinaba le intrigaba.

—Esa bazofia es más mortífera que la herida que me causaste —dijo hoscamente, gozando más de lo que hubiera imaginado al observar los reflejos del sol en el rostro de Gabby. Tal como se había propuesto, consiguió que ésta pareciera avergonzada de sus actos. Deseaba que se arrepintiera de haberle disparado, a fin de utilizar sus remordimientos en beneficio propio.

—Este caldo es lo único que puedes comer hasta nueva orden del médico —contestó ella con tono grave. De improviso observó que Wickham no presentaba un aspecto tan amenazador como pretendía. Postrado en la cama, con la cabeza apoyada en un par de almohadas, sin afeitar, indudablemente pálido, cubierto tan sólo con un camisón y las mantas remetidas en torno a su cintura, no se hallaba precisamente en situación de impartir órdenes. Ciertamente ya no le miraba con temor, sino como si fuera su institutriz y él su díscolo pupilo—. ¿Puedes comértelo tú solo?

—No soy un niño —replicó mirándola con recelo—. Claro que puedo comérmelo solo. Suponiendo que me apeteciera, pero no es así.

—Demuéstramelo —repuso Gabby con tono desafiante. Tomó la bandeja y la depositó sobre el regazo del herido, tras lo cual le observó con los brazos cruzados y expresión autoritaria—. Vamos, coge la cuchara.

Él la observó detenidamente.

—No me apetece...

—Lo cierto es que no puedes. ¡Comprendo que para un hombre como tú, acostumbrado a mandar a todo el mundo, debe de ser terrible sentirse tan débil que ni siquiera puede coger una cuchara!

Crispando el maxilar, el impostor mordió a sabiendas el anzuelo. Lo peor fue que, al llevarse una cucharada a la boca, los músculos de sus brazos se volvieron de gelatina y sus manos se pusieron a temblar, derramando el caldo sobre la bandeja.

—Permite que te ayude —dijo Gabby con tono resignado, tomando la cuchara y devolviéndola al tazón mientras él apoyaba el brazo traidor sobre el colchón. Luego, sentándose en el borde de la cama, Gabby introdujo de nuevo la cuchara en el caldo y se la acercó a los labios.

Wickham no sabía si sonreír, sentirse ofendido o agradecido al ser tratado como un bebé gimoteante. Dedujo que al observarla, su expresión era una combinación de las tres cosas.

—Abre la boca —dijo Gabby con el tono de una persona tan acostumbrada a mandar como él.

Sorprendido de su propia docilidad, el impostor obedeció y ella le administró una cucharada del caliente caldo con rapidez y eficiencia. El líquido salado tenía un sabor bastante agradable y Wickham se percató de que estaba hambriento. Se lo tomó más ávidamente de lo que quería demostrar a Gabby mientras ella seguía dándole una cucharada tras otra.

—Dime una cosa, ¿cómo te enteraste de que mi hermano había muerto?

La inocente pregunta le pilló desprevenido, haciéndolo atragantar. Tosiendo, consiguió tragarse el caldo y la miró con cautela.

—Yo podría preguntarte lo mismo —respondió cuando pudo articular palabra.

—No me importa responder francamente, al menos a ti: envié a Jem con un mensaje para Marcus. Jem estaba presente cuando... ocurrió.

—¿De veras?

Pensó que no dejaba de ser extraño que no se hubiera percatado de la presencia del sirviente. Pero él se había lanzado tras el asesino sumido en un paroxismo de dolor y furia, y supuso que Jem se había mantenido al margen. El mensaje de Marcus decía «he hallado lo que andabas buscando». Lo que andaba buscando era tan perentorio que incluso superaba su deseo de regresar junto a Marcus. Éste había muerto, eso ya no tenía remedio. Lo único que él podía hacer ahora era buscar a su asesino: una persona para la cual, si Marcus había estado en lo cierto, y su muerte parecía confirmarlo, el asesinato era el menor de sus delitos. La única solución era seguir la pista del verdugo de Marcus.

Con todo, temía que, al igual que muchas otras pistas que había seguido en los últimos meses, ésta resultara infructuosa. El hecho de asumir la identidad de Marcus era arriesgado. Si el asesino no se movía para remediar lo que en el menor de los casos podría interpretarse como un error, por más que lo buscara no conseguiría dar con él. Era como buscar una aguja en un pajar.

—¿Y bien? —preguntó Gabriella, observándole impacientemente mientras le administraba la última cucharada de caldo.

Él se lo tragó, notando que se sentía mucho mejor después de haber comido algo. Por supuesto, no podía responder a la pregunta de Gabby.

Jamás, bajo ninguna circunstancia, podía revelar a nadie la historia que le había traído a este lugar.

—Tienes una boca que... invita a besarla —dijo con aire pensativo, recostándose sobre las almohadas y entornando los párpados. Mofarse de ella era una cruel recompensa a sus cuidados, pero tuvo el efecto deseado: Gabby le miró con ojos como platos y los labios entreabiertos, con una expresión entre escandalizada y sorprendida—. De postre me gustaría probarla. ¿Qué te parece?

Ella se levantó tan bruscamente que estuvo a punto de derribar el cuenco y el vaso. Por un instante él temió que la cerveza se derramara y se apresuró a agarrar el vaso para evitarlo, percatándose de que había recuperado suficientes fuerzas para evitar ese desastre. Gabby le miraba con ojos centelleantes, como peces plateados en un estanque.

—Eres un grosero y un vulgar libertino —le espetó—. He sido una estúpida al compadecerme de ti. ¡Por mí puedes morirte de hambre!

Tras estas palabras, dio media vuelta y abandonó la habitación con serena dignidad. Él sonrió brevemente mientras admiraba el suave contoneo de su trasero bajo el exagerado vuelo de la falda. En realidad, no era tan escurrida como había supuesto la primera vez que la había visto.

12

Gabby seguía furiosa cuando se reunió abajo con sus hermanas. ¡Pensar que se había compadecido de ese canalla, que se había sentado en el borde de su cama para darle la sopa y había empezado a sentirse a gusto con él! Se había comportado como una estúpida. Pero ese canalla poseía un encanto capaz de hacer que una tortuga saliera de su caparazón, y ella había caído víctima de él.

No volvería a ocurrir.

—¿Qué quería Marcus? —preguntó Beth cuando Gabby se sentó a la mesa del comedor.

Sorprendida, Gabby la miró pestañeando. Luego se esforzó en borrar de su mente aquella escena humillante y compuso una expresión afable, en consonancia con su afable respuesta:

—Tan sólo deseaba saber si estábamos bien. Le aseguré que estamos perfectamente.

Beth la miró como si se dispusiera a hacer otra pregunta y Claire como si quisiera terciar en la conversación, por lo que Gabby se apresuró a desviar el rumbo de la misma preguntando a Twindle qué tiendas le parecían las más elegantes de Londres. El ardid dio resultado; Claire y Twindle se pusieron a charlar animadamente, Beth intervino de vez en cuando y también preguntaron a Stivers su opinión al respecto. El mayordomo, a su vez, fue a preguntárselo a los otros sirvientes mientras las damas tomaban un ligero almuerzo. Por fin Stivers ofreció a las hermanas una respuesta definitiva y éstas, junto con Twindle, emprendieron su primer recorrido diurno por las calles londinenses.

Para unas muchachas criadas en el campo, la ciudad ofrecía unas vistas impresionantes. Por una parte estaban las casas, los monumentos, los museos y unos edificios cuya altura e imponentes fachadas las dejaron maravilladas. Por otra parte estaban los extensos espacios verdes que aparecían descritos en la guía que Beth sacó de su bolso, como Hyde Park y Green Park. Había gente por doquier, en coche, a caballo, a pie, y las calles estaban atestadas de vehículos. Cuando llegaron a Bond Street, que tanto los sirvientes como la guía de bolsillo les aseguraron que era el lugar más selecto de la ciudad para adquirir artículos elegantes, hasta Gabby temió que, si no tenía cuidado, acabaría poniendo la cara de pasmada que había puesto Beth antes de que Claire le ordenara, para evitar que parecieran unas auténticas catetas, que cerrase la boca.

Al principio, conscientes de sus horrendos atuendos, dudaron en entrar en los locales de las modistas más renombradas de la ciudad. Los elegantes establecimientos estaban repletos de damas de la alta sociedad maravillosamente ataviadas, las cuales habían acudido para contemplar las creaciones que estaban en boga. Gabby se sintió tan desplazada entre ellas como una señorita puritana que se hubiese aventurado por error en la corte del rey Jorge. Pero las sedas, los rasos, las muselinas y las gasas expuestas ofrecían unos colores y unas texturas tan deliciosos, y los estilos de las prendas eran tan atrayentes, que no pudieron por menos de entrar, sintiéndose al poco en su elemento y gozando enteramente de la experiencia, inclusive Beth. Cuando entraron en el distinguido establecimiento de madame Renard's, considerada la modista más exclusiva de la ciudad, se hallaban tan enfrascadas comentando los aspectos más relevantes de la moda actual, que apenas se fijaron en lo que les rodeaba. Cuando un comentario fortuito pronunciado por Claire a una de las dependientas reveló que esas tres provincianas vestidas con unos anticuados vestidos de luto eran hermanas del conde de Wickham, recién llegadas a la ciudad para participar en los bailes de la temporada, la propia madame Renard salió para atenderlas, prácticamente frotándose las manos de satisfacción.

A continuación, la tarde se sumió en tal torbellino de tejidos y estampados que incluso Gabby estuvo a punto de perder la cabeza. Madame Renard sonrió comprensiva cuando Gabby le explicó que lady Claire era el objetivo principal de esa empresa. Madame Renard, una mujer menuda como un pajarillo, con una poblada cabellera imposiblemente negra y unos astutos ojos negros, comprendió enseguida que Claire era una belleza que vestida con la ropa adecuada no haría sino aumentar el prestigio de su establecimiento. Las otras hermanas le ofrecían menos posibilidades para exhibir su talento, confesó a su ayudante en un aparte, pero la mayor, pese a que había rebasado la edad casadera, poseía un porte que, en cierto modo, era casi tan valioso como la belleza. Clase, ésa era la palabra que la definía, afirmó madame Renard. Lady Gabriella poseía clase. En cuanto a la hermana menor, que lamentablemente estaba rolliza como un budín, confiaba en que el tiempo obrara milagros con su figura. En cualquier caso, la modista estaba convencida de haber prestado a sus clientas un noble favor al indicar a lady Gabriella que, dado su papel como hermana mayor y carabina de las otras, necesitaba también un nutrido vestuario. Tampoco se olvidó de lady Elizabeth, que, aunque era demasiado joven para asistir a los bailes de la alta sociedad, era perfectamente admisible que estuviera presente en las fiestas que celebraran en casa y frecuentara a otras jóvenes de su edad, con las cuales no tardaría en hacer amistad. Por consiguiente, su vestuario, aunque sencillo como correspondía a una adolescente, debía ser no menos completo.

Cuando concluyeron aquella orgía de compras, las tres, por recomendación de madame Renard, fueron a Genther's a tomarse un helado. Agotadas pero felices, todas eran conscientes del supremo placer femenino de lucir atuendos nuevos y elegantes. Madame Renard, impresionada por la magnitud del encargo que le habían hecho y la ilustre naturaleza de sus clientas, había accedido a venderles unas prendas confeccionadas para otras damas pero que aún no las había entregado. Las tres hermanas decidieron que sus viejos vestidos de luto, que la modista propuso arrojar al fuego, fueran entregados a una obra de caridad. Madame Renard les prometió entregarles al día siguiente otros vestidos, y al cabo de una semana unos vestuarios completos.

—Si no observamos un marcado aumento en nuestra clientela cuando esa belleza ocupe el lugar que le corresponde en la alta sociedad, no soy digna de considerarme una modista —le dijo a su ayudante cuando aquellas damas abandonaron su establecimiento.

Su ayudante se apresuró a darle la razón.

Al cabo de tres cuartos de hora, las tres hermanas terminaron sus helados y decidieron dejar el resto de sus compras, de artículos tan necesarios pero menores como cintas y abanicos, para otro día.

—Bien —dijo Beth con tono ecuánime cuando subieron al coche para regresar a casa—, debo reconocer que no ha sido tan desagradable. Ir de compras en Londres es una experiencia muy distinta que ir de compras en York.

—Eso es porque disponíamos de dinero, cosa que antes no teníamos, y los vestidos son una maravilla —respondió Claire, instalándose en el asiento. Luego miró un tanto ansiosa a Gabby, sentada frente a ella—. ¿Crees que Marcus se enfadará cuando reciba la factura? Me temo que hemos gastado un montón de dinero. Yo no sabía que necesitábamos tantos vestidos, ¿y tú?

—Y guantes, sombreros y chales, por no hablar de esos exquisitos botines abrochados con unos botoncitos a un lado —terció Beth. Su entusiasmo por ir de compras había aumentado notablemente al comprobar lo guapa que estaba vestida con otras ropas.

—No era necesario que encargara vestidos nuevos para mí, señorita Gabby —dijo Twindle. Al igual que Claire, parecía preocupada por la pequeña fortuna que se habían gastado—. Como le dije, tengo todo lo que necesito, y el señor conde, como es lógico, no querrá pagar un dinero para que yo me exhiba ataviada como una duquesa.

—¡Pamplinas! —replicó Beth—. Todo lo que has elegido era gris o marrón, y de un estilo tan insulso... No me imagino a una duquesa vestida con esas prendas.

—Los colores y tejidos que elegí son los apropiados para mi edad y mi puesto, señorita Beth, y los trajes que han encargado para mí serán infinitamente más elegantes que los que poseo ahora.

—Al igual que en nuestro caso, Twindle, por más que lamente reconocerlo —dijo Claire con cierta tristeza.

—Porque papá era un tacaño —exclamó Beth. Luego miró a Gabby y preguntó mordiéndose el labio inferior—: ¿Crees que nuestro hermano habrá salido como él? Sería humillante que nos obligara a devolver todos los vestidos.

—Nuestro hermano Wickham —respondió Gabby con firmeza, negándose a permitir que una sola imagen de aquel odioso ser penetrara en su mente— estará encantado de que presentemos un aspecto tan elegante.

No tenía remota idea de lo que opinaría aquel canalla al respecto, pero aun suponiendo que la factura le pareciera exorbitante, a ella le tenía completamente sin cuidado. Aunque en rigor el dinero no era de ellas, era más suyo que de él. A fuer de ser sincera tenía que reconocer que todo el dinero, hasta el último centavo, pertenecía por derecho al primo Thomas. Pero Gabby estaba decidida a no pensar en ello. Era absurdo preocuparse por los aspectos justos o injustos de la situación. Había tomado una decisión y no se echaría atrás. Claire se pondría de largo y sería presentada en sociedad como merecía, y sanseacabó. Dadas las circunstancias, Gabby no permitiría que Wickham controlara el dinero. Tenía suerte de no haber dado con sus huesos en la cárcel. En cualquier caso, no era probable que llegara a ver las facturas, pues Gabby había indicado a madame Renard que las enviara al señor Challow, el cual se encargaría de pagarlas.

—Ese vestido de día de color crema que has elegido te sienta divinamente, Claire —dijo Gabby sonriendo con determinación.

—Sí. ¿Te fijaste en aquellos dos caballeros que se pararon para contemplarla en la calle? Debo reconocer, Claire, que pese a tus defectos posees una belleza impresionante —dijo Beth como quien afirma una ley inmutable del universo, sin el menor atisbo de envidia.

—¿Que yo tengo defectos? —protestó Claire, mirándola con aires de superioridad. Y se echó a reír—. Tú también eres muy guapa, Beth, y el tono verde de tu vestido da a tu pelo un color cobrizo.

—¿De veras? —Beth sonrió satisfecha por ese cumplido, alisándose la falda de su nuevo vestido de muselina verde aceituna—. ¿Crees que se ha oscurecido? Tener el pelo color zanahoria es lo peor que puede ocurrirte en la vida.

—Da gracias a Dios de no tener las típicas pecas de las pelirrojas —comentó Claire.

Beth estaba tan de acuerdo con ese comentario que ambas hermanas siguieron charlando amistosamente el resto del trayecto.

Cuando llegaron a casa encontraron al primo Thomas esperándolas en la sala de estar. Al verlas entrar, alto, delgado, con una incipiente calvicie y una expresión de constante preocupación en su rostro alargado, se levantó bruscamente del sofá. Aunque la última vez que se habían visto no había sido una reunión muy cordial, Gabby le saludó con un apretón de manos. Claire y Beth la imitaron.

Después de cambiar las frases de rigor, el primo Thomas fue directamente al grano.

—He oído decir (ya sabes cómo corren las noticias) que el primo Wickham ha llegado de Ceilán para ocupar su lugar como cabeza de la familia, y que alguien ha disparado contra él. Te agradecería que me lo confirmaras o desmintieras.

Gabby había supuesto que no le costaría ningún esfuerzo mentir, pero estaba equivocada. Sintió intensos remordimientos al afirmar que en aquellos momentos Wickham se hallaba, en efecto, descansando en su alcoba y que había resultado herido debido a un disparo que él mismo había efectuado accidentalmente. De no ser por la inocente corroboración de Claire y Beth, es posible que por su confuso relato el primo Thomas hubiera adivinado que no decía la verdad, pensó angustiada, jurándose que la próxima vez se esmeraría más. A fin de cuentas, ella también estaba metida hasta el cuello en aquel asunto y no podía retractarse.

Cuando Thomas se marchó, tras haberles asegurado que enviaría a su esposa, lady Maud, y a sus hijas a visitarlas tan pronto regresaran a la ciudad de casa de los recién estrenados suegros de la hija mayor, Gabby, haciendo acopio de sus últimas fuerzas, escribió una nota a lady Salcombe anunciando que sus hermanas y ella estaban en Londres y pidiéndole permiso para ir a visitarla cuanto antes. Luego, agotada debido a los acontecimientos de los dos últimos días y ansiosa de escapar del parloteo de Beth y Claire, se retiró en cuanto terminaron de cenar. Pero pese a su cansancio, cuando se acostó comprobó que no podía pegar ojo. La pierna y la cadera le dolían como una muela careada, debido al golpe que se había dado al caerse en la entrada y a la larga caminata que había hecho ese día. Para colmo, los tenues sonidos procedentes de la habitación contigua le recordaban que lo único que la separaba de aquel par de indeseables era una barrera tan frágil como una puerta cerrada. No obstante, al averiguar por Stivers que el doctor Ormsby había pasado a ver al señor conde y éste tardaría aún un tiempo en restablecerse, Gabby supuso que estaba a salvo de cualquier ataque, al menos por parte del «señor conde». Con todo, la severa advertencia de Jem no cesaba de darle vueltas en la cabeza. Gracias a su fiel sirviente, cada vez que cerraba los ojos veía la corpulenta y siniestra figura de Barnet entrando sigilosamente en su alcoba para asfixiarla con una almohada sobre la cara. Así pues, Gabby se levantó, cogió un pequeño frasco de su tocador, lo vació y lo colocó sobre el pomo de la puerta que comunicaba su habitación con la del conde. Como última precaución, se llevó el atizador del fuego a la cama. Por fin, después de haber tomado esas medidas tan razonables, logró conciliar el sueño.

De madrugada la despertó el estrépito del frasquito al estrellarse contra el suelo. Gabby se incorporó súbitamente, pestañeando y mirando hacia el lugar de donde procedía el ruido, y vio horrorizada, recortándose contra la puerta de su vestidor, una gigantesca figura masculina que se dirigía hacia su lecho.

Sofocando una exclamación de terror, con los ojos como platos, tentó frenéticamente las desordenadas mantas hasta dar con el atizador.

13

Era un juego que Gabby estaba resuelta a ganar. Con el corazón desbocado y aferrando el atizador, retiró las mantas de una patada, se levantó por el lado opuesto de la cama y se plantó delante del hombre —a quien reconoció como Barnet— antes de que éste pudiera ponerle las manos encima. Sosteniendo el atizador con ambas manos —pesaba más de lo que había imaginado— sobre su cabeza, Gabby se encaró con el intruso sintiendo que el pulso se le aceleraba y mirándole con expresión feroz.

—No se acerque. Si lo hace gritaré —le advirtió con voz trémula. Lo cierto era que no estaba segura de ser capaz de gritar. Tenía la boca tan seca debido al temor que apenas podía articular palabra.

—¡Se trata del capitán, señorita!

Si Barnet oyó la advertencia, no se dejó amedrentar. Gigantesco y con aire amenazador, no sólo no se detuvo sino que rodeó la cama y avanzó hacia ella, obligando a Gabby a retroceder hacia un rincón y esgrimir el atizador al tiempo que el vello de la nuca se le erizaba.

—Márchese o le golpearé...

Pero era demasiado tarde. Barnet se abalanzó y ella no pudo golpearle ni partirle el cráneo, por la simple razón de que Barnet cogió la barra de hierro sin mayores problemas y la sostuvo con una de sus manazas.

Gabby lo miró estupefacta.

—Está muy mal, señorita, tiene que ayudarme.

Ella apretó la espalda contra la fría pared y alzó la cabeza para contemplar aterrorizada al gigante que tenía delante, el cual controlaba con facilidad la única defensa que ella tenía. Sujetando el mango del atizador con todas sus fuerzas, Gabby miró frenéticamente alrededor en busca de algo que pudiera utilizar como arma.

—Se lo ruego, señorita. El señor ha perdido el juicio y no quiero avisar a nadie más porque temo las habladurías. —Barnet estaba muy nervioso, restregando el suelo con los pies y volviendo la cabeza temeroso para observar la puerta que comunicaba con la habitación del conde. De pronto Gabby sintió que la tensión de sus músculos cedía al comprender que, pese a su precipitada entrada, Barnet no la estaba amenazando sino suplicando—. Es necesario que venga conmigo ahora mismo, señorita. No me atrevo a dejarlo solo.

—¿Necesita mi ayuda? —preguntó Gabby con cautela.

Excepto por el tenue resplandor de los rescoldos del fuego, la habitación estaba a oscuras. Era imposible distinguir los rasgos de Barnet salvo la silueta de su fornido cuerpo. Estaba tan cerca que a Gabby le dolía el cuello de alzar la cabeza para mirarle. Barnet seguía sujetando el atizador casi sin esfuerzo y ella comprendió que era inútil tratar de arrebatárselo. Por fin lo soltó.

Antes de que Barnet pudiera reaccionar oyeron unos gemidos y unos ruidos amortiguados procedentes de la alcoba del conde.

—¡No deja de moverse! ¡Se matará! —exclamó Barnet con tono desesperado. Tras arrojar el atizador sobre la cama, dio media vuelta y regresó a la alcoba del conde. Al percatarse de que no llevaba botas, Gabby pensó en las nefastas consecuencias que podían derivarse de la combinación de unos fragmentos de cristal y unos pies enfundados únicamente en calcetines. Antes de entrar en el vestidor, Barnet se volvió y dijo—: Vamos, señorita.

Después de coger de nuevo el atizador —hasta el momento no le había sido de ninguna utilidad, pero nunca se sabe—, Gabby se puso la bata que había dejado a los pies de la cama y le siguió con cautela, sorteando los trozos de cristal diseminados por el suelo del vestidor. Al ver una llave en la puerta que comunicaba los aposentos de ella con los de Wickham, introducida en la cerradura del lado de éste, Gabby comprendió lo fácil que había sido irrumpir en su alcoba.

Había hecho bien en colocar una trampa en esa puerta.

El espectáculo que contempló al detenerse en el umbral le hizo abrir los ojos desmesuradamente. La alcoba estaba iluminada por un candelabro en la mesita de noche y el fuego que ardía en el hogar; estaba caldeada, más que la suya, y en el ambiente flotaba un olor ligeramente acre a medicamentos. Wickham, muy distinto del insolente bastardo que la había insultado hacía un rato, yacía postrado boca arriba en el lecho, despatarrado, revolviéndose incesantemente, con las manos y los pies atados a las columnas con unos trapos. Lo cubría sólo un camisón de lino que se había subido por encima de las rodillas.

Ella observó, por más que trató de evitarlo, que tenía unas piernas largas y musculosas, cubiertas por un hirsuto vello negro.

«Tienes una boca que invita a besarla.» Gabby recordó de improviso aquellas palabras. Qué hombre tan detestable, debería aborrecerlo por atreverse a decirle una cosa así. Y lo aborrecía. Sin duda. Pero no lograba borrar aquellas palabras de su cabeza.

—¡Marcus! Maldita sea, Marcus. ¡Dios mío, es demasiado tarde...! —Era evidente que deliraba, moviéndose y pugnando por soltarse, sujeto por las tiras que lo sujetaban a la cama.

—¿Quién es este hombre? —preguntó Gabby de sopetón mientras contemplaba al individuo que se revolvía furioso sobre el lecho. Era evidente que éste había conocido a su hermano, y que sabía que había muerto. Gabby se volvió hacia Barnet—. Y ¿quién es usted?

—Todo ha terminado, capitán. Si no para de moverse se va a lastimar —dijo Barnet haciendo caso omiso de la pregunta de Gabby mientras se inclinaba para asir a su patrón por los hombros en un vano intento de calmarlo.

Al comprender que de momento no obtendría una respuesta a su pregunta, Gabby la dejó correr. ¿Acaso esperaba que Barnet la informara debidamente? No.

—Atarlo a la cama fue lo único que se me ocurrió —comentó el hombretón—. El capitán no sabe dónde se encuentra. Trataba de levantarse de la cama. —Barnet iba vestido con el calzón y en mangas de camisa; tenía el rostro fatigado y abotargado, los ojos enmarcados por profundas ojeras—. La última vez que pasó a verlo ese condenado medicucho, si me permite la expresión, vio que tenía mucha fiebre, pero lo único que hizo fue practicarle una sangría y dejar una medicina para que yo se la administrara. Pero la medicina no parece haber surtido efecto y... —Sus palabras de pronto quedaron sofocadas por el grito de Wickham:

—¡Ah, Marcus! Debí... No, no. Vine en cuanto pude... —Se debatía con desespero para liberarse, alzando el torso violentamente.

—Basta, capitán, estese quieto. —Barnet intentó inmovilizarlo mientras seguía hablándole como si fuera un caballo encabritado o un niño díscolo—. Todo va bien.

Barnet miró a Gabby, que había dejado el atizador y se había cerrado la bata al tiempo que se aproximaba al lecho.

Observó que Wickham tenía muy mala cara. Presentaba un color más cerúleo que pálido; las mejillas y la barbilla estaban cubiertas por un grueso vello; su pelo, negro, estaba alborotado; tenía los ojos cerrados pero sus espesas pestañas se agitaban espasmódicamente, y retorcía los labios.

—Ha empeorado de forma alarmante —comentó Gabby en voz baja.

—Sí, me temo que lo ha matado, señorita —repuso Barnet con tono lastimoso mientras el paciente seguía revolviéndose sin cesar.

A Gabby empezó a remorderle la conciencia. ¿Era posible que hubiera disparado contra ese hombre? Entonces recordó sus amenazas, sus manos sujetándola del cuello, y se esforzó en sobreponerse. Sí, había disparado contra él.

—Lamento mucho que se encuentre en ese estado, pero usted sabe mejor que nadie que se lo buscó él mismo —contestó con voz firme. Era inútil hacerse reproches a sí misma y, por otra parte, era preciso que alguien asumiera el control de la situación.

Barnet la miró con ceño.

—Está ardiendo, señorita. El matasanos dijo que le subiría un poco la fiebre, pero le ha subido mucho.

Ella asintió con la cabeza.

—Tranquilízate —dijo al hombre postrado en el lecho.

Luego, tras apartarle con suavidad un mechón de pelo negro y apelmazado que le caía sobre los ojos, apoyó una mano sobre la frente del paciente. Tenía la piel caliente como una estufa.

Al parecer la frescura de su mano traspasó la bruma en que se hallaba sumido, pues sus movimientos cesaron y abrió los ojos. Por una fracción de segundo Gabby fijó los ojos en sus pupilas de color añil.

—Consuela —gimió él con voz ronca, como si le doliera la garganta—. Mi bella impura, ojalá pudiera, querida, pero en estos momentos no puedo. Me siento... un tanto indispuesto.

Gabby apartó la mano bruscamente, como si aquel hombre hubiera tratado de morderla. Luego él cerró los ojos de nuevo, suspiró profundamente, se volvió y al parecer se quedó dormido.

—No sabe lo que dice, señorita —dijo Barnet con tono de fingida disculpa, y se incorporó con cautela—. Ha perdido el juicio.

—Es necesario bajarle la fiebre —respondió Gabby, pasando por alto el comentario del paciente y la chapucera disculpa de Barnet—. Debemos avisar al médico.

El hombretón meneó la cabeza.

—No, señorita. El capitán delira y dice muchas cosas... es demasiado arriesgado. No sólo es capaz de revelar nuestros secretos, lo cual nos perjudicaría mucho, sino otras cosas...

Gabby cruzó los brazos y miró a Barnet de hito en hito.

—¿Qué otras cosas? ¿Quién es este hombre, Barnet? Tengo derecho a saberlo.

Barnet le devolvió la mirada y vaciló.

—Usted le llama capitán —insistió ella—, por lo que deduzco que es militar, y está claro que conocía a mi hermano. Ahora habla usted de ciertos secretos. Me sentiría más tranquila si me contara la verdad. De lo contrario imaginaré lo peor, que son un par de presos fugados de Newgate o de Bedlam.

Barnet esbozó una breve sonrisa que suavizó sus rasgos pétreos.

—No se trata de algo tan grave, señorita, le doy mi palabra. Pero es el capitán quien debe contarle el resto, no yo.

—¡Dios, qué calor hace! ¡Maldito sol! ¡Qué calor...! —El paciente empezó a agitarse y a farfullar de nuevo—. Agua. Por favor, agua...

—Enseguida te daremos agua —respondió Gabby, ablandándose al tocar su ardiente mejilla para aplacar su delirio—. Debemos avisar al médico —añadió volviéndose hacia Barnet.

Barnet la miró a los ojos, como si se dispusiera a llevarle la contraria, pero agachó la cabeza en gesto de aquiescencia. Después de ayudar al sirviente a administrar unas cucharadas de agua al paciente, que las engulló con avidez, Gabby se retiró a su habitación.

Una vez allí, hizo sonar la campanilla y ordenó a Mary que enviara a un lacayo en busca de Ormsby, y a otro para despertar a Jem, que dormía en la casita de los establos, por si fuera necesario emplear de nuevo la fuerza bruta para ayudar a Barnet a sujetar al herido, lo cual parecía más que probable. A continuación se vistió, aunque el día apenas había comenzado a despuntar en el horizonte. Por último explicó a Mary, que no cesaba de bostezar, que en adelante utilizaría los vestidos de luto traídos de Yorkshire para entrar en la habitación del enfermo.

Jem llegó antes que Ormsby. Barnet le abrió la puerta de la habitación del conde. Cuando Jem entró, los dos sirvientes se miraron con antipatía y por unos absurdos instantes caminaron en círculo uno en torno al otro, como perros enfurruñados. Por fin, en respuesta a una áspera orden de Gabby, se aproximaron al lecho, situándose cada uno a un lado del mismo. Bajando la voz, Gabby explicó la situación a Jem, quien no dejaba de observar a Barnet con cara de pocos amigos. Antes de que Jem pudiera replicar, llegó Ormsby.

—La herida se ha infectado —declaró Ormsby tras examinarla brevemente—. No trataré de ocultarle la verdad, señora: su hermano está muy grave. No obstante, creo que podemos salvarle la vida... —se apresuró a añadir ante la expresión desolada de Gabby y los sofocados gemidos de Barnet— si obedecen mis instrucciones al pie de la letra. Deben aplicar cada dos horas en la herida unas cataplasmas calientes preparadas con estos polvos que les dejo; es preciso que el paciente tome esta medicina sin falta; y deben administrarle abundante agua, mantenerlo abrigado e impedir que se mueva.

—Descuide —respondió Gabby, puesto que el médico se había dirigido a ella.

Nada hacía suponer que Ormsby no sangraría a Wickham. Y así lo hizo, aduciendo que de este modo extraía los malos humores que circulaban por la sangre y sin duda causaban la fiebre. Luego le administraron, bajo la atenta mirada de Ormsby, la primera dosis de medicina, le cambiaron el vendaje y le aplicaron una cataplasma sobre la herida. Dado que esto requería mostrar una mayor cantidad de piel del paciente de lo que Gabby deseaba contemplar, se retiró a un rincón de la estancia, donde se ocupó de preparar una botella de vino aguado.

—... mucha sangre. ¡Dios, Marcus! ¡Marcus! —El lavado de la herida causó un gran dolor al impostor, haciendo que gritara angustiado y pugnara por liberarse de las ataduras que le sujetaban manos y piernas.

Jem y Barnet permanecieron junto al lecho, dispuestos a ayudar al médico. Cuando el paciente empezó a revolverse con violencia, Barnet le miró alarmado. La inquietud de Gabby por las revelaciones que pudiera hacer Wickham aumentaba por momentos. Cuando éste dijo, con toda claridad, «maldita sea, esa pequeña bruja disparó contra mí», ella comprendió, por el sofoco que sintió en las mejillas, que se estaba sonrojando. Y cuando el herido empezó a quejarse de nuevo sobre la sangre y Marcus, lo único que la tranquilizó fue pensar que el médico, que al parecer no conocía a la familia, no comprendería el significado de lo que estaba oyendo.

Pero estaba equivocada.

—Disculpe, lady Gabriella —dijo Ormsby mientras recogía sus cosas para marcharse—. ¿Pero no...? Yo creía que el señor conde se llamaba Marcus.

Gabby se estremeció ante la perspicacia del médico, pero logró conservar la compostura.

—Así es —respondió con frialdad, dándole a entender que ese dato no le concernía.

—Pero... como le he oído referirse a un tal Marcus, quien al parecer ha resultado gravemente herido o muerto... —El médico miró a Gabby con ceño, pero se detuvo al ver la frialdad con que ésta le observaba—. No tiene importancia. Me chocó que... Pero da la mismo.

—Mi hermano tenía un buen amigo que también se llamaba Marcus, quien desgraciadamente sufrió hace pocos meses un accidente fatal. Mi hermano lo presenció.

De no haber deseado aplacar cualquier sospecha que tuviera el médico, a Gabby jamás se le habría ocurrido pergeñar semejante explicación. Ciertamente, de haber sido su hermano Marcus el que hubiera estado postrado en ese lecho, no se habría sentido obligada a saciar la curiosidad de Ormsby.

—Entiendo —dijo Ormsby.

Gabby sonrió un tanto secamente mientras le acompañaba hasta la puerta.

—Ha estado a punto de descubrir el pastel —comentó Barnet cuando el médico se marchó.

El paciente, sin duda agotado debido a la dolorosa cura que había soportado, guardaba un avieso silencio ahora que no había ninguna persona fuera de su círculo inmediato que pudiera oírle; es más, parecía dormido.

—Ya le advertí que el capitán se iría de la lengua y nos hundiría a todos —continuó Barnet, mirando a Gabby con expresión de reproche—. No me importa confesar que he pasado un mal rato.

—Habla por ti, bribón, que la señorita Gabby no tiene nada que ver en esto —replicó Jem furioso—. Aquí los únicos criminales sois vosotros, que convencisteis a mi pobre ama para que os ayudara.

—Vigila tu lengua, enano —le espetó Barnet esgrimiendo los puños.

—¡Basta! —intervino Gabby—. No permitiré que sigáis peleando.

Os guste o no, debemos controlarnos si no queremos perder los estribos. ¿Cuánto hace que no pega ojo, Barnet?

La feroz expresión con que Barnet había mirado a Jem se suavizó un poco y frunció el entrecejo con gesto pensativo.

—He dormido un poco en la butaca, poco antes de ir a despertarla, señorita.

—Entonces haga el favor de ir a acostarse y no regrese antes de ocho horas.

—Pero, señorita... —Barnet dirigió una apresurada mirada al herido, que parecía dormir apaciblemente.

—Jem o yo le velaremos hasta que usted regrese. Está claro que los tres tendremos que turnarnos para atenderlo. Lleva usted razón, el capitán es demasiado propenso a decir cosas inoportunas como para confiarlo al cuidado de una persona que no conozca... las circunstancias del caso.

Jem se tensó indignado, dirigiendo a Gabby una mirada tan elocuente como si hubiera expresado en voz alta que, a su entender, su ama había perdido el juicio.

Barnet se tensó también y, mirando a Jem fijamente, dijo:

—Si no le importa, señorita, prefiero quedarme. Aunque le agradezco su amabilidad al preocuparse por mi cansancio.

—Sí me importa —contestó Gabby con aspereza—. Obedezca mis órdenes, haga el favor. Y, aunque lamento decirlo, no es su cansancio lo que me preocupa, sino que su patrón se restablezca.

—Pero, señorita... —dijo Barnet, alarmado.

—No le será útil a su patrón si está rendido de cansancio. Puede dejarlo en manos de Jem y mías, le aseguro que le atenderemos solícitamente.

—Muy bien —cedió Barnet a regañadientes.

—Retírese.

Barnet miró a su patrón antes de dirigirse hacia la puerta. Luego se volvió y observó a Jem con expresión amenazadora.

—Si le ocurre algo al capitán en mi ausencia...

—Retírese —reiteró Gabby fulminándolo con la mirada.

Barnet tragó saliva y salió de la estancia.

—Ésa es la forma de tratarlo, señorita Gabby —dijo Jem con tono exultante cuando se quedaron solos.

—Si no quieres que me dé un ataque de nervios, deja de reñir con Barnet. ¿No comprendes que tenemos que soportarlos tanto a uno como al otro? Al igual que ellos tienen que soportarnos a nosotros.

14

El estado del paciente apenas experimentó cambio alguno durante los siguientes días. La herida estaba rodeada por un enrojecido círculo de carne hinchada, peligrosamente caliente y firme al tacto; el oscuro orificio por el que el médico había extraído la bala segregaba pus y sangraba con cada cura. Y él seguía delirando debido a la fiebre. «Mejor así», pensó Gabby mientras aplicaba una cataplasma caliente sobre la herida por enésima vez en las últimas tres horas. Al menos aquel hombre no se percataba de la mayoría de curas que se le practicaba y el pudor de Gabby quedaba, en cierta medida, a salvo. Si él hubiera estado despierto y observándola mientras ella le atendía... no habría podido seguir adelante.

Gabby se las había ingeniado para mantenerlo decentemente cubierto mientras le curaba, pero no lo había conseguido por completo. Aunque él llevaba un camisón limpio —Barnet le había cambiado uno empapado en sudor antes de que Gabby se hiciera cargo del paciente—, era preciso subir el camisón por encima de la cintura para aplicarle el tratamiento. Gabby había cubierto —una y otra vez— las partes pudendas del herido con una manta, pero los incesantes movimientos de éste la desplazaban constantemente. La zona que quedaba expuesta intrigaba a Gabby, pero se negaba a satisfacer su curiosidad contemplándola.

Los detalles que percibía al echar de vez en cuando un vistazo la turbaban.

Mientras se hallaba sentada en el borde de la cama aplicando la cataplasma sobre la herida, Gabby procuraba concentrarse en la zona circundante y superior a la misma, la cual bastaba para solazar su vista y sus demás sentidos. Había comprobado, asombrada, que los musculosos contornos del torso del paciente la afectaban de un modo singular. A veces, cuando le observaba distraídamente, pensado en otras cosas, la masculina belleza de ese cuerpo bien formado que ella tocaba se insinuaba en su subconsciente, haciendo que su pulso y respiración se aceleraran antes de percatarse de lo que ocurría. En esos casos desviaba la vista y se esforzaba en pensar en cosas más decorosas. Pero la cruda verdad era que se sentía físicamente atraída por ese canalla, y por más que tratara de evitarlo, en el fondo sabía que era así.

Para colmo, al aplicarle las curas no podía dejar de tocar su cuerpo. Por más que se esforzara en evitarlo, el hecho de tocarlo le producía un placer que nada tenía que ver con sus quehaceres como enfermera. Aquel bribón tenía el estómago, según comprobó Gabby casi con un sentimiento de culpa, firme y musculoso, y su piel poseía el agradable tacto de la mejor cabritilla. Estaba dividido por una fina línea de vello negro que se ensanchaba considerablemente en la parte inferior, que ella no debía contemplar. El vello del estómago, según averiguó Gabby casualmente, era infinitamente más sedoso que el del pecho. Su ombligo era un secreto, un óvalo que se curvaba hacia adentro, en el que ella se había visto obligada en más de una ocasión a introducir un dedo envuelto en un trapo para limpiar el líquido que segregaba la cataplasma. El falso conde tenía caderas estrechas, delgadas y de huesos duros.

Siguiendo la línea del vello oscuro en sentido ascendente —a fin de cuentas tenía que secarla después de aplicar la chorreante cataplasma—, Gabby comprobó que su torso se ensanchaba en una uve a la altura de los hombros, y que poseía también unos poderosos músculos bajo una piel suave. La línea de vello oscuro se ensanchaba, a la altura de las costillas, rizándose y adquiriendo un tacto más áspero. Aunque el camisón ocultaba la parte superior del torso, así como los brazos y los hombros, mostraba lo suficiente para que Gabby observara que la piel estaba cubierta por un vello negro grueso e hirsuto.

De pronto, cuando su mente siguió la trayectoria de sus manos y sus ojos, Gabby sintió un deseo irrefrenable de juguetear con aquel espeso vello.

«Deberías avergonzarte», se reprendió, retirando bruscamente las manos, junto con la toalla, y colocándolas a salvo en su regazo. Supuso que la preocupación y la fatiga hacían que su cabeza se alterara, pues de otro modo no le ofrecería continuamente imágenes indecorosas que la pillaban desprevenida.

«Tienes una boca que invita a besarla.»

El paciente murmuró algo, tras lo cual se volvió hacia ella y entreabrió los ojos. Por un instante Gabby pensó horrorizada que había dicho la frase en voz alta y que él la había oído. Pero no, se dijo aliviada al ver que éste volvía a cerrar los ojos; era su conciencia que la aguijoneaba. Wickham no se había percatado de nada.

—Eres un sinvergüenza —le dijo con enfado—. Y no siento ningún remordimiento por haber disparado contra ti.

Por supuesto, sabía que si él moría, ella, su asesina, se sentiría culpable. Si el pus de la herida se extendía por todo su organismo, o no conseguían bajarle la fiebre...

Gabby decidió no pensar en ello.

En la planta baja un reloj dio la hora. La una de la madrugada. El resto de la familia y los sirvientes dormían. No había sido fácil impedir su acceso a la alcoba del impostor, salvo para llevar a cabo los quehaceres más elementales. Lo cierto era que a Gabby no le había costado mucho impedir que entraran sus hermanas, limitándose a decir que el hecho de atenderle implicaba contemplar ciertas partes de su anatomía que no convenían a unas jóvenes. Explicar a los sirvientes por qué no quería que la ayudaran a administrarle las curas había sido más complicado. Se había visto obligada a reconocer que no se fiaba de que nadie, salvo Jem y Barnet, y por supuesto ella misma, fuera capaz de atenderlo como era debido. Lo cual había provocado más de una expresión ofendida.

No queriendo mantener al paciente atado a las columnas del lecho, pues la postura le impedía descansar e impedía la normal circulación en brazos y piernas, Gabby había ordenado el día anterior a Barnet que lo desatara. La medida había dado excelentes resultados: el hombre había dormido y Gabby atribuyó su relativa calma a la comodidad de no sentirse sujeto al lecho.

«Qué calor», había dicho él con toda claridad, agitándose de nuevo. Gabby le miró conteniendo el aliento. Se preguntó de nuevo si se despertaría, pues desde que había relevado a Barnet tenía la impresión de que el paciente había estado a punto de despertarse en varias ocasiones. Pero el hombre se tranquilizó y volvió a sumirse en un sueño profundo. Durante unos momentos sólo se oyó el suave murmullo de su respiración y el chisporroteo y crepitar del fuego.

Ciertamente, hacía mucho calor en la habitación, pensó Gabby mirando alrededor, pues llevaba un buen rato cerrada y el fuego ardía con fuerza en el hogar. Hasta ella sentía calor. Su vestido de escote cerrado y mangas largas le agobiaba, y al apartar un mechón de pelo adherido a la nuca comprobó que la tenía perlada de sudor. Hizo una mueca y se abanicó con la toalla que tenía en el regazo. Además del excesivo calor, la habitación estaba saturada de olores nada agradables, entre ellos el intenso olor a mostaza de la cataplasma, el cual se mezclaba con el no menos penetrante del cuerpo febril del herido. La única iluminación, aparte del fuego, provenía del candelabro situado en la mesita de noche, que añadía el olor a cera caliente al resto de los olores.

Gabby observó que las tres velas se habían consumido, formando unos charquitos líquidos en torno a la base. Se inclinó y las apagó una tras otra de un soplido. El resplandor de las velas era innecesario, y aunque éstas sólo añadían una pequeña porción de calor a la estancia, junto con un olor poco grato, era un gasto que Gabby prefería ahorrarse. Había curado la herida tantas veces que estaba segura de que, en caso necesario, habría podido hacerlo a oscuras.

—... briella —dijo el hombre de improviso, haciendo que Gabby se volviera hacía él.

¿Había pronunciado su nombre, o murmuraba frases incoherentes en sueños?

—¿Estás despierto? —preguntó con cierta aspereza.

No obtuvo respuesta. Tampoco la esperaba. Él seguía con los ojos cerrados, respirando profunda y rítmicamente. Quizás había mejorado, pensó ella, comprobando la temperatura de la cataplasma con el dedo. Esa noche el rostro del paciente parecía menos agitado.

Otra hora, pensó suspirando y comprobando de nuevo la temperatura de la cataplasma. Aguardaba impaciente a que Jem la relevara. Asombrado del insistente deseo de Gabby de «ayudar a ese condenado criminal», como decía Jem, el sirviente cumplía no obstante con su obligación con hosca eficacia. Por supuesto, cuando llegara para relevar a Gabby dedicaría cada minuto hasta que ella abandonara la habitación a refunfuñar y atosigarla con advertencias a cual más siniestra. Con todo, Gabby se sentiría aliviada cuando llegara Jem; estaba rendida y malhumorada, aunque en ese momento no le apetecía analizar el motivo de tal talante. El hombre que yacía semidesnudo y desvalido en el lecho, a su cuidado, era un extraño, un delincuente, que para colmo la había insultado, amenazado y agredido físicamente. Pero también era increíblemente atractivo, con un encanto como el que Gabby suponía que poseían los sinvergüenzas consumados, y exhalaba una masculinidad turbadora. Aunque no tenía nada de extraño que lo encontrara atractivo, lo cierto era que se sentía sorprendida y disgustada por ello. Era, como mínimo, desconcertante.

El paciente movió la cabeza; su encrespado pelo negro contrastaba con la blancura de la almohada de lino. Empezó a murmurar, pronunciando una frase larga y compleja en voz tan baja que Gabby no logró discernir una sílaba. Contempló su boca en un esfuerzo instintivo de entender lo que decía. Pese a tenerla reseca debido a la fiebre, Gabby observó que era una boca preciosa, quizás un tanto delgada, pero con unos labios bien formados y firmes, como sabía bien por haberle obligado a beber diversos líquidos durante los dos últimos días.

«Tienes una boca que invita a besarla.»

Él también, pensó Gabby. ¿Qué sentiría si apoyaba su boca sobre esos labios perfectamente formados?

El hombre se movió de nuevo, entreabriendo los ojos, mientras en la mente de Gabby se formulaba ese pensamiento con el ímpetu de unas nubes tormentosas girando y cobrando las dimensiones de un tornado. Al reparar en lo que pensaba y observar que él tenía los ojos abiertos, Gabby se sobresaltó como si hubiera oído un tiro. Por un instante fijó la vista, perpleja, en sus pupilas color añil. Pero al examinarlos más detenidamente comprobó que aquellos ojos seguían mostrando una expresión ausente que significaba que no estaba completamente despierto. Casi de inmediato, él volvió a cerrar los ojos como para zanjar el asunto.

Gabby emitió un suspiro de alivio. Horrorizada al comprobar que su mente era capaz de tener un pensamiento como era el de apoyar su boca contra la de Wickham, se concentró en su tarea. Tocó impacientemente con el dedo la empapada cataplasma para comprobar su temperatura, dedujo que la cura había concluido y retiró la cataplasma, ya fría, de la herida. Aliviada de haber concluido, depositó la cataplasma en una palangana situada en la mesita de noche. Dentro de unos momentos podría sentarse junto al fuego y esperar, leyendo el libro que había traído consigo, a que llegara Jem para relevarla.

Por lo menos, si estaba leyendo *Marmion* no tendría la tentación de mirar a aquel hombre.

Impaciente por alejarse de su lado, espolvoreó la herida con el polvo de albahaca que había dejado Ormsby y aplicó el vendaje alrededor del vientre anudando sus extremos. Alzar aquel cuerpo con un brazo mientras le vendaba con el otro requería un esfuerzo considerable, pero si no lo hacía así él siempre conseguía desplazar el vendaje.

Reaccionando tal vez al hecho de sentir el brazo de Gabby en su espalda, el paciente se revolvió bruscamente. Movió las piernas —desplazando de nuevo la manta, como era previsible, aunque Gabby se abstuvo de mirar para cerciorarse— y dijo «por favor» con toda claridad. Como Gabby no sabía a qué se refería y estaba impaciente por alejarse de su lado, hizo caso omiso del ruego y siguió asegurando el vendaje sin dejar que sus ojos se posaran más allá de la herida.

—Por favor... —repitió el hombre con voz ronca pero clara.

Gabby lo miró. Él pestañeó pero no abrió los ojos. Su boca —esos labios maravillosamente formados— esbozó una breve sonrisa.

Gabby, un tanto irritada, dedujo que quería beber. En la mesita de noche había un vaso de agua y cada hora ella le administraba unas cucharadas. Cuando terminara de vendarle la herida, le daría unas cucharadas más antes de retirarse junto al fuego para leer su libro.

—Qué pesadez —murmuró, dirigiéndole una mirada enojada que él, por supuesto, no vio. Al colocar y anudar apresuradamente la última venda de lino, tocó la piel excesivamente caliente de su abdomen.

Él debió de sentir el roce a cierto nivel consciente, pues movió la mano y, al tropezarse con la de ella, la apretó. Al igual que el resto de su cuerpo, su mano grande y fuerte estaba ardiendo. Gabby volvió a dirigirle una mirada fugaz. ¿Acaso trataba de comunicarle algo? Era posible. En cualquier caso, tenía los ojos cerrados.

Un tanto recelosa, Gabby dejó que le apretara la mano, que la alzara y... la depositara sobre sus partes íntimas.

Ella contuvo el aliento, retiró la mano bruscamente y saltó de la cama como el tapón de una botella de cerveza bien agitada. La mano le abrasaba. ¡Había sentido cómo el miembro masculino se erguía bajo su toque! Sin poder evitarlo, bajó la vista y contempló aquel pene, que estaba inmenso y sobresalía entre las piernas de Wickham formando casi un ángulo de noventa grados. ¡Y ella lo había tocado!

Se estremeció, limpiándose la mano convulsivamente en la falda. ¡Dios santo! ¡Aún sentía el miembro hinchándose contra la palma de su mano!

Él seguía con los ojos cerrados, con expresión serena. Su mano, que ella había apartado con brusquedad, sin tener en cuenta su debilitado estado, descansaba inerte junto a él, con los dedos ligeramente curvados hacia adentro.

Por supuesto, se dijo Gabby, él no sabía lo que había hecho. Estaba sumido en un sueño febril.

Gracias a Dios. Se calmó. Su pulso recuperó el ritmo normal. Sin perder de vista ese pensamiento, hizo acopio de todo su valor y, procurando no mirar la zona prohibida, alargó la mano para cubrirlo con la manta...

Con inusitada rapidez, él la asió por la muñeca y la obligó a tumbarse en la cama a su lado. Gabby perdió el equilibrio y aterrizó sobre su maltrecha cadera, emitiendo un grito de dolor. Antes de que pudiera hacer el menor movimiento para escapar, cayó de espaldas al tiempo que él se arrojaba sobre ella, cubriéndola con su fornido cuerpo.

15

El hombre abrazó el cuerpo tibio y suave de Gabby que yacía bajo el suyo; olía a... vainilla. Hundió la cara en el espacio entre el cuello y el hombro y aspiró profundamente su aroma.

Gabriella. Sabía quién era. La había reconocido vagamente, aletargado como estaba, desde hacía un rato.

Rezumaba un perfume embriagador. Su cuerpo, esbelto y delicadamente cincelado, resultaba no menos embriagador, y ahora estaba tenso y rígido.

Empezó a moverse rítmicamente, restregando su pelvis contra la de Gabby, mordisqueándole el cuello, suponiendo que ella no tardaría en revolverse contra él y ordenarle que la soltara.

Pero hasta que eso sucediera, deseaba saborear ese momento. Deslizó la boca sobre el pulso que latía debajo de su oreja y se detuvo allí unos instantes, sintiendo que su corazón latía tan aceleradamente como el de Gabby.

Al margen de lo que ella estuviera pensando —él ni siquiera trató de adivinarlo—, su cuerpo respondía al suyo con un instintivo sometimiento que intensificaba sus sentidos. Respiraba de forma entrecortada y él sintió sus pechos oprimiéndose contra su torso al tiempo que jadeaba.

Le succionó el lóbulo de la oreja y lo mordisqueó.

Ella le aferró los hombros, hincándole las uñas. Empezó a moverse al mismo ritmo que él, temblando, y emitió un pequeño gemido. Su respuesta le enardeció.

Él deseaba hacerle el amor con una intensidad casi dolorosa. Deseaba verla desnuda y gimiendo en sus brazos, besándole con una pasión febril y rodeándole las caderas con las piernas.

Deseaba poseerla.

No podía hacerlo, por supuesto. Pese a estar aturdido, lo sabía bien.

En todo caso, no podía conseguir todo cuanto deseaba. No era, en última instancia, un canalla. Pero podía conseguir algo.

Deslizó la mano por el pecho de Gabby.

—Ah —dijo ella con sorpresa.

Por la forma en que lo dijo, el hombre dedujo que le gustaba sentir su mano sobre sus senos casi tanto como a él.

¿Quién había dicho aquello de que los caminos del infierno están empedrados de buenas intenciones?

16

Sintió la oreja de él junto a su boca mientras éste hundía su rostro ardiente y cubierto por una áspera e incipiente barba en el delicado espacio entre el hombro y el cuello. Gabby, que yacía inmóvil mientras él la besaba en un punto exquisitamente vulnerable situado justo debajo de su oreja, pensó que pesaba como un caballo. No podía remediarlo. El húmedo calor de su boca la hacía respirar entrecortadamente. Se sentía... se sentía...

Maravillosamente.

Lo que él le hacía había tocado un punto profundo y sensible que ella ni siquiera imaginaba poseer. En sus veinticinco años de vida, ningún hombre la había acariciado de ese modo. Ningún hombre la había besado jamás, ni ella lo había anhelado. Estaba convencida de que ella, y la mayoría de las damas de su clase, era inmune a esas emociones instintivas que sabía, por haberlo presenciado personalmente, que constituían el nada envidiable patrimonio del género masculino. Cuando era más joven y el matrimonio parecía formar casi con toda certeza parte de su futuro, Gabby había especulado de vez en cuando sobre los detalles de las relaciones conyugales, los cuales desconocía salvo en sus aspectos más elementales. A fin de cuentas, era una joven criada en el campo. Suponía que, en el mejor de los casos, el débito conyugal era una cosa vagamente desagradable. Lo consideraba el precio que una distinguida dama debía pagar para conseguir un marido, y, al cabo de un tiempo, unos hijos.

Nunca se le había ocurrido que las atenciones físicas de un hombre pudieran resultarle... agradables.

Agradables no, rectificó con incurable honradez mientras hincaba las uñas en los musculosos hombros de él: divinas. Era la única palabra que describía con justicia los temblores que la recorrían. Inmovilizada por el placer que le deparaban sus sentidos, Gabby se concedió un momento, tan sólo uno, para experimentar esas sensaciones que probablemente jamás volvería experimentar.

Sintió que la hirsuta barbilla de él le rascaba la sensible piel del cuello mientras la besaba con sus labios calientes y firmes. Él le besó ávidamente el lóbulo de la oreja, succionándolo, mordisqueándolo. Gabby entreabrió los labios, jadeando. Era una sensación muy extraña, y al mismo tiempo embriagadora. A medida que la boca de él obraba su magia, unos pequeños escalofríos le recorrían todas las terminaciones nerviosas. Incluso el peso de su cuerpo, que la inmovilizaba, no era tan aplastante como ella había supuesto, dada la diferencia de envergadura física entre ambos. O, si la aplastaba, ello le producía una sensación placentera. En realidad —aunque Gabby no comprendía por qué se extrañaba de ello— su cuerpo parecía diseñado para acomodarse al de él. Parecía dispuesto a adaptarse instintivamente, a amoldar su dúctil forma femenina a la forma más dura del cuerpo masculino.

Gabby se percató con renovado asombro de que él oprimía su... su... miembro erecto contra las partes secretas y femeninas de su cuerpo.

«Menos mal —pensó Gabby al experimentar esa sensación con los labios entreabiertos y los ojos como platos—, que estoy completamente vestida. De lo contrario... de lo contrario...»

El exquisito dosel plisado de color rojo que Gabby contemplaba comenzó a difuminarse a medida que la rítmica presión de la pelvis del hombre sobre la suya le provocaba unas sensaciones increíbles. Sentía una fuerte presión en lo más profundo de sus partes femeninas, un delicioso cosquilleo. Sus genitales se tensaron y empezaron a pulsar al ritmo impuesto por él.

Gabby estaba caliente. Muy caliente. Más aún de lo que lo estaba él, que tenía la sensación de abrasarse.

De pronto, ella emitió un pequeño sonido. Asombrada, comprendió que el sonido podía describirse como un... un quejido.

Estupefacta, pestañeó, cerró la boca para impedir que brotaran de ella más sonidos involuntarios y comprendió que esa insólita experiencia sensorial se le estaba escapando de las manos.

Había llegado el momento de poner fin a esa situación, se dijo con firmeza. De inmediato. Con más fuerza de voluntad que deseo de escapar, volvió la cabeza obligando al hombre a soltarle el lóbulo de la oreja que oprimía entre sus labios.

El súbito frescor que sintió en la oreja al contacto del aire le produjo casi una sensación de remordimiento. Él la besó en el cuello.

Gabby emitió un trémulo suspiro. Pestañeó de nuevo, percatándose de que sus ojos deseaban cerrarse. Pero los mantuvo abiertos. Sus manos se tensaron sobre los hombros de él, arrugando la suave sábana que cubría su firme y musculosa espalda. Era preciso librarse de esa inesperada vorágine de placer que amenazaba con engullirla.

El hombre se movió, apoyándose ligeramente sobre el costado sano. Gabby se preguntó si era una reacción instintiva al dolor. En cualquier caso, dedujo que ahora que él ya no apoyaba todo su peso sobre su cuerpo, ella podría liberarse con más facilidad.

Suponiendo que lo deseara realmente.

Fue un pensamiento inopinado, que contenía unas connotaciones terribles, y Gabby lo desterró en el acto. Por supuesto que deseaba liberarse. En cualquier caso, lo deseara o no, estaba decidida a hacerlo.

Y ahora mismo.

Respiró hondo para calmarse. Si conseguía que él apoyara todo su peso sobre su costado sano...

De pronto sintió que algo firme y caliente se posaba sobre su pecho, lo cual la distrajo de sus reflexiones. Era la mano del hombre, según comprobó al bajar la vista. Al contemplar esa mano bronceada y de dedos largos apoyada sobre el corpiño de su púdico vestido de casimir negro contuvo el aliento. Jamás había visto nada tan descarado.

El mero hecho de contemplarla le resecó la boca.

—Oh —exclamó Gabby.

Él le acarició el pecho, apretujándolo, masajeándolo como si amasara pan. Luego le oprimió el pezón.

A ella le gustó. ¡Santo Dios, qué placer! Su pecho se tensó e hinchó bajo aquellas caricias. Su pezón se puso duro y eréctil mientras él lo masajeaba y frotaba con el pulgar y el índice hasta dejarlo bien rígido. Gabby sintió una especie de descarga eléctrica en sus partes femeninas y como si... segregara un líquido.

Horrorizada, se percató de que algo dentro de su cuerpo se fundía y notó humedad entre las piernas.

Esa sensación la excitó y al mismo tiempo la horripiló.

Su pecho cabía a la perfección en la palma del hombre, según comprobó Gabby fascinada mientras él extendía su mano. Luego empezó a trazar círculos alrededor de su pecho, casi como si jugueteara con él. Unos círculos concéntricos que se hicieron más y más pequeños a medida que se aproximaron al pezón. Cuando él alcanzó su objetivo, acariciándole el rígido pezón, pellizcándolo con firmeza a través de la tela del vestido, Gabby notó que todo su cuerpo temblaba.

Era una sensación deliciosa. Tan deliciosa que ella encogió los dedos de los pies embutidos en medias de lana. Tan deliciosa que empezó a respirar entrecortadamente, casi jadeando, rechinando los dientes para no volver a emitir otro de aquellos bochornosos sonidos. La humedad que sentía entre las piernas dio paso a un dolor sordo, cálido y profundo.

Él se movió de nuevo, introduciendo una rodilla entre las piernas de Gabby, que tenía la falda a la altura de los muslos. Las piernas de ambos se entrelazaron. Gabby sintió el hueso duro de su rodilla y el calor de su firme muslo a través de sus medias.

Él encajó su muslo entre los de ella con toda naturalidad. Gabby sintió una repentina y angustiosa punzada de terror. «Esto está mal», pensó. Lo sabía. Sentía el miembro masculino entre sus piernas y... y...

¡Santo Dios! ¿Qué hacía él ahora?

El hombre retiró la mano de su pecho y empezó a deslizarla lenta y sensualmente sobre su cuerpo, acariciando todo cuanto tocaba antes de empezar a tirar de su falda para subírsela más, lenta e inexorablemente. Ella consiguió recobrar la compostura y empezó a luchar en serio para liberarse.

—Me gusta que luches contra mí —le dijo él al oído.

Estupefacta al comprobar que se expresaba con toda claridad cuando ella había creído que estaba semiinconsciente, Gabby se quedó inmóvil.

Él alzó la cabeza y ella contempló entre horrorizada y avergonzada sus relucientes ojos añil.

—Estás despierto —dijo Gabby con voz trémula de indignación.

—¿Acaso lo dudabas? —contestó él, esbozando una lenta sonrisa sensual que hizo que a Gabby el corazón le diera un vuelco. Luego, antes de que ella pudiera reaccionar, antes de que pudiera asestarle un puñetazo, exigirle que la soltara o hacer una de las miles de cosas que se agolpaban en su mente, inclinó la cabeza y la besó en el pecho.

Gabby sintió el calor y la humedad de su boca con toda nitidez a través del vestido y la camisa. Sintió que el calor le impregnaba el pezón, que estaba rígido, humedeciéndolo, abrasándolo. Una llamarada le atravesó el cuerpo, haciéndola temblar y estremecerse. De sus labios brotó otro de aquellos bochornosos quejidos. Arqueó la espalda instintivamente y colocó la mano en la nuca de él, apretando su boca con más fuerza sobre su propio pecho.

Horrorizada de su reacción, se esforzó en recobrar el juicio. Decidida, sabiendo que no podía, que no quería, que se negaba rotundamente a permitir que esto fuera más lejos, comenzó a luchar denodadamente, empujándolo por los hombros para liberarse. En vista de que eso no daba resultado, se inclinó y, con la presteza de una víbora, le mordió el hombro con fuerza.

17

—¡Ay! —gritó él, tumbándose boca arriba y llevándose la mano al lugar donde ella le había mordido. Al oír un ruido sordo y un ¡uf! pronunciado por una voz femenina, se volvió. Al parecer Gabby se había caído de la cama y había aterrizado en el suelo. Observó la coronilla de una cabeza despeinada de color castaño que ascendió a la superficie como un corcho en el agua—. Podrías haberme pedido que te dejara levantarte. —El extraño tono bronco de su propia voz le sorprendió.

—¿Me habrías hecho caso? —repuso Gabriella, que no parecía haber notado nada raro en su voz. Asomando la cabeza sobre el borde del colchón, clavó sus ojos grises en él al tiempo que fruncía sus cejas finas y oscuras.

Curiosamente, él comprobó que, pese a las molestias, los dolores y la inexplicable debilidad que le hacía sentirse mareado, se estaba divirtiendo de lo lindo.

—Por supuesto que te habría hecho caso. ¿Por quién me tomas?

La expresión de Gabby era tan elocuente que sobraban las palabras. Al observar la totalidad de su rostro, Wickham comprendió que la respuesta a su pregunta no podía ser más clara ni menos halagadora.

—¿Señorita Gabby?

La puerta de la alcoba se abrió de golpe. Al volverse, el falso conde vio que Jem había entrado sin más. Menos mal que el sirviente no se había presentado cinco minutos antes, pensó arrugando el entrecejo. Gabriella se habría sentido profundamente humillada, una perspectiva que a él le disgustaba.

El sirviente cerró la puerta y se aproximó al lecho, mirando a Gabriella. Ésta se apresuró a levantarse, turbada, y se pasó rápidamente la mano por el pelo, al que se le habían caído las horquillas que lo sujetaban y estaba deliciosamente alborotado.

—¿Está usted bien? —inquirió Jem con ceño.

—Perfectamente. Tropecé y... me caí.

Gabby se apoyó contra la columna situada a los pies del lecho, jadeando al hablar. Wickham también jadeaba y el hecho de mirarla no mejoró la situación. Descubrir un tesoro oculto —y él consideraba como tal al cuerpo que se ocultaba debajo de aquel horrible vestido negro— era más excitante de lo que jamás hubiera imaginado.

—No recuerdo haberle oído llamar a la puerta, o pedir permiso antes de entrar —le dijo a Jem con cierto tono autoritario. Al mismo tiempo, bajó la vista y echó una rápida ojeada para asegurarse de que la arrugada sábana tapaba sus vergüenzas.

—¿Conque ya se ha despertado? —replicó Jem mirándole con expresión furibunda.

—Así es —terció Gabriella antes de que el paciente pudiera responder, con una voz tan serena como si hubiera pasado los cinco últimos minutos bordando junto al fuego en lugar de revolcándose en el lecho del herido. Su mirada se cruzó brevemente con la de éste antes de fijarla en el sirviente. Los ojos de Gabby mostraban una frialdad semejante al agua de lluvia. Qué lástima, pensó el falso Wickham, que no supiera controlar también el inoportuno rubor de sus mejillas.

Gabby ya no le miraba, pero el anciano sí. No le hizo ninguna gracia permanecer postrado en el lecho mientras el sirviente le observaba con aire despectivo, de modo que hundió los codos en la cama para incorporarse, apoyando la espalda contra el cabecero.

Cuando logró incorporarse a medias, sintió una punzada de dolor que le atravesó como un hierro candente. ¿Qué diablos...? Rechinando los dientes para contener un gemido de dolor, el falso Wickham se detuvo al instante y se desplomó de nuevo sobre la cama, boqueando. Cuando el espasmo le recorrió todo el cuerpo, se tensó, cerrando los ojos y sintiendo que tenía la frente cubierta de sudor. Al cabo de unos instantes que se le antojaron una eternidad, los abrió de nuevo y vio a Gabriella y a su criado junto a la cama, observándole. Jem, con los brazos cruzados, le miraba con ceño y expresión de antipatía; Gabriella le observaba con recelo.

—No trates de moverte. Sólo conseguirás que la herida empiece a sangrar de nuevo —dijo ella. Su preocupación, si eso era lo que denotaba su voz, no parecía muy sincera.

—Disparaste contra mí. —Postrado de nuevo boca arriba, temiendo moverse a causa del dolor, la miró al tiempo que recordaba el episodio.

—Tú te lo buscaste —replicó Gabby.

Jem asintió con vehemencia.

—¡Dios, me siento como si me hubiera arrollado una diligencia! —se quejó. A tenor de la escasa simpatía que despertaba entre la concurrencia, habría sido preferible abstenerse de manifestar su queja, pensó tan pronto la hubo pronunciado. Pero la herida le dolía mucho y se sentía demasiado desorientado para mostrarse tan estoico como solía hacer.

—Has estado muy enfermo.

La extraña frialdad que denotó la voz de Gabby valió a ésta una mirada reprobatoria por parte de Jem. Al observarla, y percatándose de que su actitud no hacía sino fomentar unos interrogantes que antes no existían, Gabby se esforzó, de cara al sirviente, a modificar su expresión adusta.

—¿Durante cuánto tiempo?

Wickham comprobó que respirar hondo le aliviaba. El dolor comenzó a remitir.

—Éste es el tercer día.

No cabía la menor duda. El tono de Gabby lo confirmaba. «Milady» estaba resentida con él, ya por la forma en que su cuerpo había respondido al suyo, o bien porque él sí conocía la forma en que su cuerpo había respondido al suyo. Era difícil adivinarlo. Pero si hubiera tenido que apostar por una respuesta, Wickham se habría inclinado por la última.

—De modo que me has estado atendiendo.

Sus palabras estaban cargadas de intención. Esbozó una amable sonrisa, aunque el mero hecho de mantener una conversación le costaba un gran esfuerzo. Tenía la lengua pastosa e hinchada, y su ronquera empezaba a preocuparle. Al igual que el mareo que hacía presa en él cada vez que alzaba la cabeza de la almohada. El dolor que sentía en el costado, aunque ya no le atormentaba tanto, seguía muy presente. La única vez que recordaba haberse sentido así fue en una ocasión en que alguien había disparado contra él en la península, derribando a su caballo. El animal le había caído encima, partiéndole la pierna por tres sitios, y estaba en tan mal estado que el médico había insistido en amputársela. Sólo su rotunda negativa a consentirlo, y la devoción perruna de Barnet cuando él se había desvanecido, habían impedido que el matasanos le amputara la pierna. Mientras recordaba la escena, Wickham miró a la pareja que le observaba con suspicacia.

—¿Qué habéis hecho con Barnet? Estoy seguro de que jamás me abandonaría. —Procurando no moverse más de lo necesario, se llevó la mano a la herida. Al oprimirla, le dolió.

—Le envié a la cama. Estaba rendido. Deja de tocarte la herida —le espetó Gabriella con cara de pocos amigos, sin duda en recompensa por la sonrisa que él le había dirigido antes.

—¿De modo que le convenciste para que confiara en ti? Te felicito. Dadas las circunstancias, no deja de ser todo un logro.

Abandonando su exploración táctil del vendaje que tenía en torno al vientre, el paciente permaneció quieto unos instantes, haciendo acopio de valor para intentar incorporarse de nuevo. Al mirar a Gabby observó que tenía una pequeña mancha húmeda en el pecho, un diminuto círculo de un negro más intenso sobre el vestido negro, prácticamente invisible para cualquiera que no supiera lo que buscaba. Pero él lo sabía, y disfrutó al ver cómo abría los ojos como platos y se apresuraba a cruzar los brazos al observar que él le miraba el pecho y comprender el motivo.

—¡Qué le vamos a hacer! —contestó mirándole recelosa y con voz gélida.

Jem asintió con la cabeza. El paciente observó divertido que, de los dos, en ese momento era el sirviente quien le miraba con expresión más afectuosa. Claro está que era como decir que, entre una áspid y una cobra, ésta era la serpiente mortífera más amable.

—Nos hemos turnado para atenderle. Hemos terminado todos rendidos, en especial la señorita Gabby. Por lo que a mí respecta, usted no lo merece.

—¿Por qué lo hiciste tú? ¿Por qué no dejaste que lo hicieran los sirvientes? —preguntó el paciente a Gabby, haciendo caso omiso de Jem.

—Porque delirabas a causa de la fiebre y no parabas de hablar. Dadas las circunstancias, creí preferible que los sirvientes no se enteraran de todos tus secretos. —Y le sonrió. Era una sonrisa maliciosa, como dándole a entender que ella sí conocía todos sus secretos.

Él le devolvió la sonrisa, pese al esfuerzo que le supuso.

—Muy prudente por tu parte. Si ellos, o cualquiera —dijo dirigiendo a Gabby una mirada cargada de intención— averiguaran todos mis secretos, probablemente tendría que matarlos.

Ese comentario borró la sonrisa del rostro de Gabby, tal como él había pretendido. Ella y Jem le observaron con expresión pétrea.

—Debería avergonzarse, so canalla, por amenazar a la persona que le ha salvado la vida. Si la señorita Gabby no hubiera...

—Basta, Jem. No se puede esperar que alguien de su calaña te agradezca un favor.

El desdén con que Gabby pronunció esas palabras le recordó la altivez que había observado en ella. Y al recordarla pensó también en otros rasgos suyos, como la escasa altivez con que había reaccionado cuando él le había acariciado y besado los pechos.

De haber estado solos en aquel momento, no habría vacilado en decírselo.

Wickham la miró. Su expresión debió de dar a entender a Gabby lo que estaba pensando, pues sus mejillas adquirieron el color de las rosas estivales.

—¿Hay agua? —preguntó el herido bruscamente. No pretendía avergonzarla delante del sirviente, y Gabby era demasiado transparente para disimular su talante si él seguía mofándose de ella. Además, estaba sediento. Tenía la lengua correosa como un trozo e cuero y la garganta reseca y áspera como si hubiera tragado arena.

—Sí, por supuesto. —El resentimiento de Gabby no contradecía sus instintos de enfermera, según constató él con alivio. Ella se acercó a la mesita de noche al tiempo que dirigía una mirada al sirviente—. Colócale una almohada debajo de la cabeza, haz el favor. Así le resultará más fácil beber.

El paciente miró a Jem y por unos instantes ambos se observaron fijamente.

El anciano no habría dudado en dejarlo morir de sed, eso estaba claro. Por su parte, Wickham no era dado a aceptar ayuda de los demás, y menos aún de alguien que le miraba como si fuera un faisán al que quisiera retorcerle el pescuezo. El hecho de hallarse postrado en la cama le hacía sentirse vulnerable, y no estaba acostumbrado ni le gustaba sentirse vulnerable. Por lo demás, beber agua estando postrado en la cama presentaba no pocas dificultades.

Cuando Jem, murmurando unas palabras ininteligibles pero obviamente desagradables, alargó el brazo para coger una almohada, Wickham, a fin de facilitarle la tarea, alzó la cabeza. Cuando el sirviente colocó una segunda almohada debajo de la primera y luego se enderezó, ambos se miraron con franca antipatía.

—Echa más leña al fuego. Se está apagando.

Después de dar esa orden a Jem, Gabriella se sentó en el borde de la cama. Un tanto incómodamente, pensó el paciente, tomó una cucharilla, la introdujo en el vaso que sostenía y luego la acercó con cuidado a sus labios.

—Lo haces muy bien —murmuró él para provocarla, recordando la ocasión en que Gabby le había administrado unas cucharadas de caldo y no pudiendo resistir la tentación de tomarle el pelo.

Ella apretó los labios —unos labios que, como él había observado antes, resultaban muy apetecibles cuando no mostraban una expresión adusta— pero siguió con su tarea.

Después de saciar su sed, el conde la asió por la muñeca, atrapándole la mano en que sostenía la cuchara. Tenía una piel sedosa y unos huesos en extremo delicados.

Gabby se tensó. Él notó que su muñeca se ponía rígida al tiempo que le miraba con recelo.

—Gracias por cuidar de mí —dijo con voz queda para que el sirviente no pudiera oírle.

De pronto, el ambiente parecía cargado de electricidad. Al percatarse, los ojos de Gabby reflejaron confusión y cierto pánico. El paciente, que seguía sujetándole la muñeca, sintió que su pulso se aceleraba.

Sin darse cuenta, fijó la vista en los ojos de Gabby. Los tenía ligeramente entreabiertos, como si le costara respirar. Wickham recordó lo que le había dicho en cierta ocasión: «Tienes una boca que invita a besarla.»

Si en aquellos momentos era cierto, ahora lo era doblemente.

Mientras él contemplaba su boca, Gabby apretó los labios con fuerza. Al alzar la vista para mirarla a los ojos, él se dio cuenta de que ella también lo recordaba. De pronto, Gabby se levantó bruscamente obligándole a soltar su muñeca.

—De nada —contestó fríamente, tras lo cual dio media vuelta y se apartó de él sin decir ni una palabra. Después de depositar el vaso y la cuchara en la mesita de noche, dijo a Jem—: Me voy a acostar. Buenas noches.

A continuación, sin dirigirle otra mirada ni otra palabra, se volvió y salió por la puerta que comunicaba los dormitorios de ambos. El paciente observó con ceño cómo cerraba la puerta tras ella. Al cabo de un momento, un enérgico clic le indicó que la había cerrado con llave.

A solas con Jem, el falso Wickham miró al sirviente con animadversión y dijo:

—Llama a Barnet.

18

Esa tarde, la fiebre bajó y el paciente durmió durante la mayor parte del tiempo. Cuando se despertó, estuvo consciente y habló con normalidad. Todo indicaba que su estado había experimentado una mejoría. Esta información, que todos los demás consideraron una excelente noticia, Gabby la obtuvo de Barnet, pues se negó en redondo a volver a acercarse a su pestilente «hermano» en toda su vida. Estaba claro que era un libertino sin conciencia, y no menos claro que ella era demasiado susceptible a sus encantos. Lo único que Gabby podía hacer era mantenerse alejada de él. Ahora que su vida ya no corría peligro, Gabby renunció a los cuidados de enfermera sin el menor remordimiento. Dado que el paciente había recuperado el conocimiento, supuso que no había ningún peligro en que le atendieran los sirvientes. «El señor conde», según Barnet, que persistía en informar periódicamente a Gabby sobre la salud de su amo, tanto si ésta lo deseaba como si no, ya no se iba de la lengua y no existía ningún riesgo de que revelara secretos involuntariamente.

Durante los días en que Wickham permaneció postrado en su lecho, quienes cabía suponer que no se presentarían por respeto al supuesto dolor de la familia acudieron en masa, al propagarse en los ambientes de la alta sociedad londinense la noticia del accidente del conde. Recibieron una misiva de lady Salcombe, rogando a sus sobrinas que se presentaran en su casa al cabo de tres días a cierta hora. Recibieron asimismo docenas de tarjetas de visita. Una vez Wickham estuvo fuera de peligro y Gabby dispuesta a recibirlos personalmente, los visitantes acudieron en tropel. Lord Denby, que afirmaba ser íntimo amigo del infortunado conde, fue uno de los primeros en acudir, la tarde del día en que Gabby abandonó sus tareas de enfermera. Después de interesarse educadamente por la salud del conde, Denby pasó un grato cuarto de hora coqueteando descaradamente con Claire.

Denby no tardó en ser imitado por el honorable señor Pool, lord Henry Ravenby y sir Barty Crane. Eran unos visitantes inesperados, pero Gabby, consciente de que el fin último de sus maquinaciones era casar a Claire y que ello la libraba de cualquier obligación hacia el canalla que yacía arriba en la cama, los recibió con toda la hospitalidad que podía ofrecer Wickham House.

Lady Ware fue menos gratamente acogida. Entró en la sala de estar, atestada de visitantes, en el preciso momento en que los caballeros antes citados se disponían a marcharse, besó a Gabby y Claire como si fueran sus amigas del alma y se unió al pequeño grupo de damas que comentaban apenadas el accidente del conde, antes de sentarse para charlar animadamente sobre los últimos rumores que corrían por la ciudad. Aunque no permaneció más del cuarto de hora de rigor, cuando se levantó para marcharse Gabby sintió una grata sensación de alivio. Los comentarios de admiración que Claire pronunció en voz baja sobre al vestido que lucía la dama —un sencillo traje de seda azul celeste diseñado para exhibir un pecho que incluso Gabby hubo de reconocer que era magnífico— la irritaron, pero no tanto como la nota que lady Ware le entregó en el momento de despedirse.

—Para dar ánimos al pobre Wickham —dijo lady Ware con una pícara sonrisa.

Gabby, que aceptó la misiva sellada porque no sabía cómo rechazarla de forma educada, logró esbozar una sonrisa cortés al tiempo que trataba de reprimir sus deseos de estrujar la nota en el puño.

Lo más irritante fue que, después de dar la nota a Stivers ordenándole que se la entregara a su destinatario, Gabby no logró eliminar el penetrante perfume con que estaba impregnada. Pese a lavarse las manos repetidas veces, e incluso cambiarse de ropa, no consiguió librarse del persistente olor. Lo cual no era, en rigor, culpa del paciente, aunque Gabby le culpara de ello.

Algunos visitantes que se presentaron durante los dos días siguientes eran muy importantes. Lady Jersey, que al parecer era una vieja amiga de la tía de las Banning y acudió acompañada por la condesa de Lieven, dejó su tarjeta de visita. Twindle les reveló que esas damas eran patrocinadoras de Almack's, uno de los más ilustres clubs a los que acudir a cenar en Londres, y que por tanto convenía cultivar su amistad.

—Sólo se permite la entrada a las personas más selectas —informó Twindle a Gabby y Claire mientras examinaban impresionadas las tarjetas de visita—. La gente vulgar lo llama «el mercado del matrimonio». Nada es más perjudicial para las posibilidades de una joven de hallar marido que el hecho de que se le niegue la entrada. Si esas clientas habituales les niegan a ustedes su amistad... Pero es imposible que eso ocurra. Nadie puede decir una palabra contra usted, señorita Claire, ni contra la señorita Gabby o la señorita Beth. Ésta es una familia intachable.

—Tienes razón, Twindle, pero es probable que si nuestra tía no nos acoge con simpatía, lady Jersey y otras damas como ella no se mostrarán tan amables con nosotras —respondió Gabby. Estaba cansada por haber pasado otra noche en vela. Además, le dolía un poco la cabeza, pero nada de eso importaba en comparación con la necesidad de obtener el apoyo de su tía.

Tal como estaba previsto, a las cuatro de la tarde del día fijado, Gabby y Claire subieron los escalones de entrada de la casa de lady Salcombe, situada en Berkeley Square. Beth, que aún no se había puesto de largo, no estaba obligada a hacer esa visita, de lo cual se alegró. No obstante, cuando Twindle le informó del programa que había organizado para ella —visitar un aburrido museo para contemplar unas esculturas griegas de mármol que, según comentó con cierta aprensión, harían que se sonrojaran y, para colmo, estaban rotas— Beth demostró escaso entusiasmo y farfulló que esas cosas estaban reservadas a los catetos. Este comentario propició otra reprimenda de Twindle sobre las calamidades que les ocurrían a las jóvenes distinguidas que utilizaban unos términos tan poco elegantes en lugar de hablar con propiedad, por lo que cuando ella y Beth salieron de la casa ésta mostraba una expresión decididamente malhumorada.

Después de contar esta anécdota a Claire, Gabby sonrió satisfecha cuando el lacayo que les había abierto la puerta, y confirmado que su tía se hallaba en casa, las condujo en presencia de ésta.

Claire, que solía tratar de suavizar las disputas entre Beth y Twindle, también sonrió cuando penetraron en la sala de estar. Gabby había confiado en que la anécdota animara a su hermana, a fin de que ésta no se mostrara cohibida ante su tía. El ardid funcionó, aunque pese a su sonrisa Claire estaba tan nerviosa que había palidecido. Con todo, Gabby pensó que Claire ofrecía un aspecto aún más hermoso de lo que cabía imaginar. Ataviada con un sencillo vestido de muselina rosa, ceñido debajo del pecho con unas cintas doradas y acompañado por un delicioso sombrerito de paja, presentaba un aspecto capaz de alegrar a cualquiera.

Excepto, quizás, a la imponente dama que, tras dejar a un lado su bordado, se levantó cuando ellas entraron en la sala de estar y las examinó con aire severo.

—Bien —dijo con una voz grave de barítono tan parecida a la del padre de Gabby que ésta se sobresaltó un poco—, supongo que debo darme por satisfecha de que me hayáis informado de vuestra llegada a la ciudad.

19

Al observar la expresión de pasmo que reflejaban los ojos de Claire, Gabby alzó el mentón. Al margen de cómo se desarrollara la visita, no estaba dispuesta a consentir que nadie las tratara despectivamente, ni a ella ni a sus hermanas. Ya habían tenido que soportar demasiados años el desprecio de su padre.

—Buenas tardes, tía —dijo Gabby fríamente, tendiéndole la mano. Vestida con un traje de zangalete color naranja vivo y una cofia de encaje, sabía que ofrecía también un buen aspecto, aunque por supuesto no podía compararse con Claire.

Augusta Salcombe achicó sus ojillos azules mientras examinaba a sus sobrinas. Ni siquiera en su juventud debía de haber sido una belleza, y ahora, a sus más de sesenta años, según calculó Gabby, era el tipo de mujer para la cual había sido acuñada la frase «de armas tomar». De aproximadamente un metro ochenta de estatura y una complexión un tanto hombruna, tenía un rostro de rasgos angulosos y nariz grande, coronado por una diadema de trenzas plateadas. Para resaltar el color de su pelo, la anciana lucía un vestido de raso gris pálido de un estilo pasado de moda.

—Me alegra comprobar que no eres una señorita remilgada. Tienes la sensatez de vestir en consonancia con tu edad, cosa que no puede decirse de muchas mujeres que se quedan para vestir santos.

La anciana estrechó la mano de Gabby al tiempo que le dedicaba ese ambiguo elogio, tras lo cual posó su penetrante mirada sobre Claire. La pobre Claire, que casi temblaba de miedo, le hizo instintivamente una leve reverencia. Lady Salcombe carraspeó.

—Te pareces a tu madre. Era una belleza, pero una verdadera oca. Lo cual demostró cumplidamente casándose con Wickham —dijo emitiendo una breve y áspera risotada—. Confiemos es que no seas tan tonta como ella. —La anciana se volvió de nuevo hacia Gabby—. Tú también te pareces a tu madre, pero si Sophia tenía carácter yo no me di cuenta. Me da la impresión de que tú sí lo tienes. Bien, sentaos.

Se sentaron y una doncella les sirvió una refrigerio. Luego, mientras bebían el té en unas tacitas de porcelana, lady Salcombe miró a Gabby.

—He oído decir que Wickham se hirió de un disparo o una estupidez por el estilo.

Gabby le contó la versión que ella había difundido sobre la historia y lady Salcombe chasqueó la lengua con aire de desaprobación.

—Hay que ser un majadero para cometer semejante barbaridad. Confiemos en que no sea tan torpe para todo. A fin de cuentas, es el cabeza de la familia y si es tan idiota como imagino a tenor de lo ocurrido, nos pondrá en ridículo. En cualquier caso, he oído decir que es un bribón muy apuesto, lo cual no quita para que sea un bribón. Hace más de dos semanas que ha llegado a Londres y aún no ha tenido la cortesía de venir a visitar a su tía. ¿Qué te parece? —preguntó mirando a Gabby con expresión acusadora.

—No soy responsable de los pecados de mi hermano, señora —respondió Gabby tranquilamente, bebiendo un sorbo de té.

Lady Salcombe se echó a reír.

—Admito que me caes bien, Gabriella, lo cual me sorprende. Vuestro padre... en fin, no viene al caso, puesto que ha muerto, pero imagino que sabes que no nos llevábamos bien. Ni siquiera asistí a su funeral. ¡Si hubieras leído la carta que me escribió cuando me ofrecí para sufragar tu puesta de largo! Me dijo unas cosas increíbles. En fin... —Meneó la cabeza y frunció el entrecejo. Tras mirar a Gabby de pies a cabeza, añadió—: Tu padre me dijo que eras inválida.

—No es cierto —terció Claire con tono indignado.

Sabiendo lo intimidada que se sentía —Claire nunca había sido capaz de encararse con los déspotas—, Gabby sonrió ligeramente a su hermana y fijó de nuevo la vista en su tía.

—Soy coja, señora.

—No lo había notado.

—Sólo se le nota cuando está cansada, indispuesta o cuando caminamos durante mucho rato. Pero no es inválida. —Las mejillas de Claire adquirieron un delicioso rubor al salir en defensa de su hermana.

Lady Salcombe la miró fijamente.

—Empezaba a pensar que eres muda, pero ya veo que no. ¿No tenéis otra hermana? Pensé que Matthew tenía tres hijas.

—Beth se ha quedado hoy con su institutriz. Tiene quince años.

—Hummm. Me gustaría verla.

—Nos encantaría que viniera a visitarnos en Grosvenor Square —respondió Gabby.

—Quizá lo haga. Hace diez años que murió Salcombe, como sin duda sabéis, y no tengo hijos. Aparte de vosotras dos, y de vuestra hermana y vuestro hermano, mis parientes más cercanos son Thomas y sus hijas. No son unos parientes a los cuales me apetezca ver con frecuencia, como podéis imaginar puesto que los habéis tratado. Me gustaría frecuentaros a los cuatro para conoceros bien.

—Nos sentiremos muy honradas, señora —respondió Gabby sonriendo a su tía.

Lady Salcombe depositó la taza en el platito y miró a Gabby fijamente.

—No me gusta andarme con rodeos, de modo que dime la verdad: ¿habéis venido a Londres confiando en causar sensación?

—Sí, señora —contestó Gabby depositando también su taza en el platito.

Tras examinar de pies a cabeza a Claire, que se sentía visiblemente incómoda, lady Salcombe fijó de nuevo la vista en Gabby.

—A tu hermana no le costará perder los kilos que le sobren y arreglarse de forma que parezca tan alta que como desee, a menos que me equivoque. Será más difícil encontrar un marido para ti, pero no imposible. Tal vez un viudo con hijos. ¿Te gustan los niños?

Claire miró a la anciana con los ojos exageradamente abiertos y emitió un ruido sofocado que Gabby reconoció como una risa reprimida. Cuando lady Salcombe la miró con ceño, Claire, con gran habilidad, transformó el sonido en una tos.

—Sí, señora —respondió Gabby, consiguiendo distraer la atención de la anfitriona para evitar que se percatara de la pequeña torpeza de Claire—. Me gustan los niños, pero en cualquier caso no busco marido para mí. Hemos venido a Londres para casar a Claire.

—Hummm. Todas las mujeres buscan marido, querida. Es lo propio de nuestro sexo. Pero eso no viene al caso. Supongo que habéis venido para pedirme que os ayude a presentaros a ti y a tu hermana en la alta sociedad.

Gabby se había propuesto abordar la cuestión con tacto. Pero lady Salcombe, que no era en absoluto la mujer que se había imaginado, parecía no conceder ninguna importancia al tacto. La única defensa posible, pensó Gabby, era mostrarse tan franca como la anciana.

—Sí, señora.

Para sorpresa de las hermanas, lady Salcombe sonrió. Era como ver alzarse el sol sobre un paisaje desolado. Gabby miró de soslayo a Claire, quien contemplaba fijamente a su tía con una expresión entre divertida y perpleja. Claire debió de notar la mirada de Gabby, pues recobró enseguida la compostura y desvió la vista.

—Veo que eres sensata —dijo lady Salcombe con tono de aprobación dirigiéndose a Gabby, quien a diferencia de Claire había logrado mantener una expresión serena—. Una cualidad que admiro en una muchacha. Detesto a las jóvenes pusilánimes de hoy en día. —El comentario fue acompañado de una mirada más seria dirigida a Claire—. De acuerdo. Os presentaré en la alta sociedad, a condición de que os dejéis guiar por mí. Sally Jersey, quien por cierto dijo que iría a veros, os proporcionará unos vales para cenar en Almack's. Me alegro de que tuvierais el buen tino de venir a verme a mí antes de que Sally fuera a visitaros, porque ahora podréis decirle que estáis bajo mi tutela. Wickham ofrecerá un baile de puesta de largo para ambas. Requerirá mucho trabajo por mi parte (confío en que me lo agradezcáis, jovencitas), pero creo que lo debo al apellido de la familia. Además, espero disfrutar de lo lindo —agregó la anciana sonriendo maliciosamente—. Maud va a poner de largo a su hija menor este año. ¡Se pondrá verde de envidia cuando la vea! —exclamó señalando a Claire con expresión casi jovial.

Claire se sonrojó ante el comentario. Gabby sonrió.

—Gracias, señora. Aceptamos agradecidas su oferta, ¿verdad, Claire? Es usted muy amable. Pero en cuanto a que Wickham ofrezca un baile de puesta de largo para nosotras...

—Ya os he dicho que debéis dejaros guiar por mí —replicó lady Salcombe con aire autoritario—. Si digo que habrá un baile, habrá un baile. Todo debe ser perfecto, o me niego a participar en el asunto. Yo misma hablaré con Wickham.

Gabby sonrió al imaginar a lady Salcombe atosigando a su supuesto sobrino para que ofreciera un baile para sus ingratas «hermanas». Se levantó sonriendo, pues había transcurrido el tiempo fijado para una visita de cortesía y había conseguido todo cuanto se había propuesto.

—Wickham no podrá resistirse a sus dotes de persuasión, señora. Nadie podría resistirse.

Claire, imitando a Gabby, se levantó también, al igual que la anfitriona.

—Debo advertirte que aborrezco que me den coba —dijo lady Salcombe mirando a Gabby con severidad—. Pero sí, los que me conocen consideran que poseo grandes dotes de persuasión. En fin... Debemos ponernos cuanto antes manos a la obra. La temporada ya ha comenzado. Esta noche pasaré a recogeros en mi coche para asistir juntas a la ópera. Si queréis, podéis traer a vuestra hermana menor. De este modo todos sabrán que os halláis en Londres bajo mi tutela. Mañana, la aldaba de vuestra puerta no dejará de sonar. ¿Qué más, qué mas...? Debes adoptar un peinado más favorecedor, Gabriella. Y tú, Claire, procura cultivar el arte de la conversación. La incapacidad de articular más de dos palabras seguidas se considera una falta imperdonable, créeme. Sé que ninguna de vosotras se siente ofendida por mis consejos. Podéis llamarme tía Augusta.

—Nos sentimos honradas, señora —contestó Gabby sinceramente, tragándose otras posibles respuestas que se le ocurrieron, besando dócilmente la ajada mejilla que le ofreció la anciana.

Claire hizo lo propio sin comentario, haciendo que lady Salcombe la despidiera exhortándola secamente a perfeccionarse en el arte de la conversación antes de ir de nuevo a visitar a alguien. Las hermanas se marcharon de Berkeley Square con la promesa de su tía de pasar a recogerlas a las nueve de esa tarde.

—Qué mujer tan antipática —exclamó Claire cuando se instalaron en su coche—. La mera idea de tener que salir con ella me deprime.

—No le hagas caso —contestó Gabby con aire distraído—. Creo que es una suerte que haya accedido a ayudarnos. Con su apoyo, te convertirás en la sensación de Londres.

—Pero es que me aterroriza. Me recuerda tanto a papá que cuando estoy junto a ella ni siquiera soy capaz de pensar.

Gabby, distraída de sus reflexiones por esta revelación, se volvió y miró a su hermana con ternura, reconociendo que el parecido entre ambos era tan extraordinario como desafortunado. Para colmo, Claire tenía un carácter demasiado dulce para soportar un trato tan despótico, y la tía Augusta era una mujer decididamente agresiva.

—No permitiré que te tiranice, te lo prometo. Recuerda que no tiene ninguna autoridad sobre nosotras. No es nuestra tutora.

—Cierto, nuestro tutor es Wickham, ¿no es así? —Claire pareció sentirse aliviada por esa reflexión.

Gabby, que no se había parado a pensar en ese aspecto de la cuestión, se sintió de inmediato alarmada. Era horriblemente cierto: a los ojos del mundo, aquel ser despreciable vestido con la ropa del conde que yacía en la alcoba contigua a la suya era su tutor, y estaba autorizado a organizar sus vidas como quisiera.

En ese momento el coche llegó a Grosvenor Square. Al entrar en la casa, ambas hermanas se dirigieron a sus respectivas habitaciones para cambiarse de ropa. Turbada todavía por el comentario de Claire, Gabby se despojó de sus guantes enfrascada en unos sombríos pensamientos mientras echó a andar por el pasillo hacia su alcoba.

Un grito sofocado procedente de la alcoba de Wickham la hizo detenerse antes de alcanzar su habitación. Era un grito emitido por una mujer. Gabby aguzando el oído. No oyó nada más. El silencio de una casa ordenada se impuso tan pronto como el grito se disipó.

Pero lo había oído.

¿Era ese hombre tan depravado como para atacar a una doncella? ¿O era tan insensible a todo sentido de decoro como para recibir a una mujer como lady Ware en su alcoba? ¿Estaba en esos momentos cometiendo —o intentándolo— el libidinoso acto que había tratado de forzarla a cometer?

¿A plena luz del día? ¿En Wickham House?

Gabby tenía que averiguarlo. Si se trataba de una doncella, una pobre muchacha desvalida, era preciso rescatarla. Si se trataba de lady Ware u otra mujer de su calaña, esa inmoralidad era intolerable en la casa de un noble, y así se lo diría en cuanto tuviera la oportunidad de verle. Pero el hombre que ocupaba la habitación del conde no era un noble, se dijo, ni tampoco un caballero, como ella había tenido la desgracia de comprobar.

No obstante, ese impostor era, a todos los efectos, el conde.

Antes de que pudiera decidir lo que debía hacer en esas circunstancias, suponiendo que pudiera hacer algo, Gabby oyó otro sonido procedente de la alcoba de Wickham que la dejó helada. ¿Otro grito también sofocado?

¿Era posible que ese canalla estuviera violando a una de las doncellas?

Sintiéndose culpable, e incluso ridícula, Gabby se aproximó sigilosamente a la puerta de la alcoba del conde. Después de echar un rápido vistazo al pasillo para cerciorarse de que nadie la observaba, acercó el oído a la puerta de madera barnizada.

Estaba claro que en la habitación había dos personas: un hombre y una mujer. Gabby oyó el murmullo de sus voces con claridad, aunque no pudo entender lo que decían. El hombre era, por supuesto, Wickham. La cuestión era quién era la mujer, y qué hacía él con ella.

Gabby imaginó un sinnúmero de posibilidades.

De pronto oyó al impostor decir algo que terminó con una carcajada. Gabby aguzó el oído para captar la respuesta de la mujer. Si su voz sonaba normal y denotaba que no se hallaba en un apuro, Gabby decidió que lo más prudente era alejarse sigilosamente y fingir que este bochornoso incidente no había ocurrido.

A fin de cuentas, por más que la licenciosa conducta de aquel hombre la ofendiera, no podía ordenar un registro de una casa que, a ojos de todos salvo Jem y ella, pertenecía a ese sinvergüenza.

Al darse cuenta, Gabby casi rechinó los dientes de rabia.

En esos momentos la acompañante de Wickham dijo algo. Al oír su voz risueña Gabby sintió que se le erizaba el vello de la nuca.

Conocía esa voz tan bien como la suya propia.

La mujer que estaba en la alcoba era Beth.

20

Por fortuna, la puerta no estaba cerrada con llave. Gabby hizo girar el pomo y entró apresuradamente en la habitación del conde. ¡Si ese canalla le había hecho algo a Beth...!

Con el corazón latiéndole aceleradamente, los ojos desorbitados y una mano apoyada todavía en el pomo, se paró en seco, contemplando horrorizada a la pareja aposentada en la cama.

Beth estaba sentada en el borde del lecho, de espaldas a la puerta; su pelo rojo, que llevaba recogido con una cinta blanca en la coronilla, le caía en unos juveniles tirabuzones sobre los hombros. Debido a su descuidada postura —sentada con una pierna debajo del cuerpo e inclinada hacia delante— su bonito vestido de muselina estampado con flores amarillas se había subido, mostrando una rolliza pierna embutida en una media blanca casi hasta la rodilla. Si estaba en apuros, no daba muestras de ello. Por el contrario, parecía examinar con gran concentración unos naipes dispuestos ante ella sobre la colcha.

—¡Beth! —exclamó Gabby con voz entrecortada.

Al oírlo, Beth, claramente absorta en la partida de naipes, dirigió a su hermana una rápida y distraída mirada por encima del hombro.

—Hola, Gabby —dijo saludándola con un vago ademán. Tras lo cual volvió a concentrarse en los naipes—. ¿Has visto a nuestra tía?

Gabby sofocó una exclamación de asombro. Su corazón empezó a recuperar un ritmo normal. Sus rodillas apenas la sostenían. Wickham, tendido en la cama, la observó, mofándose perversamente de ella con la mirada. Gabby sintió que se sonrojaba al recordar las circunstancias de su último encuentro. Ese repugnante canalla la había utilizado de forma imperdonable... y ella se lo había consentido.

Resuelta a no dejar que él se diera cuenta de lo mortificada que se sentía al verlo de nuevo, Gabby arqueó las cejas y le miró fríamente a los ojos.

—¿Has visto a nuestra tía? —repitió Wickham demostrando un amable interés. Pero Gabby no se dejó engañar. Sabía que se estaba burlando de ella.

—Por supuesto —respondió con dulzura, satisfecha de comprobar que podía controlar su voz—. Es una mujer impresionante. A propósito, mañana vendrá a verte y piensa echarte una bronca por no haber tenido la cortesía de ir a visitarla.

—Desgraciadamente, estoy obligado a guardar cama y todavía no puedo recibir visitas —contestó él con desparpajo—. Nuestra tía tendrá que guardarse la bronca para otra ocasión.

—A mí me has recibido —apuntó Beth con tono abstraído mientras seguía examinando los naipes—. Y a Gabby también.

—Sí, pero sois mis hermanas, lo cual es un grado de parentesco muy distinto. Y no puede decirse que os recibiera, aunque naturalmente estoy encantado de que hayáis venido a verme. Ambas os habéis presentado... sin más ni más.

Gabby le dirigió una mirada fulminante. Él la miró con ojos burlones y por un momento, tan sólo un momento, el inesperado encanto de ese hombre pilló a Gabby desprevenida. Casi había olvidado lo sinvergüenza que era y al contemplar su mirada risueña y divertida estuvo a punto de sucumbir a su hechizo. Qué guapo era el muy canalla...

Ese pensamiento tuvo el efecto de un jarro de agua sobre sus confusos sentidos, y Gabby se recobró lo suficiente para mirarlo con expresión ceñuda y de reproche. Estaba incorporado sobre unos almohadones, sosteniendo unos naipes extendidos como un abanico en la mano. Al menos, comprobó Gabby aliviada, estaba decentemente vestido, con una bata de color granate, descuidadamente anudada, sobre su camisón. La colcha le cubría la parte inferior del cuerpo. Tenía un aspecto sorprendentemente saludable para un hombre que había estado a punto de morir, sin duda gracias al bronceado de su piel. Se había alisado hacia atrás su pelo negro y alborotado, que le había crecido excesivamente durante los días en que había tenido que guardar cama, y su incipiente barba añadía un aire de pirata a su sonrisa.

—¿Querías decirme algo, Gabby? —preguntó Beth sin volverse.

—Querida Beth, no te hagas ilusiones. El motivo de que Gabby haya entrado tan precipitadamente en mi habitación sin duda fue el deseo de hablar conmigo. —Miró a Gabby a los ojos con expresión burlona y ésta comprendió que había adivinado la sospecha que la había hecho irrumpir en su alcoba—. Estoy a tus órdenes, hermanita.

Gabby le miró indignada antes de volverse hacia Beth.

—Pero ¿qué haces, querida Beth?

La pregunta estaba motivada por el cambio de postura de la joven. Prescindiendo olímpicamente de todo sentido del decoro y de la cantidad de pierna que mostraba, Beth se había tumbado en la cama de costado, la cabeza apoyada sobre una mano, mientras contaba los naipes dispuestos en hilera frente a ella.

—Marcus me está enseñando a jugar al séptimo —respondió Beth, que evidentemente no había captado la intención en la pregunta de su hermana—. Es un juego endiablado. Ya he perdido mi anillo, mi medallón y todo el cambio que me quedaba de las compras del otro día. Marcus no es lo bastante caballero para dejarme ganar, y hasta el momento el muy bribón ha conseguido todos los triunfos.

Tras observar el cómico gesto de desespero de Beth, Gabby se fijó en la pequeña pila formada por sus pertenencias que descansaba sobre la colcha.

—Ya te advertí cuando empezamos a jugar que no esperaras ninguna misericordia por mi parte —dijo el paciente sonriendo ligeramente mientras miraba a Beth.

—Sí, pero no creí que lo dijeras en serio. A fin de cuentas, soy tu hermana menor.

—Cierto. Me lo pudiste recordar hace un rato. Quizá te habría indicado que tienes un siete oculto debajo de la reina, lo cual te supone una tercia y la baza.

Beth miró, comprobó que era cierto y se puso a chillar indignada al tiempo que agitaba el naipe en cuestión.

—¡Tramposo! ¡Debiste habérmelo dicho! ¡Devuélveme mi medallón! ¡Me lo has ganado con trampas!

Él sonrió mientras Beth se apresuraba a rescatar el medallón de la pila y volvía a colgárselo en torno al cuello. Al contemplar la escena, Gabby se percató sorprendida de lo encantador que se mostraba aquel hombre mientras bromeaba con Beth. De no conocer la verdad, jamás lo habría tomado por el despreciable charlatán que era.

Lo habría tomado por el conde de Wickham, su simpático hermano mayor.

—Creí que Twindle iba a llevarte esta tarde a ver las esculturas de Elgin —espetó Gabby a su hermana con una aspereza motivada por el disgusto que le había causado encontrarla en la alcoba de Wickham.

—Y lo hizo, pero ¿a que no adivinas lo que pasó? Pues que el museo estaba cerrado. Luego fuimos a dar un paseo por el parque, pero Twindle se torció el tobillo y tuvimos que regresar a casa. En cuanto llegamos se fue a su habitación para aplicarse unas compresas frías en el tobillo. Como yo no tenía nada que hacer, decidí venir a ver cómo se encontraba Marcus. Se puso muy contento de verme. Estaba muy aburrido, ¿no es así? —preguntó Beth mirándolo para que corroborara sus palabras—. Me ha contado lo que hacía en Ceilán.

—¿De veras? —preguntó Gabby, comprobando que le divertía la idea de que Beth hubiera puesto al impostor en un compromiso.

—Así es —contestó él con desenvoltura. Cuando Beth volvió a concentrarse en los naipes, miró a Gabby—. Aunque acabo de llegar y soy un desconocido para vosotras, confiaba en que mis hermanas vinieran de vez en cuando a interesarse por mi estado.

El tono de reproche —de fingido reproche, se dijo Gabby— no consiguió conmoverla. Pero Beth alzó la vista y lo miró compungida.

—Es que no estamos acostumbradas a tener un hermano —explicó—. Pero supongo que no tardaremos en acostumbrarnos.

—Al igual que yo no tardaré en acostumbrarme a tener unas hermanas —respondió él con tono solemne. Beth asintió con la cabeza, como comprometiéndose a cumplir lo pactado.

Pero Gabby, al observarlo jugar con los sentimientos de Beth, sintió una mezcla de impotencia y furia.

—Levántate enseguida, Beth. No está bien que estés aquí jugando a los naipes tumbada sobre la cama de Wickham, te lo aseguro. —Su enojo le hizo expresarse con un tono más duro de lo que se proponía.

Beth, que estaba ordenando sus cartas, la miró distraídamente.

—Vamos, Gabby, no seas tan mojigata. Eres peor que Twindle sobre el tema del decoro. Recuerda que Marcus es nuestro hermano.

Gabby miró a su hermana, abrió la boca para decir algo pero volvió a cerrarla bruscamente. ¿Qué podía responder a eso? La verdad sería la perdición de todos.

El conde la observaba fijamente.

—Te aseguro que no tiene nada de malo —dijo suavemente cuando Beth volvió a concentrarse en sus naipes.

Al mirarle a los ojos, Gabby se sintió, por más que le costara reconocerlo, relativamente tranquilizada.

De pronto Beth emitió una exclamación de júbilo y alzó la vista.

—Tengo cuatro naipes del mismo palo, Marcus.

Él examinó sus naipes.

—Mal asunto. Aunque detesto conceder la victoria a una principiante, al parecer has vuelto a ganar la baza.

Beth gritó de alegría. Sonriendo levemente, Wickham dejó los naipes sobre la colcha, tomó una moneda de una pila junto a su codo y se la entregó.

Gabby les observó con aire pensativo. En esos momentos su hermana estaba cómodamente sentada en la cama, con ambas piernas encogidas debajo de ella, lo bastante cerca de Wickham para rozarle las suyas, cubiertas con la colcha, cada vez que uno de los dos se movía. Si una pareja que no estuviera unida por ningún lazo de parentesco hubiera sido sorprendida en una situación tan comprometida, su reputación habría resultado seriamente dañada. Incluso tratándose de un hermano y una hermana —cosa que Wickham y Beth no lo eran, se dijo Gabby— la situación tampoco era decorosa. Pero era evidente que Beth no pensaba que hubiera algo de malo en ello; y pese a que Gabby consideraba a Wickham un canalla de proporciones casi terroríficas, estaba dispuesta a creer que no albergaba intenciones inconfesables con respecto a Beth. Con todo, no podía consentir que su hermana permaneciera sentada tan tranquila en su cama.

—Ve a arreglarte, Beth, es casi hora de cenar. Y cámbiate de vestido. Después de cenar iremos a la ópera —añadió con el aire de una persona agitando un cuenco de maíz ante el morro de un caballo indómito.

—¿A la ópera? ¿De veras? —Beth, aunque nunca había asistido a la ópera y tampoco era aficionada a ella, aceptaba encantada cualquier oportunidad de conocer los múltiples encantos de la metrópoli—. ¡Es estupendo! —exclamó mirando a Gabby.

Por el contrario, el hombre la observó con ligero ceño.

—No podéis ir a la ópera sin un acompañante, o una carabina. Y tengo entendido que la señorita Twindle se ha lastimado un tobillo y no puede caminar.

Gabby le dirigió una radiante sonrisa que en realidad encubría su deseo de sacarle la lengua. Oír a un sinvergüenza de esa calaña predicar sobre lo que era decoroso, resultaba casi cómico.

—Suponiendo que fuera necesario, tengo edad suficiente para hacer de carabina de mis hermanas, te lo aseguro.

—¿Ah sí? ¿Qué edad tienes?

—Veinticinco. ¿No conoces nuestras edades, Marcus? —preguntó Beth, alzando la vista de los naipes.

—A veces la memoria me falla —se disculpó él, saliendo airosamente del apuro.

—Gabby tiene veinticinco años, Claire cumplirá diecinueve en junio y yo acabo de cumplir quince.

—Procuraré tenerlo presente —respondió Wickham, fijando de nuevo la vista en Gabby—. No obstante, aunque tengas veinticinco años, da lo mismo. No podéis ir solas. La ópera no es lugar para señoritas sin acompañante.

Su tono indicaba una familiaridad con la ópera que Gabby dedujo que no obedecía a su pasión por la música. Dado que a lo largo de los años su padre y sus invitados habían traído a muchas amistades femeninas a Hawthorne Hall sin mostrarse especialmente reticentes sobre los propósitos o los orígenes de éstas, Gabby sabía que la ópera era uno de los principales lugares donde los caballeros —o los que pasaban por serlo— iban en busca de amantes.

Gabby lo miró con expresión desdeñosa.

—Pero nosotras tenemos la suerte de que nuestra tía nos acompañará. De ese modo nos libraremos de quienes sólo fingen ser caballeros —añadió sonriendo—. Discúlpame, pero debo ir a ver cómo se encuentra Twindle. Beth, estoy segura de que Wickham está cansado y nos agradecerá que le dejemos descansar. Recuerda que convalece de una grave herida.

—Lo sé, lo sé.

Después de que Beth se despidiera de ella con un ademán, Gabby dirigió una última y hosca mirada a Wickham antes de dejarlos para que reanudaran su partida. La situación se había complicado inesperadamente, pensó preocupada. Cuando había decidido seguir adelante con esta farsa, no había previsto que sus hermanas, que ignoraban la verdad, pudieran tratar a ese canalla como si fuera su verdadero hermano. Ni había previsto que él pretendiera desempeñar ese papel. De pronto previó todo tipo de complicaciones, pero no podía hacer nada al respecto.

Salvo, claro está, preocuparse, como era lógico.

Se dirigió a su habitación, donde halló a Mary esperándola. Se cambió de vestido y se arregló en un santiamén. Al mirarse luego en el espejo esbozó una mueca. Su tía le había dicho que cambiara de peinado. Quizá tuviera razón.

Media hora más tarde, después de dejar a Twindle bien provista de compresas frías y unas palabras de aliento, Gabby regresó al pasillo y comprobó que la puerta de la habitación de Wickham estaba entreabierta, tal como la había dejado. Como era casi hora de cenar, decidió endilgar a Beth una buena regañina. Adoptando una expresión adusta, se asomó a la habitación y vio a Claire girando alegremente para mostrar su vestido de seda rosa a Wickham.

Lo primero que observó Gabby, irrumpiendo de nuevo en la alcoba para defender a una de sus hermanas, fue que la expresión que traslucían los ojos de él al mirar a Claire era muy distinta de la que mostraban al mirar a Beth. Al observar cómo contemplaba a su bella hermana, Gabby sintió que su afán protector se intensificaba al máximo.

21

Puede que el lobo se contentara con disfrazarse de oveja cuando estaba con Beth, pero cuando Claire aparecía en su órbita se mostraba como el depredador que era, pensó Gabby furiosa.

—Claire, querida, ¿qué haces aquí? —Por más que se esforzó, no logró ocultar la aspereza de su voz.

El hombre le dedicó una sonrisa pausada y diabólica.

—Ah, hola, Gabby. A Beth se le ha ocurrido una idea magnífica. En lugar de dejar que Wickham cene solo, cenaremos con él, aquí en su habitación. Beth volverá en cuanto se cambie de vestido.

Gabby se quedó atónita. Eso no se lo esperaba. Y desde luego no era una buena idea. Se negaba a que sus hermanas pasaran con ese canalla embustero más tiempo del estrictamente necesario. Era posible que Claire corriera un serio peligro. A tenor de todas las pruebas, su falso hermano no sólo era un criminal impenitente sino un licencioso sinvergüenza.

Gabby meneó la cabeza enérgicamente.

—No —dijo utilizando el tono cortante que solía emplear cuando imponía su autoridad como ama y señora de la casa—. Me temo que eso no es posible. Cenaremos en el comedor, como de costumbre. Seguro que Wickham sobrevivirá sin nuestra compañía. —Al ver que Claire la miraba asombrada, se devanó los sesos en busca de una excusa con que suavizar lo que a su hermana debía de parecerle una despótica orden muy poco propia de ella—. A fin de cuentas, aún no está completamente restablecido y estoy segura de que ninguna de nosotras deseamos obligarle a hacer esfuerzos. Además, daríamos mucho trabajo a los sirvientes. —Añadió esta última frase para zanjar el asunto.

Él la miró sonriendo.

—Pero yo ya les he dado permiso —dijo con un tono excesivamente meloso—. He ordenado a Stivers que instale la mesa aquí, en mi habitación. No te preocupes por mí. Gozar de la compañía de mis hermanas durante una encantadora cena en familia resultará más terapéutico que perjudicial.

Gabby lo miró fijamente. Él sostuvo su mirada con una serenidad y un aplomo digno del auténtico conde de Wickham. En ese momento, Gabby se percató de la magnitud de lo que había hecho. Al reconocer a ese impostor como Wickham, le había concedido plena autoridad sobre la casa y todo cuanto había en ella. Sobre Hawthorne Hall. Sobre todos los bienes del conde de Wickham. Sobre sus hermanas, en cuyo tutor legal se había convertido.

Sobre ella misma.

Sintió deseos de gritar. De arrancarse los cabellos con las manos. Había caído en una trampa por ella misma fabricada. ¡Dios santo! ¿Qué había hecho?

Ese canalla podía ordenar lo que deseara y no había nada, absolutamente nada, que ella pudiese hacer para impedirlo. Salvo decir la verdad, lo cual la hundiría junto con él.

La cena, excepto dos breves momentos de tensión, y pese a lo que Gabby había imaginado, resultó agradable.

La primera excepción ocurrió cuando Claire preguntó a Wickham si la herida le dolía mucho.

El impostor, con ayuda de Barnet, se había trasladado del lecho a una de las cómodas butacas orejeras que habían acercado a una pequeña mesa cuadrada que dos criados habían instalado en la habitación. Cubierta con un mantel de lino y dispuesta con vajilla de porcelana, copas de cristal tallado y cubiertos de plata que relucían a la luz de las velas, proporcionaba un ambiente encantador a la velada. Claire, extraordinariamente hermosa como aparecía siempre que se hallaba en compañía de personas con las cuales se sentía a gusto, se mostraba alegre y desenvuelta ante el encanto de su «hermano» y sus mejillas ofrecían un color semejante al de su vestido rosa. Estaba sentada a la derecha de él, riendo con frecuencia y pendiente de cada palabra suya. Beth, que no dejaba de reírse y parlotear, con un aspecto muy juvenil con su vestido de muselina blanco, estaba sentada a su izquierda. Cada vez que lo miraba, es decir constantemente, sus ojos centelleaban denotando un severo ataque de adoración al héroe. Gabby, que lucía un vestido de crepé de un suave azul grisáceo, estaba sentada frente a su enemigo, sintiéndose profundamente incómoda mientras observaba cómo subyugaba a sus hermanas. Con todo, tenía que reconocer que aquel bribón se mostraba igualmente atento con ambas, y si existía una apreciación ligeramente mayor en sus ojos cuando contemplaba a Claire, Gabby pensó que pasaría inadvertida para cualquier observador que no estuviera tan pendiente como ella. De las tres hermanas, Gabby fue la única que mereció una marcada diferencia de trato por parte de él. Le dirigió pocas veces la palabra durante la cena, y en las escasas ocasiones en que la miró, sus ojos traslucían lo que Gabby interpretó como una expresión fría y observadora, más que el risueño calor que dedicó a Claire y Beth. Pero a Gabby no le importó lo más mínimo. A fin de cuentas, con ello Wickham no hacía sino reconocer que eran adversarios. Quizá lograra, con su falso y manipulador encanto de hermano benevolente, conquistar a las chicas, pero jamás lograría conquistarla a ella, y más le valía no intentarlo siquiera.

Así pues, durante la cena Gabby permaneció sumida en un oasis de silencio dentro de una tormenta de alegría. Habló sólo cuando alguien le dirigió la palabra, sonrió a sus hermanas cuando éstas la miraron, comió lo que le sirvieron y escuchó con creciente irritación a aquel despreciable embustero responder con imperturbable buen humor a las preguntas sobre su vida en Ceilán. Gabby evitó percatarse de lo atractivo que estaba cuando reía, o de la forma en que su bata de color rojo oscuro favorecía su piel bronceada, o del hecho de que sus anchas espaldas ocupaban todo el espacio entre las orejas de la butaca. Pero algo en su silenciosa mirada debió de penetrar la animada fachada que presentaba Wickham, consiguiendo enojarlo, pues a medida que transcurrió la cena las miradas que dirigió a Gabby se hicieron más frecuentes y menos amables. Cuando Claire le preguntó si le dolía la herida, él se recostó en la butaca, haciendo girar la copa entre sus manos, y respondió de una forma claramente destinada, en todo caso por lo que respectaba a Gabby, a vengarse por no haberle dedicado los halagos que le habían dedicado sus hermanas.

—A decir verdad —dijo dirigiendo una sonrisa radiante a Claire y una mirada fugaz a Gabby—, me molesta más una picadura que tengo en el hombro, que sin duda me causó algún bicho que tuvo la desfachatez de colarse en mi cama.

Gabby se tensó al captar el significado de ese comentario, esforzándose por controlar cualquier reacción al mismo. Lo miró a los ojos por un instante cargado de tensión al tiempo que recordaba los hechos que habían propiciado ese mordisco. ¡El muy sinvergüenza! ¡El muy canalla! ¡El muy patán!, se dijo para sus adentros mientras ambos se miraban de hito en hito. Luego, horrorizada, por más que hizo acopio de toda su fuerza de voluntad para evitarlo, sintió que se sonrojaba al evocar con bochornosa nitidez aquel episodio. Para ocultar su turbación, cogió su copa y bebió un sorbo. El vino era dulce, afrutado, pero ni siquiera apreció su sabor.

Él la miró con ojos centelleantes y esbozó una leve sonrisa de satisfacción. Gabby, furiosa, roja como la grana e incapaz de impedir ni lo uno ni lo otro, comprendió con rabia que había mordido el anzuelo.

—¿Te refieres a una chinche? —preguntó Beth con tono inocente. Luego miró a Gabby, quien imploró en silencio que el resplandor rojo del fuego consiguiera disimular el color encendido de sus mejillas, el cual se había intensificado al sentirse observada por todos.

—Exactamente, una chinche. —Wickham siguió sonriendo levemente, pero sus ojos mostraban una expresión burlona cuando los fijó en los furiosos y angustiados ojos de Gabby. Para rematarlo, se frotó el hombro que ella le había mordido como si le doliese—. Seguro que fue una chinche; me picó con saña. Son unos bichos rapaces.

—Debemos ordenar a la señora Bucknell que ventile las sábanas —comentó Claire horrorizada, volviéndose también hacia Gabby.

Gabby controló su genio. Perder los estribos en aquellos momentos hubiera equivalido a revelar demasiado.

—Estoy segura de que Wickham se equivoca. La señora Bucknell se disgustaría si supiera que ponemos en duda su buen hacer. Creo que podemos descartar la posibilidad de que haya chinches en ninguna de las casas que ella preside. —Miró a Wickham y añadió—: Quizá confundas esa picadura con otra cosa. Con otra herida que tú mismo te has infligido.

—Es posible —convino él, sonriendo maliciosamente.

Gabby se percató, con una mezcla de furia y alivio, de que Wickham no se había propuesto revelar su indiscreción a sus hermanas, sino que quería mantener su vergonzosa conducta —y la forma aún más vergonzosa con que Gabby había reaccionado— en secreto. Por tanto podía seguir atormentándola en privado, pensó Gabby atribulada, como un niño que se divierte pinchando a un insecto con un alfiler.

Bajo la dirección de Gabby, la conversación discurrió por cauces más inocuos. Claire se mostró encantada de hablar sobre la moda, el halagador número de invitaciones que habían recibido y la interesante información de que la hija del primo Thomas, Desdémona, iba también a ponerse de largo ese año. En cuanto a Beth, afirmó que el parque por el que había paseado con Twindle le había parecido delicioso y recomendó a sus hermanas que lo visitaran sin falta.

—La hora más idónea para pasearse por allí y ser visto es entre las cinco y las seis de la tarde —comentó Wickham. Gabby, que confiaba perversamente en que éste se aburriera con la cháchara de sus hermanas sobre temas que se suponía sólo interesaban a las mujeres, comprendió que Wickham iba a hacérselas pagar cuando, tras mirarla con aire burlón, fijó la vista en Claire—: En cuando pueda, lo cual confío que sea dentro de pocos días, te llevaré a dar un paseo en coche por el parque. El día de mi accidente adquirí un vehículo nuevo y aún no he tenido ocasión de probarlo.

—Eso sería magnífico —respondió Claire con una alegre sonrisa, mientras que Gabby se esforzó en ocultar su disgusto. Claire miró a su hermana menor—. Beth puede venir con nosotros, para mostrarnos el puesto de observación hacia el que se encaramaban ella y Twindle cuando ésta se torció el tobillo.

—En realidad era yo quien me encaramaba —dijo Beth con tono de disculpa—. Twindle trataba de impedirme que lo hiciera. Dijo que podía caerme.

—Y fue ella quien se cayó, lo que confirma que uno siempre es castigado por sus buenas obras —murmuró Wickham, mostrando una expresión neutra en respuesta a la inocente suposición por parte de Claire de que Beth sería una participante tan grata como ella misma en la expedición propuesta por él. Gabby le dirigió una mirada de satisfacción que equivalía a la palabra «jaque», tras lo cual apartó su silla y se levantó.

—Nuestra encantadora cena familiar ha sido una delicia, pero debes disculparnos, Wickham —dijo con fingida afabilidad, tras lo cual miró a sus hermanas—. Recordad que lady Salcombe, la tía Augusta, pasará a recogernos a las nueve. Me reuniré con vosotras abajo dentro de tres cuartos de hora.

Mientras Beth trataba torpemente de disculparse con su «hermano» por dejarlo solo el resto de la velada, Gabby atravesó la habitación. Casi había alcanzado la puerta, cuando el impostor dijo:

—Gabriella.

Ella se volvió y le miró arqueando las cejas.

—¿Te has hecho daño en la pierna? He observado que cojeas.

La pregunta golpeó a Gabby con la fuerza de un puñetazo. No sabía muy bien por qué le disgustaba tanto que aquel bribón hubiera observado y comentado que renqueaba un poco, pese al cuidado con que ella calibraba cada paso que daba, y tampoco tenía ganas de analizarlo. Pero el caso es que le disgustaba; no podía remediarlo, aunque sabía que disgustarse por no ser perfecta era tan inútil como desear tener alas y volar. Por más que intentara caminar normalmente, siempre cojearía un poco.

Con todo, sintiendo que él seguía mirándola, no pudo evitar oír la voz de su padre sonando a través del brumoso pasado: «Eres una criatura patética, que no sirve para nada. Habría sido mejor para todos que te hubiera ahogado cuando naciste.»

Pese al tiempo transcurrido, pese a que su padre estaba muerto y enterrado hacía dieciocho meses, esas palabras seguían zahiriéndola. Al igual que la mirada de Wickham, hurgando en el motivo de su renqueante caminar, percatándose de su defecto y poniéndolo de relieve.

Pero del mismo modo que Gabby se había negado a dejarse amedrentar por el desprecio de su padre, ahora se negaba a dejar que aquel hombre se diera cuenta de que su pregunta la había herido profundamente.

Alzó el mentón y le miró a los ojos.

—He cojeado durante buena parte de mi vida. Me rompí la pierna cuando tenía doce años, y el hueso no soldó debidamente.

—¿Es que no sabías que Gabby era coja, Marcus? —preguntó Beth, asombrada.

Pese a saber que Beth había formulado su pregunta con la misma naturalidad que si hubiera dicho que su hermana tenía los ojos grises, a Gabby le dolió que aludiera en público a su cojera. Aparte de las magníficas cualidades que poseía, Beth siempre había llamado al pan pan y al vino vino. Lo cual tenía sus ventajas y desventajas.

—Gabby no es coja —terció Claire con vehemencia, mirando disgustada a su hermana menor—. Tiene una pierna más débil que la otra. Si cojeas, tienes que andar con un bastón, o en una silla de ruedas, o... apoyándote siempre en alguien. —Luego se volvió hacia Wickham y añadió—: Puede que Gabby cojee de vez en cuando, pero puede moverse perfectamente, te lo aseguro.

Gabby miró a Claire y sonrió afectuosamente. En aquel instante, en lugar de la joven espectacularmente bella en que se había convertido su hermana menor, la vio tan sólo como era a los cinco años, una niña con el pelo alborotado. Claire había sido la primera en correr a auxiliarla cuando Gabby había sufrido el accidente, la que se había arrodillado junto a ella y le había sostenido la mano mientras una de las criadas corría en busca de ayuda. Gabby siempre había sabido, aunque no le gustaba pensar en ello, que su accidente había afectado profundamente a Claire.

—No seas boba, Claire. No pretendí ofender a Gabby. Es tan hermana mía como tuya.

—Eres una insensata si crees que a Gabby no le duele que digas que es coja. —Claire se levantó tan bruscamente, que su silla emitió un ruido chirriante al deslizarse sobre el suelo.

Beth también se levantó.

—Pues tú...

—Basta —interrumpió Wickham rápidamente, soslayando el conflicto con autoridad.

Miró a Gabby. Ésta no detectó ninguna compasión en sus ojos, lo cual le hizo sentirse un tanto aliviada.

—El mundo está lleno de casualidades —prosiguió él—. Yo también tengo una pierna mala. Me la partí por tres sitios cuando el caballo se me cayó encima. Tardó mucho tiempo en sanar, y cuando llueve me duele. Pero por lo general sólo me duele cuando recibe un golpe. Por ejemplo, si me caigo o le cae encima un objeto contundente, me duele durante días. —La cortés sonrisa con que pronunció esas palabras estuvo acompañada por una expresión severa que indicaba que se atribuía la culpa de la pronunciada cojera que mostraba Gabby en esos momentos.

Miró a Gabby sonriendo. El silencioso mensaje indicaba «te concedo el tanto».

—Queridas —dijo Gabby volviéndose hacia sus hermanas—, si no nos damos prisa nos retrasaremos, y no debemos hacer aguardar a nuestra tía.

Al oír la advertencia, Claire y Beth se olvidaron de la cojera de Gabby, la cual no representaba para ellas ninguna novedad y, tras despedirse airosamente de Wickham, salieron apresuradamente de la habitación. Gabby permaneció unos instantes, para llamar al criado y ordenarle que retirara la mesa. Tras lo cual se dirigió hacia sus aposentos.

—Gabriella.

Ella se detuvo en el preciso momento en que se disponía a abandonar la estancia. Al volverse vio que él se había puesto de pie, sosteniéndose en el respaldo de la silla. Instintivamente, Gabby abrió la boca para decirle que se sentara, que no debía cansarse, pero pensó que el bienestar de ese hombre no le incumbía y se limitó a mirarle con expresión inquisitiva.

—Confío en que un día tú y yo nos mostremos nuestras respectivas cicatrices —dijo él.

La frase, pronunciada con voz queda, sonó como un mero comentario intrascendente. Gabby tardó unos segundos en captar el lascivo significado de la misma. Al hacerlo, se tensó y le miró indignada.

Él la observó con una sonrisa marcadamente burlona que no hizo sino intensificar la indignación de ella.

—Eres un repugnante libertino —murmuró furiosa—. No te acerques a mí ni a mis hermanas.

Tras esta advertencia, dio media vuelta y salió con aire digno de la estancia.

Más tarde, al ocupar un asiento en el palco de su tía en la ópera mientras Claire y Beth comentaban impresionadas todo cuanto contemplaban en la platea, Gabby comprendió que aquel impostor se había mostrado deliberadamente grosero con ella y que su grosería había cumplido un propósito: evitar que se sintiera como la pobre y patética niña que había dicho su padre, devolviéndole su dignidad.

22

Su ingenioso plan se había venido abajo, pensó disgustado al tiempo que caminaba con pasos lentos en torno al perímetro de su alcoba, en su esfuerzo por recuperar las fuerzas. El hecho de sentirse incapaz de moverse libremente le enfurecía. Y Gabriella era la causa de aquella calamidad. Desde el momento en que la había visto, vestida con aquel espantoso traje negro y dándose aires de superioridad, había comprendido que iba a causarle problemas. Lo que no había previsto era la magnitud.

Gabby le había amenazado con revelar su impostura, le había desafiado, le había disparado un tiro, le había excitado y encima le había hecho sentirse culpable.

De haber sabido que su cojera era permanente, jamás se habría referido a ella, pensó, lamentándose de no haberlo sabido. Pero al verla atravesar su alcoba renqueando, había temido ser el responsable de su cojera. ¿La había lastimado al tomarla bruscamente en brazos la primera noche en el recibidor, o más tarde, al caerse Gabby de su cama? Esa idea le preocupaba enormemente. Al margen de lo que pudiera ocurrir, no deseaba lastimarla. Pero el caso era que lo había hecho al poner de relieve su cojera, la cual, las más de las veces, pasaba inadvertida. Al ver aquella expresión dolorida en sus ojos, había decidido borrarla pronunciando el comentario más hiriente que se le había ocurrido. Y había conseguido su propósito. Había conseguido enfurecerla.

Lo cual no dejaba de ser un tanto a su favor, pensó.

—¿Qué quiere que haga con esto, capitán? —preguntó Barnet, que se disponía a cambiar las sábanas, mostrándole una de las notas impregnadas de perfume que le había enviado Belinda.

Un lacayo se la había entregado hacía un rato, y como en aquellos momentos él estaba acostado, la había leído superficialmente. Cuando Beth había irrumpido inesperadamente en su alcoba, la había ocultado debajo de la colcha y se había olvidado de ella.

—Guárdala en el cajón con las otras —respondió encogiéndose de hombros.

Belinda le había escrito con admirable frecuencia. Estaba seguro de que era gracias a la presencia de Gabriella en la casa que Belinda no le había visitado personalmente durante su convalecencia. La indecorosa conducta que suponía visitar a un caballero postrado en su misma alcoba —y agasajarlo como si fuera un rey— entusiasmaba a Belinda. Sólo la presencia en la casa de una dama de aire altanero, dotada del porte de una duquesa y ojos de lince —es decir, su «hermana mayor»—, era capaz de impedir que Belinda fuera a verlo.

—La cama está lista, capitán —dijo Barnet, alisando el cobertor y mirando a su jefe con aire inquisitivo.

Éste dio un respingo.

—Estoy harto de guardar cama. Si sigo acostado más días, me quedaré débil como un gatito. Esa bruja arrogante por poco acaba conmigo, Barnet.

Barnet, que se disponía a retirar el vaso de la mesilla, le miró con expresión de censura.

—No debe hablar de la señorita Gabby con ese tono, capitán. Ella no tuvo la culpa de que usted la asustara e hiciera que disparara contra usted.

El impostor se detuvo y miró a su compinche.

—¿Acaso te ha arrojado un sortilegio?

—Lo lamento, capitán, pero digo lo que pienso. La señorita Gabby es una dama de los pies a la cabeza, y no consiento que usted ni nadie se refiera a ella de forma irrespetuosa —declaró Barnet con tono severo, depositando el vaso en la bandeja.

—Esto es el colmo —contestó su superior, más divertido que enojado. Tras lo cual siguió caminando por el perímetro de la habitación—. Es una pelmaza, te lo aseguro, Barnet.

Barnet dio media vuelta y se dirigió hacia la puerta, portando la bandeja. Al pasar junto a su amo le dirigió otra mirada de censura.

—El problema, capitán, es que está tan acostumbrado a que las mujeres caigan rendidas a sus pies, que no las respeta.

—Desde luego no respeto a las que disparan contra mí —replicó el otro mientras Barnet depositaba la bandeja en el pasillo, junto a la puerta, y entraba de nuevo en la alcoba. Cuando se acercó con la intención de ayudarle a acostarse, él le detuvo con un ademán imperioso—. Ya me acostaré yo solito cuando me apetezca. Retírate y vuelve por la mañana.

Barnet arrugó el entrecejo.

—Pero, capitán...

—Aléjate, traidor —insistió su amo, sonriendo al ver la expresión ofendida de Barnet al oírse llamar traidor—. Era una broma. Hemos soportado juntos muchos contratiempos para que dude de tu lealtad a estas alturas. Puedes defender a la señorita Gabby cuanto quieras, que no me enfadaré.

Barnet insistió durante unos minutos, pero su patrón acabó convenciéndole de que fuera a acostarse. Al quedarse a solas, observó el lecho con odio, continuó paseándose un rato alrededor de la habitación y por fin se sentó junto al fuego con un libro que halló en la repisa de la chimenea: *Marmion*. Tenía aspecto de novela insulsa, pero no tenía ánimos de bajar a la biblioteca en busca de otro libro más acorde con sus preferencias. No se explicaba qué hacía ese libro en su habitación, pues no era el tipo de obra que él solía leer. Prefería las novelas históricas, especialmente centradas en hechos militares, o una biografía...

El libro pertenecía a Gabriella. Al hojearlo vio su nombre, escrito con tinta y una esmerada letra, en el frontispicio. Por supuesto, debió de imaginar que era suyo. Era el tipo de libro que gustaba a las mujeres. En todo caso, a un gran número de mujeres. No había sospechado que Gabriella fuera una romántica, pero a tenor de sus preferencias literarias no cabía duda de que lo era.

Wickham hojeó el libro con mayor interés, leyendo algunos pasajes y sonriendo para sí ante el lenguaje florido y el desbordante sentimentalismo que al parecer complacían a Gabby, cuando de pronto oyó el inconfundible sonido de ésta al entrar en su habitación. Seguramente la ópera había terminado. Escuchó distraído el murmullo de voces y a Gabby hablando con su doncella. Tenía una voz dulce y melodiosa... hasta que se enfurecía. Ese pensamiento le hizo sonreír. Por lo general la voz de Gabby, cuando hablaba con él, era cortante como un puñal.

Reconoció que buena parte de la culpa la tenía él. Ella había comprobado que él poseía una marcada propensión a tomarle el pelo. Y ella mordía invariablemente el anzuelo.

Las voces en la habitación de Gabby se disiparon. Él dedujo que estaba sola, probablemente acostada. Pensó que quizás echaba en falta su libro y sonrió lentamente. Se le ocurrió llevárselo. Por más que se esforzó en no pensar en ello, sabiendo que era una imprudencia seguir provocando a su «hermana», era una idea irresistible.

Tras levantarse con cuidado, sosteniendo el libro en una mano, se encaminó hacia la puerta que comunicaba ambos dormitorios. Se hallaba a pocos pasos de la puerta cuando se detuvo al oír un golpe seco en la puerta, seguido por el sonido de una llave al girar en la cerradura.

Wickham observó entre curioso y divertido cuando la puerta se abrió y apareció Gabriella, vestida, según pudo observar, con un camisón blanco de escote cerrado y mangas largas, una bata estampada con flores rosas y un edredón azul echado sobre los hombros. El edredón casi cubría el camisón y ocultaba su figura, como sin duda pretendía ella. Llevaba el pelo, como de costumbre, recogido en un desmañado moño que no le favorecía en absoluto. Al principio Gabby le miró con ojos como platos y luego los achicó, observándole con recelo.

Wickham aguardó, con una excitación que hacía mucho tiempo que no sentía, a que Gabby le increpara.

Gabby no esperaba toparse con él. Momentáneamente sorprendida, pestañeó al tiempo que se preparaba mentalmente para la batalla. No permitiría que la decisión que había tomado mientras se hallaba en la ópera flaqueara por el mero hecho de toparse con él de narices, en lugar de hallarlo acostado en su lecho, a una distancia de media alcoba, se dijo. Independientemente de que lo encontrara de pie o acostado, estaba dispuesta a aclarar las cosas en el acto.

—Hola, Gabriella.

Despeinado y sin afeitar, vestido con su bata de color rojo oscuro y endiabladamente guapo pese a su aspecto desaliñado, era mucho más alto que ella. La sensación de estar físicamente en desventaja incomodó a Gabby, que estaba acostumbrada a verlo tendido en la cama, gimiendo de dolor. Él la saludó con una leve y cortés reverencia, llevándose una mano al pecho, que su expresión burlona contradecía. Gabby le miró enojada. Él sonrió con aire divertido, lo cual intensificó el enojo de ella, que se temía que estuviera burlándose. Había sido un error dejar que hablara antes que ella, pero no podía hacer nada al respecto. Desde su primer y desafortunado encuentro, él se había salido siempre con la suya. Gabby estaba dispuesta a imponer a toda costa sus reglas esa noche.

—Si esta farsa ha de continuar, es preciso dejar las cosas muy claras entre nosotros —dijo sin andarse por las ramas, mirándole fríamente a los ojos.

—¿De veras? —No fue más que un cortés murmullo, pero Gabby tuvo de nuevo la impresión de que se reía de ella y le miró recelosa—. ¿A qué te refieres?

—En primer lugar, permite que te aclare un extremo: si no te mantienes alejado de mis hermanas, en particular de Claire, te denunciaré por impostor. —Era una afirmación que no admitía réplica.

—Ya. Claire —respondió él, esbozando una leve sonrisa—. Una belleza extraordinaria. Un diamante en bruto.

Gabby endureció el gesto.

—Lo digo muy en serio, tenlo por seguro.

—¿El qué? ¿Que anunciarás al mundo que no soy tu hermano? ¿No te colocaría eso en una situación un tanto comprometida, ya que me has aceptado como tal?

—Me tiene sin cuidado colocarme en una situación comprometida si se trata de proteger a Claire —contestó ella con vehemencia.

—¿De veras? —La miró sonriendo de nuevo—. ¿Por qué no te sientas y lo hablamos con calma? Gracias a tu impetuosidad con una pistola, me canso con más facilidad que de costumbre.

Tras vacilar, Gabby accedió.

—De acuerdo.

—A propósito, te dejaste el libro en mi habitación —dijo él mostrándole el libro. Luego cruzó la estancia y se sentó en una de las butacas instaladas junto al fuego.

—¿*Marmion*? —preguntó Gabby. Se movía con cierta torpeza debido al edredón que se había echado sobre los hombros en aras del decoro. Le disgustaba que él la viera en camisón y bata, especialmente después de... Pero no quería recordar eso. Recordarlo le hacía sentirse avergonzada, y eso proporcionaba a su adversario cierta ventaja. No podía permitirse el lujo de mostrarse débil. Se sentó frente a él y depositó el libro sobre sus rodillas—. Gracias. Me preguntaba dónde lo había dejado. Bien, ¿ha quedado claro? Si deseas continuar con tu farsa sin que yo me inmiscuya, debes dejar en paz a Claire y a Beth.

—Creo que no te das cuenta —respondió él con tono pensativo, apoyando la cabeza en el respaldo de terciopelo de la butaca y mirándola a los ojos con una irritante expresión burlona— lo difícil que te sería demostrar que no soy el conde de Wickham, puesto que todo el mundo me tiene como tal. Asimismo, tengo el deber de indicarte que, si lograras demostrarlo, posiblemente te considerarían mi cómplice, habiendo conspirado conmigo para defraudar al auténtico conde durante casi una semana.

—¡No es cierto! —replicó Gabby indignada—. ¡Nadie puede acusarme de haber conspirado contigo!

—¿Ah, no? —sonrió él suavemente—. Te aseguro que no te lo reprocho. Por lo que he averiguado por mucho de Claire y Beth (principalmente de Beth, que se ha mostrado deliciosamente franca conmigo), y algunos detalles que ha averiguado Barnet de los sirvientes, sé que desde la muerte de tu padre te encuentras en una situación apurada. Todos los bienes pasaron a manos de tu hermano. Tu padre no os dejó nada ni a ti ni a tus hermanas. Para decirlo sin rodeos, sin la buena voluntad de vuestro hermano, estáis sin un céntimo; y el hombre que heredará la fortuna familiar al morir vuestro hermano es un primo lejano que no ha demostrado ningún cariño hacia vosotras. ¿Me equivoco?

—¿Y qué? —le espetó Gabby, enderezándose en la butaca y mirándole con abierta antipatía.

—Pues que esto explicaría el misterio de por qué te uniste a mi pequeña farsa y el hecho de que tú me necesitas más de lo que yo te necesito a ti, querida mía. —Le dirigió una sonrisa tan encantadora, que Gabby sintió deseos de arrojarle el libro y partirle su blanca dentadura.

—Yo de ti no estaría tan seguro.

—Estoy más que convencido de ello, de modo que no vuelvas a amenazarme. No me lo trago. Pero para consolarte te diré que siento un afecto fraternal hacia Claire y Beth. —Sus ojos dejaban traslucir una expresión divertida y burlona—. Bueno, en todo caso hacia Beth.

Gabby se levantó bruscamente. El edredón resbaló sobre sus hombros y se apresuró a sujetarlo para evitar que cayera al suelo. Con la otra mano sostuvo *Marmion*, el libro que había dejado olvidado. Furiosa, lo miró a los ojos.

—¿Quién eres? Supongo que tendrás una identidad propia. Exijo que me lo digas. Y lo que te propones al hacerte pasar por mi hermano. Aparte de vivir como un marajá.

Durante unos momentos se miraron en silencio. Cuando él respondió, lo hizo con tono casi indiferente.

—No veo ningún motivo que me obligue a revelarte nada sobre mi persona.

Sus lánguidas palabras enfurecieron a Gabby.

—Eres un canalla.

—No tengo inconveniente en reconocerlo —respondió él con un tono que hizo que Gabby se pusiera a temblar de indignación.

—Te exijo que dejes en paz a Claire.

Él emitió una carcajada y meneó la cabeza como si se sintiera muy asombrado.

—¡Qué ferocidad la tuya, Gabriella! No puedes atemorizarme para que me aleje de tu hermana, como bien sabes, pero es posible que puedas sobornarme para conseguirlo.

Gabby achicó los ojos y lo observó fijamente.

—¿Sobornarte? —preguntó recelosa.

Él asintió. Aunque sus ojos mostraban una expresión risueña, al responder lo hizo con tono solemne.

—Mi precio por mantenerme alejado de tu hermana es... un beso.

23

—¿Qué?

—Ya me has oído.

—No —respondió Gabby con firmeza. Supuso que su rostro mostraba la explosiva mezcla de ira y turbación que sentía y que estaba rojo como el pelo de Beth.

Él se encogió de hombros, como si su negativa le tuviera sin cuidado.

—Como quieras. Lo cierto es que me apetece trabar una relación más profunda con Claire. Mi posición como hermano me ofrece numerosas oportunidades de hacerlo. Es una joven deliciosamente inocente, que no da importancia al hecho de permanecer a solas conmigo en mi alcoba, ni a...

—¡Eres un... degenerado! —exclamó Gabby, casi atragantándose con el epíteto.

—Insultar es un recurso muy pueril.

—No permitiré que te acerques a ella. Le advertiré...

—¿Que se guarde de su hermano? Dudo que consigas convencerla. Claire me parece una joven que, a diferencia de su hermana mayor, siempre piensa bien de la gente.

—Le contaré la verdad sobre ti.

—¿Y descubrir el pastel? Vamos, Gabriella. Sabes que si lo haces no podrás seguir manteniendo el secreto. Claire se iría de la lengua y estaríamos todos perdidos.

—Entonces dame tu palabra de que no te acercarás a ella.

—Lo haré... a cambio de un beso. En los labios, naturalmente. Nada de un besito en la mejilla.

Sosteniendo con firmeza el edredón, Gabby lo miró impotente al comprender que la discusión había llegado a su fin. Los ojos de aquel bribón parecían casi negros a la luz de las llamas y era evidente que disfrutaba de lo lindo.

—¿Tanto te cuesta besarme? Piensa en lo que te has arriesgado por tus hermanas. En comparación con ello, me parece una insignificancia.

—No.

—De ti depende.

Gabby no supo qué responder. «Tienes una boca que invita a besarla.» Las palabras acudieron a su mente sin que ella lo pretendiera. Desvió la vista, mordiéndose el labio. Un beso. Un beso para salvaguardar a Claire. Un breve beso en los labios, nada más. Tal como él había dicho, era una insignificancia. Lo que inquietaba a Gabby, como comprendió contrita, era que desde que él había hecho aquel comentario sobre su boca ella había deseado besarle, preguntándose qué sentiría al apretar sus labios contra los suyos.

Lo único que tenía que hacer para averiguarlo era hacer otro pacto con ese diablo. La tentación era casi irresistible. Gabby se sentía como Eva al ver la manzana, tentada pero cohibida.

Tragó saliva y le miró a los ojos.

—¿Un beso y me das tu palabra de que dejarás en paz a Claire?

—Te doy mi palabra de que trataré a Claire tan castamente como si fuera realmente mi hermana. No puedo prometerte que me alejaré por completo de ella, puesto que en un futuro no muy lejano viviremos todos bajo el mismo techo.

Gabby lo pensó unos momentos. Parecía un acuerdo aceptable, a condición de que...

—¿Cómo voy a fiarme de que cumplirás tu palabra? Los delincuentes, por lo general, no destacan por su honradez.

Él esbozó una sonrisa lenta, íntima, que hizo que el pulso de Gabby se acelerara inesperadamente.

—Puesto que eres mi cómplice, tendrás que fiarte de mí.

—No soy tu...

Gabby no terminó la frase. Dadas las circunstancias, y a tenor de aquella mirada burlona, era absurdo protestar. Por más que ella se había visto forzada a aceptar el fraude de ese impostor, se había convertido, a todos los efectos, en lo que él había dicho: su cómplice.

Era una idea angustiosa.

—¿Y bien? —inquirió él arqueando la ceja—. ¿Has tomado una decisión? No estoy dispuesto a pasarme la noche discutiendo contigo. Hay muchas formas más placenteras de pasar el rato... como planear la conquista de tu bella y casta hermana.

Gabby se tensó.

—Eres el ser más repugnante que he conocido jamás.

Él rió.

—Es posible, pero ¿vas a besarme para salvar a tu hermana o no?

Ella lo miró furiosa pero comprendiendo que era inútil tratar de fulminarlo con la mirada o conseguir que se avergonzara por su falta de caballerosidad. Apretó los labios, se inclinó y le besó.

En los labios. Un beso fugaz. Gabby tuvo que reconocer que, pese a sus temores y vacilaciones, fue de lo más decepcionante.

Aquella boca caliente y reseca no logró excitar sus sentidos. Su corazón, su pulso y su respiración no registraron alteración alguna. Pese a las vueltas que había dado al tema, y al igual que muchas otras cosas en la vida, besar a un hombre se reducía a mucho ruido y pocas nueces.

Satisfecha por haber tenido el valor de encararse con ese diablo, aliviada por haberse quitado de encima el problema, y por consiguiente experimentando cierta sensación de superioridad, Gabby le miró esbozando una breve sonrisa.

—Ya está —dijo—. Hemos hecho un trato.

Él se rió y, antes de que Gabby pudiera reaccionar, la agarró por la muñeca. Le aferró la mano con que sujetaba el edredón y, ella, sorprendida, sintió que sus dedos se distendían. Al levantarlos el edredón se deslizó y cayó al suelo.

Aun con la doble protección de la bata y el camisón, Gabby se sintió desnuda. No podía apartar de su mente la idea de que él sabía lo que ocultaba debajo de esas prendas. Mientras trataba de soltarse, se tapó el pecho con el otro brazo.

Al advertir ese gesto, él sonrió con picardía.

—¿Qué haces? —le espetó Gabby tratando de liberarse—. Suéltame.

—No —contestó meneando la cabeza—. Todavía no. No hasta que cumplas tu parte del trato. Ese besito fue una simple migaja.

—Me diste tu palabra. —Le miró indignada, inmóvil, pues prefería no arriesgar su dignidad esforzándose en liberarse sabiendo como sabía que no tenía la menor posibilidad de lograrlo—. Debí suponer que no la cumplirías.

—Tú también me diste tu palabra —le recordó él—. Y según las normas, o pagas o juegas, querida mía.

De pronto le tiró bruscamente de la muñeca y Gabby cayó sobre él. Sus brazos la aprisionaron como las fauces de una trampa y Gabby comprobó horrorizada que estaba sentada sobre sus rodillas.

—Suéltame y deja que me levante —le exigió. Al caer, el libro que sostenía había caído también y había quedado alojado entre su muslo y el vientre de él. Aterrorizada, lo agarró por ser la única arma que tenía a su alcance, dispuesta a golpearle en las costillas con tal de liberarse.

—¡Cuidado! —exclamó él con tono de reproche mientras se zafaba del pretendido golpe con el codo—. ¿Serías capaz de deshacer tu buena obra hiriéndome de nuevo? ¡Qué mujer tan sanguinaria!

Y le arrebató el libro con increíble facilidad. El breve estrépito que emitió al caer al suelo intensificó el empeño de Gabby en liberarse. Despojada de su arma, le golpeó violentamente en el pecho con el codo, haciéndole emitir un quejido de dolor, y trató de levantarse. Pero él la sujetó por los brazos, inmovilizándola y obligándola a permanecer sentada en sus rodillas.

Gabby se sintió impotente, furiosa, cautiva. Resuelta a conservar la poca dignidad que le quedaba, renunció a seguir luchando y permaneció sentada muy tiesa, aprisionada entre los brazos de su captor, temblando de ira.

—¡Lamento que al disparar contra ti errara el tiro!

—En fin, la triste realidad es que todos debemos apechugar con nuestros errores.

—¡Cerdo! —El ofensivo epíteto, que Gabby jamás había pronunciado en su vida, expresaba con exactitud sus sentimientos.

—Tus palabras no me hieren, Gabriella —respondió él suavemente.

Para mirarlo a los ojos tuvo que inclinar la cabeza hacia atrás. Al hacerlo su cabeza chocó con el brazo de Wickham, el cual le ofrecía un sólido apoyo. Gabby no pudo por menos de notar sus pronunciados bíceps. El hecho de notarlo no hizo sino atizar su ira.

—Sabía que no eras de fiar —dijo con amargura.

—Por el contrario, eres tú quien no ha cumplido su parte del trato. Wickham sonrió, casi con ternura. Pese a estar muy furiosa, esa sonrisa dejó anonadada a Gabby. Ese canalla era el hombre más peligrosa-mente atractivo —dadas las circunstancias ese adjetivo era el que mejor cuadraba— que había visto en su vida.

—Te he besado. Lo sabes perfectamente. —Con la cabeza apoyada en su brazo, sus rostros estaban tan próximos que Gabby distinguió cada pe-lo de su barba. Vio las arruguitas que se formaban en las esquinas de sus ojos al sonreír. Vio la textura de su piel, la forma de sus orejas, la expre-sión divertida que dejaban traslucir sus ojos.

Fue esa expresión lo que le permitió comprender que él la había pues-to a prueba. Al mismo tiempo había eliminado todo rastro del súbito e instintivo temor que había provocado en ella el hecho de sentirse inmo-vilizada entre sus brazos. Lo cual no significaba que no estuviera enojada con él. Por el contrario, estaba furiosa por verse obligada a permanecer sentada en sus rodillas, indignada por sentirse aprisionada entre sus bra-zos y turbada por sentir el contacto de sus muslos. Para colmo, detestaba haber caído en una trampa.

—Es el tipo de beso que uno da a su tía soltera en su lecho de muer-te. No cuenta.

—Es el tipo de beso que doy a cualquiera. Y por supuesto que sí cuenta.

La expresión divertida que mostraban los ojos de él se intensificó.

—¿Qué sabes tú sobre besos? Estoy dispuesto a apostar todo cuanto poseo a que jamás habías besado a un hombre.

Al contemplar aquellos ojos burlones, Gabby experimentó una sen-sación inaudita. Casi sintió que su ira se disipaba. Al darse cuenta, le espetó:

—Es una apuesta segura, teniendo en cuenta que no posees nada. To-do lo que hay aquí pertenece al conde de Wickham, y tú no lo eres.

Él pasó por alto ese comentario despectivo, prefiriendo seguir con el tema que había sacado a colación.

—Dime la verdad, Gabriella. ¿A que nunca has besado a un hombre?

Ella se sulfuró.

—¿Qué te hace pensar eso? —replicó apartando la cabeza de su hombro.

—El beso que me diste no es el tipo de beso que una mujer da a un hombre. Y ése es el tipo de beso al que yo me refería —dijo éste con fir-meza.

—No recuerdo que nuestro pacto contuviera ninguna cláusula específica —contestó Gabby con cierto aire de superioridad. Estaba apoyada contra el pecho de él, que la abrazaba por la cintura, sujetándole también los brazos. Probablemente habría podido soltarse de haberlo intentado, pero no sentía un gran deseo de hacerlo. Antes bien, se sentía casi a gusto en aquella escandalosa postura, y, aún peor, gozaba del toma y daca que sostenían—. Accediste a que si te besaba una vez en los labios, cosa que hice, tratarías a Claire como si fuera tu verdadera hermana. Yo he cumplido mi palabra. Ahora te toca a ti cumplir la tuya.

—Gabriella. —Sonrió, contemplándola con aquella expresión tierna, y la calidez de su mirada provocó en Gabby una sensación casi lánguida.

—¿Qué?

—Si quieres que cumpla mi parte del trato, tienes que besarme como deseo que me beses. De lo contrario, no hay trato.

Ambos se miraron a los ojos. Ella notó que el corazón le latía más aceleradamente de lo normal y que el ritmo de su respiración también se había acelerado. Sintió que sus músculos se aflojaban y se echó a temblar como la gelatina. Era consciente de sentirse muy relajada, y al mismo tiempo profundamente confundida.

Ese hombre era peligroso; había cometido un acto criminal; la había amenazado; la había tratado de una forma capaz de escandalizar a cualquier mujer de buena familia.

Sin embargo... El mero hecho de aspirar su olor la hacía sentirse mareada. El mero hecho de apoyar la cabeza en su brazo y sentir la dureza de sus músculos la hacía temblar. El mero hecho de apoyarse contra su pecho y sentir su tibieza y fortaleza la hacía desfallecer.

El permanecer sentada sobre las rodillas de un hombre sin duda era un pecado. Era algo que quizás hiciera una mujer casquivana, pero no una dama de alcurnia. En cualquier caso, Gabby jamás había imaginado, ni en sus sueños más inconfesables, que pudiera hacer una cosa así. Sin embargo le gustaba. Y mucho. Hasta el extremo de que quería permanecer durante horas en esa postura.

¿Qué experimentaría si le besaba como él deseaba? ¿Qué sentiría al descubrir lo que se siente «al besar a un hombre como lo hace una mujer»?

Si en sus veinticinco años de vida Gabby nunca había besado a un hombre de ese modo, seguramente no lo haría jamás. Sabía que se había quedado para vestir santos. Jamás conocería la pasión. No aparecería ningún caballero montado en un corcel blanco para llevársela.

Si quería saber lo que siente una mujer al besar a un hombre, ésta era su oportunidad de averiguarlo.

Quizá su única oportunidad.

Gabby comprobó, con cierto asombro virginal, que deseaba hacerlo.

—Muy bien —dijo, desmintiendo con la forzada firmeza de su voz el temor que sentía—. ¿Qué quieres que haga exactamente?

24

—En primer lugar, rodéame el cuello con los brazos.

Gabby contempló sus ojos oscuros, los cuales reflejaban una expresión divertida. Luego tragó saliva y, alzando los brazos, los deslizó tímidamente alrededor de su cuello, sintiendo el sedoso brocado de su bata. Sus hombros recios y musculosos ofrecían un acusado contraste con la suavidad de la prenda. Gabby rozó con los dedos su pelo, terso y fresco, y los hundió en su nuca.

—Eso me gusta —dijo él. Si su voz sonaba algo más ronca que lo habitual, ella apenas se percató.

—¿Y ahora qué? —El motivo de que apenas se percatara era porque ella misma respiraba de forma entrecortada.

—Inclínate hacia delante, aprieta tus labios sobre los míos y abre la boca.

—¿Por qué? —preguntó Gabby frunciendo el entrecejo.

—¿Cómo que por qué?

—¿Por qué debo abrir la boca?

—Para que yo pueda introducir mi lengua en ella.

—¿Qué? —replicó ella horrorizada.

Él tuvo que sujetarla por los brazos para impedir que se apartara.

—No dejaré que te eches atrás —le advirtió.

—¿Pretendes... introducir tu lengua en mi boca?

—Y tú debes acariciarla con la tuya.

—¡Santo Dios! —exclamó. Le miró desesperadamente a los ojos, buscando una expresión burlona que indicara que le estaba tomando el pelo. Pero pronto comprendió que hablaba muy en serio—. No creo que pueda hacerlo.

—Claro que puedes. Vamos, Gabriella, no me hagas perder toda la noche. Hicimos un trato. Ahora haz lo que te digo y bésame.

Ella alzó la vista y contempló el hermoso rostro de rasgos marcados que se hallaba a escasos centímetros del suyo, los ojos de color añil que durante ese toma y daca se habían oscurecido misteriosamente hasta adquirir un tono casi negro, la boca bien delineada que mostraba una pequeña sonrisa.

El corazón le latía con violencia. Tenía las palmas de las manos húmedas de sudor. Él iba a introducir su lengua en... Era tan escandaloso que no pudo terminar de formular ese pensamiento en su mente. ¿Qué sentiría ella cuando lo hiciera?

Haciendo acopio de toda su fuerza de voluntad, le agarró por las solapas de la bata y se inclinó hacia delante. Al apretar sus pechos contra el torso de él, sintió un cosquilleo en sus sensibles pezones y éstos se pusieron duros. Él le soltó los brazos y apoyó las manos ligeramente en sus caderas, sin aprisionarla ni estrecharla con fuerza, aguardando pacientemente. Gabby comprendió que, para cumplir su parte del trato, era ella quien debía tomar la iniciativa.

Apretó sus pechos decididamente contra aquel torso de Wickham y acercó los labios a los suyos.

El roce entre los labios de ambos fue, como la última vez, rápido y tentativo. Gabby no pudo evitarlo. Tocó brevemente la boca de él con la suya, sintiendo durante unos segundos el calor seco de sus labios y su áspera barba, y se apartó apresuradamente.

Cuando ambos se miraron Gabby no pudo descifrar la expresión de sus ojos.

—Eso no basta. Inténtalo de nuevo. Esta vez cierra los ojos y abre la boca, Gabriella.

Él se expresó con un murmullo ronco y ella sintió su cálido aliento en su boca. Si se acercaba un poco más, apenas unos milímetros, sentiría el movimiento de sus labios contra los suyos.

Al pensar en eso sintió un calor abrasador.

—No... puedo.

Pero no se retiró, sino que agarró con más fuerza las solapas de la bata de Wickham. Curiosamente, le pareció como si su cuerpo careciera de huesos. Apretó sus pechos contra aquel torso firme. El lugar íntimo entre sus piernas empezó a tensarse.

Él le había acariciado y besado el pecho, había acariciado la parte inferior de su cuerpo, le había levantado la falda... Al evocar aquel episodio Gabby sintió que estaba a punto de desvanecerse. Sintió un fuego abrasador en todo su cuerpo. Desesperada y avergonzada, comprendió que deseaba que él volviera a hacerlo.

El tipo de beso que él deseaba había provocado en ella esas sensaciones.

—Claro que puedes. Aprieta los labios contra los míos y desliza la lengua dentro de mi boca.

Temblando, Gabby respiró hondo. Comprendió que no tenía más remedio que hacerlo, y también comprendió que no deseaba echarse atrás. Sin soltar las solapas de la bata, alzó el rostro y apretó los labios contra los de él. Luego, recordando sus instrucciones, cerró los ojos y sacó tentativamente la lengua.

Ésta se topó con una barrera, pues él tenía la boca cerrada. Pero tan pronto Gabby la rozó con sus labios, éste la abrió y ella, haciendo acopio de todo su valor, introdujo la lengua dentro de su boca, que estaba húmeda y ardiente y sabía ligeramente a buen brandy y a cigarros puros. Él le rozó la lengua con la suya, acariciándola, y penetró en su boca, reclamándola con una insistencia que la dejó sin aliento. Los labios de él se amoldaron a los suyos. Gabby notó que la cabeza le daba vueltas, que se le ponía carne de gallina en todo su cuerpo y que se le formaba un nudo en el estómago.

Jamás había imaginado que un hombre podía besarla así. Era una sensación impactante, abrumadora, excitante. Él apoyó la mano en su nuca y cambió de postura, de forma que Gabby apoyó la cabeza en su hombro. Automáticamente, ella deslizó las manos por la pechera hasta apoyarlas en su recia nuca. Se sentía impotente frente a la fuerza de ese hombre, y comprendió que era una sensación muy placentera.

Él movió los labios sobre los suyos, obligándola a responder. Su lengua exploró los rincones ocultos de su boca. Sentada en su regazo, rodeándole el cuello con los brazos, Gabby saboreó esas sensaciones como un *gourmet* saborearía los sabores y las presentaciones de un raro festín. Le acarició tímidamente la lengua con la suya, haciendo que él reaccionara sofocando una exclamación de placer.

Le alegró saber que ella no era la única afectada por el beso que se daban.

De pronto él apoyó una mano sobre su pecho.

Entonces fue Gabby quien sofocó una exclamación de placer. Aunque dos capas de tejido —el camisón y la bata— separaban su piel de la de él, sintió el calor y la fuerza de su mano con una intensidad que la asombró. Su pezón se hinchó como suplicando que siguiera acariciándolo, como si su cuerpo, evocando el contacto de su piel, anhelara volver a sentirlo. Sus partes íntimas se tensaron y empezaron a pulsar, produciéndole un dolor sordo, una profunda excitación, al ritmo de las caricias.

Él deslizó el pulgar sobre su pezón, oprimiéndolo, y el cuerpo de Gabby estalló en llamas.

Se sentía abrumada. No podía pensar, tan sólo sentir. Se aferró a la nuca de él, devolviéndole el beso con creciente abandono, dejando que le acariciara el pecho... no, encantada de que le acariciara el pecho. Aturdida, comprendió que estaba temblando, que su cuerpo se arqueaba de deseo contra el pecho de Wickham y que el lugar íntimo entre sus muslos empezaba a humedecerse de nuevo...

Sintió el miembro masculino debajo de sus muslos, y advirtió que se había puesto duro e hinchado de deseo. Sin poder remediarlo, se restregó contra él y sintió que se oprimía contra su trasero.

Eso era lo que ella deseaba, que la penetrara... Al pensar en ello emitió un breve gemido, que él sofocó con sus labios, para luego depositar una serie de besitos y mordiscos en su mandíbula. Gabby abrió los ojos, comprendiendo con la pequeña parte de su cerebro que aún era capaz de funcionar racionalmente, que había cumplido de sobra su parte del trato. Pero en esos momentos el trato le tenía sin cuidado, y al parecer a él tampoco le preocupaba lo más mínimo mientras seguía besándola en el cuello. Tenía la boca ardiente y húmeda, y ella sintió el tacto caliente y firme de su mano sobre su pecho...

Ambos se olvidaron por completo del trato que habían hecho cuando él le abrió el escote del camisón para sacarle un pecho. Gabby mantuvo los ojos abiertos lo suficiente para observar con una mezcla de asombro y gozo cómo él descubría el montículo blanco coronado por un pezón rosa. Ningún hombre había visto jamás sus pechos, pero de pronto Gabby sintió el imperioso deseo de que ese hombre los contemplara y los acariciara. Él alzó la cabeza, contemplando su seno, y lo sostuvo en una mano, casi como si lo sopesara.

Gabby entreabrió los labios. La mano recia y oscura de él contrastaba con la pálida piel de su pecho. Tenía un tacto cálido y levemente áspero, y...

Él bajó la cabeza. Gabby abrió los ojos desmesuradamente al darse cuenta de que iba a besarle el pecho. Sintió el suave roce de sus labios besuqueándola, y la aspereza de su barba contra su piel, unos segundos antes de que comenzara a succionarle el pezón, engulléndolo en su boca ardiente.

Ella creyó que iba a desmayarse de placer. Era lo más erótico que jamás había contemplado y sentido. Sin poder remediarlo, emitió un sofocado quejido cuando él le pasó la lengua por el pezón, hincándole las uñas en los hombros al tiempo que observaba cómo le chupaba el pezón como un bebé. Sabía que lo que él hacía era una indecencia, una injustificable inmoralidad, pero enardecía su cuerpo y sus sentidos.

Gabby jamás había imaginado que un hombre pudiera hacerle eso, o siquiera que deseara hacerlo. Le producía una sensación exquisita, obscena.

Ni siquiera sabía cómo se llamaba ese hombre.

Ese pensamiento, que se le ocurrió de pronto, surgido de la parte de su cerebro que seguía funcionando y que en esos momentos le indicaba que debía protegerse, sirvió para devolverla a la realidad.

Aquel hombre era un experto seductor que estaba manipulando lascivamente su cuerpo. Al permitírselo, Gabby se estaba comportando como una zorra, como una de las rameras que habían calentado el lecho de su padre.

—¡No! —protestó, pero con voz débil.

Comenzó a luchar, esforzándose en apartarlo de su pecho, tratando de obligarle a soltarla. El hecho de conseguirlo no lo atribuyó a sus propios méritos. Cuando trató de cubrirse el pecho con la mano, tratando de interponerla entre la boca de él y su seno, el hombre alzó la cabeza y la miró. Sus ojos relucían y tenía las mejillas tan encendidas que Gabby temió su reacción.

—¡No! —insistió Gabby con más energía.

Ambos se miraron a los ojos.

Él crispó la mandíbula, achicó los ojos y la soltó.

Gabby se levantó apresurada y torpemente, cubriéndose de nuevo con la bata con manos temblorosas.

Él permaneció sentado, con las manos apoyadas en los brazos de la butaca, la cabeza contra el respaldo, observándola con una expresión que Gabby no supo descifrar. Al mirarlo a los ojos, comprendió la magnitud de lo que había hecho. Había dejado que ese hombre, ese extraño, la sentara sobre sus rodillas, la besara, contemplara, acariciara y besuqueara su pecho. Ni siquiera podía justificarse aduciendo que en esta ocasión él le había obligado a hacerlo, porque no era verdad. Ella no habría consentido siquiera a que la besara si en el fondo no lo hubiera deseado. Ni siquiera para proteger a Claire.

Tenía las ropas desordenadas y el pelo, despojado de las horquillas que se habían desprendido durante los últimos y agitados momentos, le caía como una cascada sobre los hombros. ¿Qué aspecto debía de ofrecer a los ojos de él?, se preguntó angustiada. Se sonrojó al pensar que sin duda ofrecía el aspecto de una mujer casquivana, pelandusca, una ramera.

Lo cual era en cierto aspecto, a tenor de la forma en que acababa de comportarse.

Pero Gabby se negó a pensar en eso. La última humillación sería permitir que él contemplara la magnitud de su bochorno.

Por consiguiente, respiró hondo y alzó el mentón.

—Supongo que estarás de acuerdo en que he cumplido el trato —dijo, ufanándose de la frialdad de su voz.

Y, sin más, dio media vuelta, atravesó con aire digno la puerta que comunicaba las dos alcobas, la cerró con llave tras ella y corrió a refugiarse en la fría soledad de su lecho.

25

Tal como lady Salcombe había predecido, al día siguiente fueron asediadas por visitantes, algunos de los cuales las habían visto en la ópera y otros simplemente sabían que se encontraban en Londres. Entre ellos había varios parientes, inclusive uno de los primos Hendred, familiares de Gabby, y varios Dysart, familiares de Claire. Entre los últimos parientes que se presentaron estaba lady Maud Banning, esposa del primo Thomas, con sus dos hijas, Desdémona y Thisby. Ésta había sido presentada con éxito en sociedad el año pasado y se había convertido en la honorable señora de Charles Fawley. A medida que Stivers anunciaba la llegada de los visitantes, Gabby, que se encontraba junto con Claire en la sala de estar charlando con los recién llegados, se levantaba para saludarlos.

—Lady Banning, la honorable señora de Charles Fawley y la señorita Banning.

Pese a la frialdad que hacía tiempo existía entre ambas familias, Gabby aceptó los besos de lady Maud y sus hijas con una sonrisa y ofreció presentarlas a los otros visitantes, a quienes por lo visto las Banning ya conocían. Tras unos momentos de conversación general, los primeros visitantes se marcharon y los que se quedaron se organizaron en dos grupos: Gabby y lady Maud, sentadas en unas butacas junto a los ventanales que daban a la plaza, y Claire, Desdémona y Thisby agrupadas en el sofá junto a la chimenea.

Al contemplar el trío de jóvenes, Gabby no pudo por menos de sentirse orgullosa. Lady Maud era una rubia de complexión menuda que años atrás había sido considerada una belleza. Sus hijas también eran rubias, una con el pelo del color del trigo y la otra de un rubio más claro, las cuales habían heredado la esbelta figura de su madre. Pero lamentablemente los rostros de ambas muchachas evocaban los rasgos del primo Thomas: tenían unos ojos azules un tanto bulbosos y unos mentones insignificantes. Desdémona, la más rubia de las dos, tenía cara redonda y, para colmo, una marcada propensión a las pecas, mientras que Thisby tenía una cara tan larga que casi parecía un caballo. Ninguna joven podía rivalizar con Claire. En aquellos momentos, sentada entre sus dos primas, su belleza morena resplandecía como un faro en una noche tormentosa.

—Confieso que no imaginé que tendrías tan buen aspecto —comentó lady Maud con su característica sequedad mientras observaba el vestido de crespón azul, elegante pero austero, que lucía Gabby. Comoquiera que el peluquero contratado por tía Augusta había llegado a primeras horas de la mañana, Gabby estaba convencida de que su rebelde cabellera (que el peluquero había cortado y recogido en un moño alto por considerar que era el peinado que más le favorecía) no daría a la esposa de su primo motivo de crítica.

—Gracias —respondió Gabby educadamente, aunque el tono empleado por lady Maud no indicaba que sus palabras fueran un cumplido. Mientras trataba de hallar un tema sobre el cual conversar con una persona que nunca había ocultado la antipatía que sentía por las hijas del difunto conde, Gabby observó a las jóvenes sentadas en el sofá—. El primo Thomas me contó que habías ido a visitar a los suegros de Thisby.

—Ah, sí, unas personas encantadoras. Charles, el marido de Thisby, percibe ocho mil libras al año, de modo que fue un matrimonio muy ventajoso pese a la ausencia de un título. No obstante, me propongo hallar un mejor partido para nuestra querida Mona. —La mirada complaciente que dirigió a su hija menor se ensombreció, según observó Gabby, al posarse sobre Claire.

—Felicito a Thisby por su buena fortuna —dijo Gabby—. Y estoy segura de que dentro de poco podré felicitar también a Desdémona.

—Seguro que sí. Tu hermana es muy guapa. Si no fuera tan morena (un tipo de belleza que por desgracia está pasado de moda) y el hecho de que sus parientes por el lado materno no son de alcurnia, estoy segura de que causaría sensación en la sociedad de Londres.

—No obstante confío en que lo logre —replicó Gabby restándole importancia, reconociendo al instante la envidia que denotaba su interlocutora pero negándose a responder a este tipo de velados insultos—. Por cierto, Desdémona está preciosa hoy.

Este último comentario no era mera cortesía. Mona presentaba mejor aspecto que la última vez que Gabby la había visto. Quizá, pensó con un ínfimo pero censurable sentimiento de malicia, lady Maud había aplicado una loción blanqueadora a las pecas de su hija, tal como Twindle, en su afán de embellecer a las jóvenes a su cargo, le había recomendado que hiciera.

Lady Maud parecía satisfecha.

—Yo también lo creo —dijo observando de nuevo a las tres muchachas sentadas en el sofá—. Me gusta ver a mis hijas vestidas con colores pálidos y unos diseños modestos, especialmente cuando acaban de ponerse de largo.

Aunque lady Maud pronunció esas palabras con su característica sonrisa lánguida, era otra pulla dirigida contra Claire, cuyo vestido de muselina color limón, ceñido y de estilo imperio, resultaba alegre y airoso como el sol comparado con los suaves tonos pastel de los vestidos de sus primas. Las pequeñas mangas afaroladas y pronunciado escote mostraban una generosa porción de la cremosa piel de Claire. Pero no más de lo que exigía el decoro ni más de lo que mostraban Desdémona y Thisby, aunque con un efecto más espectacular.

Gabby respondió con una frase deliberadamente amable y durante unos minutos ambas conversaron sobre temas neutrales. Luego, bajando la voz y esbozando una sonrisa confidencial, lady Maud dijo:

—Debo felicitarte por el afortunado cambio que se ha producido en vuestras circunstancias desde la última vez que nos vimos. Es magnífico que Wickham os haya dejado venir a Londres y poner de largo a Claire. Supongo que aún no se ha recuperado del todo. Nos llevamos una profunda impresión al saber que se había herido accidentalmente de un disparo. Como pariente nuestro que es (a fin de cuentas Thomas es el heredero de Wickham), le recomiendo que no sea tan torpe. —Lady Maud rió suavemente, como regocijada del ingenioso comentario que acababa de hacer—. Confío en que esté mejor.

—Sí —contestó Gabby, negándose a permitir que sus pensamientos se detuvieran en lo muy recuperado que estaba «Wickham». De hecho, se negaba a pensar en él—. Está mucho mejor, gracias.

—Debes de alegrarte de que el querido muchacho no haya heredado la tacañería del primo Matthew, cosa que te aseguro no se lo diría a nadie salvo a ti. Al parecer es todo lo contrario, a tenor de lo que he oído decir. Me han contado que Wickham va a organizar un baile para Claire y que Augusta Salcombe será la anfitriona del mismo.

—En efecto —respondió Gabby sonriendo, percibiendo detrás del tono incrédulo de lady Maud la envidia de una persona que tenía fama de ser tan tacaña, según había dicho ella misma, como el difunto conde. En sus palabras Gabby percibió también el verdadero propósito de la inesperada visita de lady Maud y sus hijas, que sin duda era conseguir una invitación al baile—. Si tía Augusta se encarga de organizarlo, será un baile maravilloso. Cuenta con recibir unas invitaciones.

—Por supuesto, jamás dudé que nos enviarías invitaciones. ¿Acaso no somos parientes? —repuso lady Maud dando un respingo—. Quedaría la mar de raro que no invitaras a tus primas al baile —añadió, y emitió una estridente risita. Luego miró de nuevo a sus hijas y dijo alzando la voz—: Tenemos que hacer otras visitas. Thisby, Mona, despedíos de vuestras primas con un beso y vámonos.

Cuando se marcharon, Claire miró a Gabby con aire de resignación.

—«Despedíos de vuestras primas con un beso» —dijo imitando el empalagoso tono de lady Maud con tanta gracia que Gabby se echó a reír—. Cuando estuvieron en Hawthorne Hall nos trataron como a leprosas, ¿te acuerdas? ¿Crees que piensa que nos hemos olvidado?

Gabby meneó la cabeza sin dejar de sonreír.

—Parecía ansiar hacerse amiga nuestra, ¿verdad? No nos conviene que la gente sepa que estamos enemistadas con ellas. Pese a lo mal que nos trataron hace años, no dejan de ser nuestras primas. No nos cuesta nada sonreír y ser amables con ellas.

—Tendré que morderme la lengua cada vez que se nos acerquen —comentó Claire con una mueca, tras lo cual se fue arriba para unirse al grupo de jovencitas que en aquellos momentos disfrutaban chismorreando con Beth en el antiguo cuarto de los niños.

A decir verdad, Claire habría preferido jugar y charlar con los visitantes más jóvenes que conversar con los adultos en la sala de estar, aunque se negara a confesarlo. Pese a sus dieciocho años, Claire seguía siendo una niña.

Gabby debía ir a buscar en su ropero algún vestido adecuado para lucir en una velada musical que iba a celebrarse en casa de una amiga de la tía Augusta, a la que Claire y ella habían sido invitadas aquella mañana mediante una nota entregada por un lacayo. No estaba acostumbrada a cambiarse de ropa media docena de veces al día, y el mero hecho de pensar en ello, y de tener que pasarse toda la velada conversando con las viejas amigas de su tía, la agobiaba. Así que decidió excursarse y dejar que Claire fuese sola.

Por supuesto, el hecho de no haber pegado casi ojo la noche anterior intensificaba su sensación de cansancio. Cada vez que había cerrado los ojos, había imaginado el rostro del falso Wickham. Y por más que lo había intentado, su cuerpo, abrasado de deseo, se había negado a conciliar el sueño. «Tienes una boca que invita a besarla.» ¡Dios santo! ¡Y eso era justamente lo que él había hecho!

«Eso no debe volver a ocurrir jamás», se dijo severamente. Y a fin de conseguirlo se proponía no acercarse de nuevo a aquel bribón.

Después de que Claire se hubo marchado, Gabby permaneció unos minutos en la sala de estar, examinando las tarjetas que habían recibido durante los últimos días.

Seguía en la sala de estar, de pie junto a la chimenea, sin posibilidad de ocultarse, cuando apareció el siguiente visitante precedido por Stivers.

—El duque de Trent desea verla, señorita Gabby —dijo Stivers con tono sepulcral.

Al oír ese nombre, que había confiado en no volver a echarse a la cara, Gabby sintió que se le encogía el corazón. Alzó la vista aterrorizada, para ordenar a Stivers que dijera al visitante que no se hallaba en casa, cuando vio a Trent, pegado a los talones de Stivers, dirigirse hacia ella.

La habitación empezó a girar y durante unos angustiosos momentos, al contemplar el rostro enjuto y grisáceo que la había atormentado durante años en sus pesadillas, Gabby temió desmayarse.

26

—Gabby —dijo Trent inclinando la cabeza mientras se acercaba a ella—. ¿O debo llamarte lady Gabriella, teniendo en cuenta que te has convertido en una dama de alcurnia?

A un gesto de Trent, Stivers hizo una reverencia y se retiró antes de que Gabby pudiera ordenarle que se quedara. Por supuesto, Stivers no se habría retirado de haber sabido... Pero lo único que sabía era que Trent había sido amigo del padre de Gabby, uno de los muchos por los que Stivers sentía una profunda antipatía. Al quedarse a solas en la sala de estar con un hombre al que había aborrecido y temido durante buena parte de su vida, Gabby se esforzó por conservar la compostura.

—Prefiero que no me llame de ninguna forma, señor —contestó con tono gélido, aferrándose a la dignidad que le quedaba antes de perderla por completo. La niña en su interior ansiaba echar a correr y ocultarse; la mujer en la que se había convertido esa niña se negaba a pestañear siquiera para no dar muestras de debilidad ante ese depredador—. Discúlpeme que le diga sin rodeos que me choca que se haya atrevido a presentarse en esta casa.

Trent emitió una carcajada y se aproximó a ella. Gabby observó, con la mirada desapasionada de quien se siente a salvo y fuera del alcance de un presunto agresor, a aquel hombre relativamente menudo, pocos centímetros más alto que ella. El escaso pelo que conservaba, antaño rubio y lustroso, era canoso, y tenía la cara surcada de arrugas y de un color que daba la impresión de que rara vez veía la luz del día. Tenía nariz aguileña y ojos hundidos, aunque todavía mostraba una mirada perspicaz. Con una mano sostenía el mismo bastón —ella estaba segura de que era el mismo— con la empuñadura de plata. Se preguntó si lo llevaba con algún fin premeditado.

—Me duele tu actitud, Gabby, te lo aseguro. ¿Acaso no somos viejos amigos? He venido a darte la bienvenida. Cuando os vi anoche a Claire y a ti en la ópera, sentí el imperioso deseo de renovar una de mis más deliciosas relaciones.

Por más que Gabby trató de mantener la compostura, sus rodillas empezaron a flaquear. Cambió de postura para apoyar el peso de su cuerpo sobre su pierna sana, temiendo que la pierna dañada la traicionara en unos momentos tan críticos. Le costaba respirar y de pronto, al crispar los puños, sintió las palmas sudorosas y frías. Pero se dijo con firmeza que las circunstancias eran ahora muy diferentes. Su padre había muerto. Trent no tenía ningún poder sobre ellos.

—No deseo recordarle a usted de ninguna forma. Haga el favor de marcharse y no vuelva a presentarse aquí.

Trent sonrió. Gabby recordaba esa sonrisa. En los delgados labios del duque se dibujó un rictus amargo, el cual confería a su fantasmagórico rostro el aspecto de una grotesca máscara mortuoria. Trent la miró fijamente y sin disimulo, con la expresión de un ave rapaz dispuesta a lanzarse sobre su presa.

—A propósito, enhorabuena. Te has convertido en una mujer muy atractiva, y no me refiero en el aspecto vulgar del término. En cuanto a Claire... es una joya extraordinaria que cualquier coleccionista se sentiría orgulloso de poseer.

Gabby no pudo evitar que de golpe todos los recuerdos se confabularan para provocarle un escalofrío que le recorrió la columna vertebral. Dio un pequeño paso hacia atrás. Sus ojos centelleaban.

Contempló a aquel hombre como hipnotizada, hasta el extremo de que no percibió unos pasos detrás de éste. Más difícil era no percatarse de la figura alta y atlética que apareció de pronto en la puerta de la sala de estar, deteniéndose en el umbral para contemplar la escena con ojos perspicaces.

—Wickham. —Gabby reparó en su presencia con ciega gratitud y le tendió la mano.

Wickham desvió la mirada de su rostro para fijarla en la del visitante, quien se había vuelto para observarlo a través de un anteojo que había alzado lánguidamente. La desenfadada actitud de Wickham se desvaneció al tiempo que se dirigía hacia Gabby.

—Preséntame —le ordenó con tono seco, pasando junto a Trent como si éste no existiera y tomando la mano de Gabby para pasarla por debajo de su brazo.

Ella acogió con agrado la calidez de sus dedos al contacto con lo suyos, que estaban helados. Los recios músculos de su brazo resultaban reconfortantes. Por un momento Wickham la miró con ceño. Al fijar la vista en aquellos ojos de color añil, Gabby sintió una inmensa sensación de alivio. Respiró hondo para tranquilizarse. La mera presencia de él le dio fuerzas. Pese a ser un canalla, un criminal y un vil seductor, sabía que los mantendría a salvo —a todos ellos— de Trent. Estaba absolutamente convencida.

Gabby enderezó la espalda y miró a Trent.

—No es necesario —dijo éste, avanzando y ofreciendo la mano a Wickham. La sonrisa rapaz había desaparecido, al igual que la mirada depredadora. Trent no era sino un anciano enjuto, elegantemente vestido, con un porte que denotaba su linaje y riqueza pero que no indicaba en modo alguno que representara una amenaza. Comparado con Wickham, cuyo cuerpo alto y musculoso rezumaba vigor, parecía enclenque, casi decrépito—. Soy Trent, un viejo amigo, muy viejo, de tu padre.

Wickham le estrechó la mano, manteniendo el brazo de Gabby enlazado en el suyo, y miró al visitante con expresión seria.

—Me temo que tuve escaso trato con mi padre.

Trent esbozó una breve sonrisa.

—Lo sé. Durante buena parte de nuestras vidas tu padre y yo fuimos prácticamente... amigos del alma.

Casi sin querer, Gabby asió con fuerza el brazo de Wickham. Éste la miró arrugando el ceño.

—El señor duque estaba a punto de marcharse —dijo Gabby con una voz alta y clara que apenas sonaba como la suya. No obstante, miró al duque con firmeza. Éste ya no podía lastimarla, y quería que él comprendiera que ella lo sabía.

—Así es —respondió Trent sonriendo de nuevo—. Adiós, Gabby. A sus órdenes, Wickham.

Tras estas palabras hizo una elegante reverencia y salió.

Al oír disiparse sus pasos, Gabby soltó el brazo de Wickham, se dirigió al sofá y se sentó. No podía remediarlo. Temía que sus piernas no la sostuvieran. Por más que trataba de convencerse de que ya no tenía nada que temer, no conseguía alejar de su mente sus viejos y terroríficos temores.

Wickham la siguió y se detuvo, cruzando los brazos y observándola con expresión pensativa. Gabby, que seguía afanándose en lograr que su cuerpo funcionara con normalidad, alzó los ojos, vio que estaba vestido con unas botas altas y relucientes, adornadas con borlas, un ceñido calzón de color crema que resaltaba los poderosos músculos de sus muslos y una elegante chaqueta azul, de impecable corte, que ponía de realce su atlética figura.

—¿Qué haces aquí? —le preguntó, satisfecha al comprobar que su voz sonaba casi normal.

—¿Quieres explicarme por qué ese hombre te aterroriza? —inquirió él, sin molestarse en responder a la retórica pregunta de Gabby.

Ella volvió a respirar hondo para calmarse. Aliviada por haberse librado de la presencia de Trent, se sentía mejor y un tanto avergonzada por haber reaccionado de forma tan intensa. A fin de cuentas, desde que su padre había muerto no tenía más que pedirle a Trent que se marchara.

—¿Qué te hace pensar que me aterroriza?

Él emitió una risita burlona.

—Para empezar, cuando entré en esta habitación parecías, por primera vez desde que nos conocemos, alegrarte de verme.

Gabby lo miró a los ojos.

—Es que, por primera vez desde que nos conocemos, me alegré de verte —confesó.

Él esbozó una breve e irónica sonrisa al tiempo que la observaba fijamente.

—Si sigues dándome coba, quizá se me suba a la cabeza.

Gabby se echó a reír y de pronto se sintió casi animada. Trent formaba parte del desagradable pasado y estaba decidida a no darle mayor importancia. Sólo podía turbarla si ella lo permitía. Había sido una tontería reaccionar como si fuera de nuevo una niña desvalida.

—¿Qué te trajo a la sala de estar en un momento tan oportuno? —preguntó con tono más jovial.

—Stivers me envió a rescatarte. Cuando bajé me lo encontré en el pasillo, estrujándose las manos de desesperación. Al verme, casi me suplicó que me reuniera contigo en la sala de estar. Naturalmente accedí, con el fin de averiguar el motivo.

Gabby le sonrió con gratitud.

—Gracias.

—¿Vas a decirme ahora por qué un viejo amigo de tu padre te aterroriza de esa manera?

Antes de que ella pudiera articular una respuesta, Stivers apareció en la puerta, anunciando su presencia con una discreta tosecita.

—Ha llegado su coche, señor.

—Gracias, Stivers. —Miró a Gabby y luego habló de nuevo a Stivers antes de que el mayordomo se retirara—. Trae también el abrigo y el sombrero de lady Gabriella.

—Sí, señor. —Stivers hizo una reverencia y salió al tiempo que Gabby se mostraba sorprendida.

—Por el aspecto que presentas, querida mía, necesitas respirar aire fresco más que yo —dijo él antes de que ella abriera la boca—. Te llevaré a dar un paseo en coche por Hyde Park, donde puedes exhibirte y saludar con aire condescendiente a todas tus amistades, mientras yo les demuestro a todos que aún estoy entre los vivos.

Gabby sonrió y dejó que él la ayudara a levantarse, aunque meneando la cabeza con gesto de desaprobación.

—Espera un momento. No deberías estar levantado, y menos aún conducir un coche. Convaleces de una herida de bala, ¿recuerdas?

—Ése es el motivo por el que voy a conducir un coche, no montar a caballo. Aún no estoy del todo restablecido, pero falta poco. Me sentará bien salir un rato de esta casa, créeme. Si no lo hago, me volveré loco.

—Sus cosas, señor, señorita Gabby —dijo Stivers apareciendo de nuevo.

Al cabo de unos minutos, después de atarse el sombrero debajo del mentón, de permitir que el lacayo Francis la ayudara a colocarse la capa de piel y de haberse enfundado los guantes, Gabby salió a la calle. Hacía una soleada tarde de primavera, sin una nube en el cielo. El aire, fresco y puro, estaba impregnado del aroma de las plantas. Gabby inspiró hondo, alegrándose de salir al aire libre. Sonriendo ante un jocoso comentario de Wickham, bajó con esmero los escalones de la entrada.

Junto a la acera aguardaba un reluciente coche negro tirado por una magnífica pareja de caballos rucios. Jem aguardaba junto a los caballos, acariciando el hocico del que tenía más cerca, murmurándole al oído mientras el animal movía las orejas hacia delante y atrás en respuesta a sus palabras. Al ver a Gabby, Jem la miró sorprendido y luego miró a Wickham con recelo.

—Hola, Jem.

Pese a sentirse ridículamente culpable bajo la mirada acusadora de su sirviente, Gabby asumió un aire de indiferencia. Jem respondió con una mueca silenciosa, que Gabby sabía que se debía a la presencia del hombre que la acompañaba.

—Señorita Gabby —El gesto de desaprobación de Jem se intensificó cuando ella subió al coche con ayuda de Wickham. Éste se sentó junto a ella y empuñó las riendas.

—Aléjate de las cabezas de los caballos —ordenó a Jem, tomando la fusta.

Jem obedeció, observándoles aún con aire disgustado. Luego, en el momento en que, a una orden de Wickham, los caballos rucios comenzaron a moverse, el sirviente trató de montarse en la parte posterior del vehículo.

—No te necesitaremos —dijo Wickham sin volver la cabeza.

Y partieron dejando a Jem plantado en medio de la calle, con los brazos en jarras, mirándoles con ceño.

—A tu mozo de cuadra no le caigo bien —comentó Wickham con una breve sonrisa.

Gabby observó con agrado que conducía muy bien, maniobrando el vehículo con destreza entre un carromato cargado hasta los topes y un birlocho que avanzaba traqueteando. Los caballos rucios, como todos los purasangre, se mostraban un tanto rebeldes y había que tratarlos con mano firme.

—¿Y eso te extraña? —contestó Gabby con una carcajada—. A mí tampoco me caes simpático. Me gustaría saber cómo lograste que Jem se ocupara de tus caballos cuando a mí me reprocha el estar confraternizando con el enemigo por el mero hecho de dar un paseo contigo.

—¿Qué quieres que te diga? A Jem le gustan los caballos más de lo que le disgusto yo. Según me ha informado Barnet, se ha ocupado de ellos como una madre de sus mellizos desde que llegaron de Tattersall.

—Deduzco que acabas de comprarlos. Al igual que este coche. —Gabby lo miró con ceño al recordar que era un canalla—. Por lo visto, no tienes escrúpulos en gastar el dinero de los demás.

Aquellas palabras no le hicieron perder su buen humor.

—Tanto como tú, querida. ¿O es que crees que no sé lo que has gastado en ropa? Challow lleva los libros de cuentas a la perfección, te lo aseguro. Y el dinero que estás gastando tampoco te pertenece a ti.

Dado que eso era absolutamente cierto, Gabby no pudo sino morderse el labio y desviar la mirada. De modo que Challow controlaba todos sus gastos. Sintió una creciente irritación, hasta que comprendió que Challow, al igual que todos los demás, creía que trataba con el auténtico conde de Wickham. Si el bribón que estaba sentado junto a ella hubiera sido realmente Marcus, a Gabby no le habría importado que supiera el dinero que había gastado.

El coche avanzó rápidamente a través de Mayfair y Gabby vio las puertas de Hyde Park. Una agradable brisa agitó la pluma de color azul pavo real que adornaba su sombrero, haciéndole cosquillas en la mejilla. Gabby la apartó, rozando su mejilla con la mano enguantada.

—No temas, el resultado es delicioso —añadió Wickham sonriendo al observar los esfuerzos de Gabby—. Ese sombrero te favorece mucho.

Ella le dirigió una mirada a un tiempo sorprendida y algo tímida. No esperaba de él esos cumplidos, los cuales sonaban a falsos.

—Estás tratando de congraciarte conmigo —dijo, irritada—. Sin duda con algún propósito en mente.

Él dejó de sonreír.

—Hagamos un trato... —dijo, pero Gabby lo miró con unos ojos tan desmesuradamente abiertos, que él no terminó la frase.

—Eso jamás —repuso ella casi sin querer, meneando la cabeza. Luego, al darse cuenta de que había mostrado su intensa turbación y tratando, sin duda demasiado tarde, de quitar hierro al asunto, trató de sonreír, desvió la vista y la fijó en sus manos, que tenía unidas sobre el regazo.

Por más que se esforzó, Gabby no pudo evitar sonrojarse hasta las cejas, puesto que las palabras de Wickham —seguramente no intencionadas— le hicieron recordar los bochornosos detalles de su encuentro la noche anterior. Gabby no los había olvidado, ni mucho menos. Lo cierto era que, hasta que apareció Trent, no creía que nada pudiera alejar esos pensamientos de su mente. Pero Trent lo había conseguido, y el disgusto que ello había producido a Gabby la había llevado a considerar a Wickham principalmente como un amigo y un protector. Ahora recordó que había estado sentada en sus rodillas, besándole; la forma en que había averiguado que su cínica boca sabía a brandy y a puros, y que su interior ardía; la forma en que había comprobado que él era capaz de convertirla en una mujer tan desvergonzada como cualquier ramera, lo bastante desvergonzada como para permitirle descubrir uno de sus pechos y chuparlo...

—Si te pones más colorada, tu pelo comenzará a arder.

Esta observación, pronunciada con tono lánguido, hizo que Gabby alzara la cabeza para mirarlo.

—Yo... tú...

Por primera vez perdió la compostura y la lengua se le trabó al tiempo que se esforzaba en decir algo inocuo. Cuando él clavó sus ojos en los suyos, se sintió tan mortificada que estuvo a punto de morirse de vergüenza.

27

—No seas tonta, Gabriella —dijo él ásperamente—. Eres una tonta por sonrojarte de vergüenza. No hiciste nada por lo que debas avergonzarte. A fin de cuentas, no fue más que un beso.

Pero Gabby no pudo remediarlo. Por más que trató de borrarlo de su mente, lo único que vio fue a Wickham succionándole el pecho. Al recordarlo, sintió un sofoco tan intenso que tuvo la impresión de que su pelo iba realmente a arder. Apretó sus manos enguantadas contra sus mejillas y cerró los ojos.

—Te ruego que no hablemos de eso —dijo con voz entrecortada.

Él se rió, y al oírlo Gabby abrió los ojos y le miró indignada.

—Líbreme Dios de avergonzar a una dama. Pero besar a alguien es perfectamente normal. Y muy divertido.

—¡Divertido! —exclamó Gabby sin poder reprimirse.

Él la observó pícaramente.

—Si no lo pensaras, tendría que esmerarme en perfeccionar mi técnica. Vamos, Gabriella, confiésalo: gozaste besándome. Gozaste cuando te besé...

—Si dices una palabra más saltaré del vehículo, te lo juro —contestó ella asiendo la portezuela con una mano y fulminándolo con la mirada.

—De acuerdo, me callaré —accedió él inesperadamente.

A Gabby le extrañó su repentina amabilidad, hasta que vio que se hallaban a la entrada del parque. Dedujo que él quería ofrecerle la oportunidad de recobrar la compostura antes de que se toparan con alguna persona conocida. Contemplando el prado que se extendía ante ellos cuando atravesaron la puerta, Gabby confió en que la perfumada brisa consiguiera refrescar cuanto antes sus mejillas.

—Tu rostro presenta ahora un encantador matiz sonrosado —comentó él para darle ánimos.

—No te burles de mí —replicó ella mirándole irritada.

El muy bribón se rió.

En el parque había otros vehículos, incluyendo varios faetones y algunas calesas. También había varios jinetes, trotando por los senderos que discurrían junto a la calzada. De vez en cuando, Wickham se tocaba el ala del sombrero al encontrarse con algún conocido, mientras Gabby saludaba con la mano. Pero Wickham no se detuvo, aunque varias personas les indicaron en voz alta que lo hicieran. Por fin, después de fustigar los caballos y alejarse del denso tráfico, él le dijo:

—No me has dicho por qué temes a Trent.

Gabby pensaba que se había olvidado de ese tema. Pero estaba equivocada. Empezaba a sospechar que ese hombre no olvidaba nunca nada. Dudó en contarle esa historia. Era demasiado sórdida y un recuerdo demasiado angustioso.

—Es un hombre muy desagradable —respondió al fin con voz entrecortada—. Cuando nosotras éramos jovencitas venía a menudo a visitar a mi padre, luego sus visitas se espaciaron pero siguió acudiendo periódicamente hasta la muerte de mi padre. La última vez que lo vi fue con motivo del funeral. A partir de entonces le prohibí la entrada en nuestra casa. Los sirvientes apoyaron mi decisión y no volvió a presentarse. Hasta hoy.

—Pero eso no explica por qué le tienes miedo —observó Wickham, tirando ligeramente de las riendas para adelantar una calesa que circulaba lentamente. Cuando el coche adquirió más velocidad, el viento agitó la doble capa de su gabán de color tostado.

—Es uno de los pocos seres humanos que existen en este mundo del que me atrevo a afirmar que es auténticamente malvado. —Gabby empezó a sentir el escalofrío que se apoderaba de ella cada vez que pensaba en Trent. Meneó la cabeza, indicando con un gesto que no deseaba seguir hablando del asunto. Con el fin de cambiar de tema, dijo sin rodeos—: Si se trata de contar la historia de nuestra vida, ahora te toca a ti. Podrías empezar diciéndome tu verdadero nombre.

—Ah, pero si te lo dijera me expongo a que se lo reveles a alguien y me descubras —contestó él esbozando una seductora sonrisa—. De momento, confórmate con Wickham. Personalmente, me estoy aficionando a ese nombre. Debo reconocer que asumir la identidad de un ilustre conde ofrece muchas ventajas.

—Especialmente cuando uno es un oportunista sin escrúpulos —murmuró Gabby secamente, pero se resignó a llamarlo Wickham.

Él la miró con una ancha sonrisa.

—No te sulfures. No conozco a muchas mujeres con el valor de plantarle cara al destino como haces tú. Es uno de los rasgos que más admiro en ti.

Antes de que Gabby pudiera responder, vio a una dama de imponente aspecto montada en un anticuado carruaje, que les saludó enérgicamente con la mano cuando se acercaron.

—Vaya por Dios —dijo—. Es tía Augusta, y nos está saludando. Tendrás que detenerte.

Él obedeció, parándose junto al carruaje y respondiendo con extraordinario encanto cuando Gabby le presentó a lady Salcombe y a su amiga, una tal señora Dalrymple. Después de regañar a Wickham por no haber ido a visitar a su tía a poco de llegar a Londres, Augusta agregó con tono más conciliador:

—En cualquier caso, he de reconocer que posees modales.

A continuación, la conversación giró en torno a los planes para el próximo baile, tema sobre el que siguieron charlando hasta que Wickham, alegando que estorbaban el paso de otros coches, reanudó el paseo.

A partir de entonces, tuvieron que pararse en varias ocasiones. Al cabo de unos minutos lady Jersey, acompañada por la señora Brooke, les indicó que se detuvieran, observando a Wickham con interés mientras le exigía que le relatara la historia de su accidente. Cuando él se la hubo relatado, escuetamente pero con una ironía que provocó alegres carcajadas por parte de sus interlocutoras, lady Jersey le contó la historia de un contratiempo similar que había sufrido en cierta ocasión el tío de la madre de Silence. Al despedirse, lady Jersey prometió a Gabby enviarle unos vales para cenar en Almack's.

—Forman una pareja encantadora, ¿no crees? —comentó lady Jersey a su amiga mientras se alejaban—. Y la hermana menor... es un diamante en bruto. Son las sobrinas y el sobrino de Augusta Salcombe, de modo que no hay nada que objetar al respecto.

—A Claire le sobrarán los pretendientes —observó Gabby, recostándose en el asiento y sonriendo cuando el coche se incorporó a la hilera de vehículos que se dirigían hacia la salida del parque.

—¿Y tú? ¿No te seduce la perspectiva de participar en el mercado del matrimonio? —inquirió Wickham con curiosidad.

Gabby se rió. Wickham tenía razón, se dijo, aquel paseo era justamente el tónico que ella necesitaba. La visita de Trent comenzaba a quedar relegada a un rincón de su mente específicamente reservado a los recuerdos desagradables. Y Wickham —aunque Gabby no olvidaba los detalles menos gratos de su persona— parecía ahora más un aliado que un adversario.

—Tía Augusta me ha informado de que a lo máximo que puedo aspirar en materia de felicidad conyugal es a casarme con un viudo con hijos —explicó Gabby con una divertida mueca que hizo sonreír a Wickham—. Y a tenor de lo que no dijo, deduje que se refería a un viudo muy anciano cargado de hijos. En tal caso, comprenderás por qué no me seduce la idea de ofrecerme en el mercado del matrimonio. Sé que no soy ninguna jovencita. Mi única misión es hacer de carabina de Claire.

—De modo que te consideras un vejestorio —comentó Wickham con tono burlón—. Pues yo te supero en ocho años.

Ella le miró arqueando las cejas.

—¿O sea que tienes treinta y tres años? Otro dato que añadir a mi caudal de información sobre ti. Un capitán de no sé qué, de treinta y tres años, amigo de mi hermano. Si me facilitas más datos, quizá pueda imitar a la reina del cuento de *Rumpelstiltskin* y adivinar tu nombre.

Sea cual fuere la respuesta que le ofreció Wickham, sus palabras quedaron sofocadas cuando dos personas montadas a caballo que acababan de salir de un sendero junto a la puerta del parque, les indicaron que se detuvieran. La sonrisa de Gabby se disipó al comprobar que la amazona ataviada con un elegante traje de montar era lady Ware. Achicando los ojos sin querer, se esforzó en cambiar unas frases intrascendentes con el acompañante de la dama, lord Henderson, observando al mismo tiempo por el rabillo del ojo a Wickham llevarse la mano de su enamorada a los labios, besársela durante un instante más de lo decoroso y retenerla entre las suyas mientras conversaban en voz tan baja que no consiguió captar una palabra. Con todo, no era necesario oír lo que decían para darse cuenta de la intimidad que existía entre ambos. Si Wickham hubiera besado a lady Ware en los labios en medio de la vía pública, pensó Gabby asqueada, no habría manifestado con más claridad que eran amantes.

Al recordar el comentario que Wickham había hecho, de que besar era divertido, sintió náuseas.

Menos mal que había recordado a tiempo que ese hombre era un experto estafador, pensó Gabby cuando los cuatro se despidieron y el coche atravesó velozmente la salida del parque. Si había estado a punto de dejarse seducir por el encanto y la apostura de Wickham, él mismo la había hecho reaccionar a tiempo. No volvería a sucumbir a su hechizo.

—Estás muy callada —observó Wickham al cabo de unos minutos, sorteando hábilmente el tráfico mientras ella miraba fijamente al frente.

—Es que tengo jaqueca —respondió Gabby sonriendo con gesto mecánico.

Wickham la observó.

—Una jaqueca muy repentina.

—Es lo que suele ocurrir con las jaquecas —contestó Gabby encogiéndose de hombros.

—Si fuera un engreído, observaría que se ha producido inmediatamente después de despedirnos de lady Ware y su amigo.

Turbada por su perspicaz comentario, Gabby recobró rápidamente la compostura y le miró con arrogancia.

—El mero hecho de que se te haya ocurrido semejante idea demuestra que eres un engreído.

Wickham la miró sonriendo, como si esa respuesta eliminara toda duda.

—Reconócelo, Gabriella, estás celosa.

—Estás loco.

—Belinda es una amiga.

Sin poder contenerse, Gabby soltó una despectiva carcajada en respuesta a una mentira tan descarada.

—El término zorra sería más adecuado.

—Vamos, Gabriella, no debes decir esas cosas. Me escandalizas, querida. —La miró con expresión burlona.

—Ten al menos la decencia de no coquetear con tu amante en mi presencia. Comprendo que desconozcas los detalles que demuestran la educación que ha recibido una persona, pero un caballero jamás se comería con los ojos a una mujer en presencia de su hermana, que es lo que se supone que soy.

—No me comía con los ojos a Belinda —protestó Wickham sin mucha convicción.

Gabby emitió una risita. En aquel momento llegaron a Grosvenor Square y Wickham tiró de las riendas para aminorar el paso.

—Llámalo como quieras, pero te ruego que no vuelvas a hacerlo en público. Estoy empeñada en impedir que el escándalo empañe el nombre de nuestra familia hasta haber casado a Claire.

—¿Sabes que eres una mujer muy calculadora, Gabriella? —La miró con expresión risueña.

Al percatarse de que Wickham gozaba con el justificado enojo que su conducta le había provocado, Gabby lo miró indignada en el momento en que él detuvo el coche frente a la casa.

—¡Y tú, señor mío, eres la viva imagen de un canalla insolente y vulgar del que si pudiera me libraría en un abrir y cerrar de ojos!

Gabby deseó con cada fibra de su ser saltar del coche y alejarse apresuradamente. Pero debido a su pierna mala, tenía que esperar a que él la ayudara a apearse.

Mientras Wickham sujetaba los caballos y se apeaba del carruaje, Gabby se levantó, rabiosa y en silencio, y se acercó a la portezuela, dispuesta a tomarle la mano. Pero en lugar de ofrecérsela, como habría hecho hasta el más ignorante patán, y delante de Francis, que se hallaba junto a la puerta abierta, y de cualquier otro sirviente o transeúnte que en ese momento pasara por allí y contemplara la escena, Wickham la tomó por la cintura con ambas manos y la depositó en la acera.

Cuando Gabby aterrizó en el suelo, estaba temblando de ira.

—No, no lo harías —dijo Wickham suavemente, observándola con aire risueño—. Te gusto demasiado.

Luego la soltó. Con ojos centelleantes, Gabby apretó los labios, consciente de que no podía insultarle como se merecía delante de terceras personas. Con majestuosa dignidad, dio media vuelta y subió con paso airado los escalones de la entrada.

Para colmo, Jem la esperaba con impaciencia. No bien hubo Francis cerrado la puerta tras ella, Jem apareció, observándola ansioso, a punto de hacer algún comentario de reproche.

Gabby le fulminó con la mirada antes de que el sirviente pudiera despegar los labios.

—Ni una palabra —le espetó. El hecho de que pronunciara su advertencia en voz baja no le restó ferocidad.

Al contemplar su expresión, Jem decidió guardar un prudente silencio. Gabby le dirigió otra mirada fulminante y, tras despojarse de los guantes con movimientos bruscos, subió la escalera para organizar la cena.

Aquella noche, al oír unos golpecitos en la puerta que comunicaba ampos aposentos, a Gabby no la pilló desprevenida. Acababa de acostarse y dedujo que Wickham la había oído despedir a su doncella. Furiosa, miró la puerta, cruzando los brazos y jurándose que antes de que ella le abriera la puerta una ola de frío polar azotaría el lugar de nacimiento de Wickham.

28

—¿Cómo te atreves a irrumpir en mi alcoba sin pedir siquiera permiso? —inquirió Gabby, incorporándose en la cama y tapándose hasta el pecho con la sábana.

A instancias del peluquero, quien opinaba que dormir con horquillas debilitaba su fino cabello, Gabby se lo había peinado en una gruesa trenza que le colgaba a la espalda. Llevaba un camisón de delicado lino blanco con mangas largas y un volante en torno al cuello. Sabía que presentaba una expresión furiosa, con los ojos relampagueantes y la mandíbula crispada.

Wickham sonrió burlonamente. Iluminado sólo por el resplandor del fuego, vestido con su bata de color rojo oscuro y un camisón que dejaba sus pantorrillas y pies al descubierto, parecía más alto y corpulento de lo habitual, y peligrosamente atractivo. Hacía tan sólo unos días, pensó Gabby, se habría sentido amenazada por su mera presencia. Pero, según comprobó, ya no se sentía amenazada por él, sino furiosa, irritada como una gata en una habitación llena de mecedoras, y dispuesta, no, deseosa de asestarle una bofetada.

—Supuse que echarías en falta tu libro —dijo Wickham sosteniendo en alto *Marmion* mientras se acercaba a la cama.

Gabby se sonrojó al recordar las precisas circunstancias en que había dejado olvidado el libro.

—Dámelo y dame la llave. Y no vuelvas a entrar jamás en mi habitación sin pedir permiso.

—Tu actitud me hiere, Gabriella. Creí que me agradecerías el que te devolviera el libro.

Wickham, el muy animal, se estaba riendo de ella. Cuando se aproximó a la cama, Gabby le miró con cara de pocos amigos y le arrebató bruscamente el libro de las manos.

—Muy bien. Ya has cumplido con tu misión, de modo que dame la llave y vete.

—Peinada así pareces una jovencita de quince años, la edad de Beth —comentó él sonriendo con expresión burlona.

—Sal de mi habitación.

—¿O gritarás?

Qué hombre tan exasperante. Sabía perfectamente que ella no haría eso.

—O pediré a Mary que en el futuro comparta mi habitación —respondió con dignidad.

—¿No me das al menos las gracias por haberte devuelto el libro? —repuso arqueando las cejas.

—¡No!

—Entonces tendré que cobrarme uno.

Antes de que Gabby comprendiera lo que se proponía hacer, él se inclinó sobre ella y, apoyando una mano en su nuca, depositó un rápido y ardiente beso en sus labios.

Gabby se quedó estupefacta. Wickham deslizó la lengua dentro de su boca y por unos instantes Gabby se sintió como hipnotizada, pero la imagen de lady Ware estaba aún fresca en su memoria. No consentiría que él la manipulara.

Perdiendo los estribos, apartó cara y le asestó un contundente bofetón en la mandíbula.

—¡Ay! —exclamó Wickham apartándose de un salto y frotándose la mandíbula, pero no parecía enojado. Antes bien, sonreía de gozo—. Eres una mujer muy violenta, Gabriella —observó con tono de censura.

—Sal de mi habitación. —Olvidando de cubrirse con la sábana, Gabby se incorporó de rodillas, dispuesta a asestarle otro puñetazo. Wickham se retiró, riendo.

—Menudo genio.

Ella emitió un bufido, recordó que sostenía el libro en la mano y se lo arrojó. Wickham abrió los ojos como platos y logró esquivarlo a tiempo. El libro pasó volando sobre su hombro y fue a dar contra la pared.

—Y pensar que siempre me enseñaron que el rasgo distintivo de una dama era su amabilidad, su dulzura y su bondad —dijo chasqueando la lengua.

Furiosa, Gabby echó un vistazo a la mesilla y agarró el objeto que tenía más a mano: un corta mechas de metal. Después de arrojárselo, cogió un cepillo de pelo y se lo lanzó también. Wickham retrocedió ante aquel ataque furibundo, protegiéndose la cabeza con una mano y riendo.

Ella saltó de la cama y agarró un reloj de cristal, dispuesta a perseguirle. Pero no fue necesario. Wickham corrió a refugiarse en el vestidor.

—Dulces sueños, mi feroz chinche —dijo.

Mientras Gabby rechinaba los dientes, corriendo tras aquel sinvergüenza para partirle el cráneo, oyó cerrarse la puerta que comunicaba ambos aposentos. Luego, al alcanzar el vestidor, oyó girar la llave en la cerradura.

El muy cobarde le había cerrado la puerta en las narices.

Gabby regresó por fin a la cama, echando chispas, tras haber encajado el respaldo de una silla bajo el pomo de la puerta.

Las dos semanas siguientes transcurrieron en una vorágine de actividad. La temporada se hallaba en su apogeo y las Banning no tardaron en amoldarse a su frenético ritmo. Hubo fiestas, bailes, cenas, desayunos, teatro y paseos por el parque, visitas que hacer y que devolver. Claire y Beth no tardaron en formar su propio grupo de amigas, compuesto por señoritas solteras de mentalidad y edad similares a las suyas. Gabby trabó amistad con varias amables y simpáticas damas, pero comprobó que a menudo se sentía desplazada en las reuniones de mujeres. Era demasiado mayor para integrarse en el grupo de jóvenes solteras, pero las jóvenes matronas que eran sus coetáneas hablaban inevitablemente de sus maridos y niños, un tema que Gabby no dominaba. Había adquirido un pretendiente muy respetable —un viudo con hijos, un detalle que no dejaba de ser divertido, el cual se mostraba muy afectuoso con ella—, y, aún más importante, Claire había causado sensación. Cada tarde su sala de estar aparecía abarrotada de caballeros solteros pugnando por sentarse en el sofá junto a la Belleza. Claire recibía tantos ramos de flores y demás pequeños detalles en señal de admiración, que Gabby, no sin cierto orgullo, se vio obligada a desechar un gran número de ellos. Los preparativos para el baile, que iban a celebrar el 15 de mayo, proseguían a buen ritmo. Por lo demás, tras recibir los vales para cenar en Almack's que les habían prometido, las hermanas se dispusieron a preparar la primera aparición de Claire en el restaurante. Dichos preparativos comprendían subsanar una tremenda laguna en la educación de Claire: aunque sabía desenvolverse en bailes campestres con relativa destreza, gracias a los buenos oficios de Twindle y reuniones a las que había asistido en York, nadie le había enseñado a bailar el vals. Twindle, tras abandonar el elegante mundo londinense para trasladarse con la madre de Claire a Hawthorne Hall, no había tenido oportunidad de aprender ese baile, por lo que no había podido enseñárselo a sus pupilas.

—Por supuesto, no puedes bailar el vals hasta que las patrocinadoras te lo autoricen —le advirtió tía Augusta al enterarse de la terrible omisión—. Pero cuando una de ellas (por ejemplo lady Jersey o la señora Drummond-Burrell) te presente a un agradable caballero para que bailes con él, el hecho de no poder aceptar por no saber bailar el vals sería exponerte a que te tachen de aldeana. Te aseguro que nada podía ser peor. De modo que es preciso contratar de inmediato a un profesor de baile.

Así pues, a primeras horas de la tarde del día anterior al emocionante debut de Claire en el ilustre restaurante reservado para socios, Gabby, Claire, Beth, Twindle y el señor Griffin, el joven y humilde profesor de baile que, al cabo de cuatro visitas, empezaba a mostrar alarmantes signos de haberse enamorado de Claire, se hallaban reunidos en el espacioso salón de baile ubicado al fondo de la casa, practicando el vals.

Twindle, sentada al piano, interpretaba la alegre melodía cuya partitura le había proporcionado el señor Griffin. Claire, bajo la atenta mirada de Griffin, bailaba con Beth, quien se veía obligada, muy a su pesar, a desempeñar el papel del caballero. Gabby se encontraba junto a la puerta, aplaudiendo los airosos giros que sus hermanas describían por la habitación, interrumpidos sólo cuando Claire olvidaba que quien marcaba la pauta era Beth, o cuando ésta la pisaba sin querer. El señor Griffin, que observaba sus evoluciones con la mirada de un experto, ignorando con admirable tacto las amenazas proferidas en voz baja que volaban entre ambas hermanas como proyectiles en una guerra, se movía al ritmo de ellas, haciendo comentarios críticos o elogiosos según lo considerara necesario.

La música era preciosa, una melodía mágica y cautivadora, y Gabby empezó a mecerse al ritmo de la misma casi sin darse cuenta. Sólo reparó en ello cuando, entre sorprendida y consternada, oyó a Wickham preguntarle al oído:

—¿Cómo? ¿No tienes pareja de baile, Gabriella?

Asombrada, se volvió. Wickham estaba a su espalda, tras haber entrado por la puerta sin que ella se percatara. Gabby sólo le había visto un par de veces desde que le había echado de su alcoba. Ella casi nunca estaba en casa, y él por lo visto tampoco. En cualquier caso, Gabby regresaba de madrugada, pero no podía afirmar si él lo hacía también. Lo cierto era que por las noches no oía nada en la alcoba de Wickham, aunque a veces, por más que le costara reconocerlo, al acostarse aguzaba el oído para percibir algún sonido. Incluso había dejado de encajar la silla debajo del pomo de la puerta, pues era evidente que él ya no se proponía irrumpir en su dormitorio. Quizá, pensó malhumorada, en lugar de pasar las noches acostado en su lecho las pasaba con lady Ware.

En aquel momento Wickham la miró sonriendo, como si hubiera adivinado sus pensamientos, y la expresión burlona de aquella sonrisa irritó a Gabby incluso más que sus conjeturas sobre él y su amante.

«Sinvergüenza», pensó Gabby, fulminándolo con una mirada despectiva.

Wickham llevaba el pelo, negro como ala de cuervo, corto y peinado hacia atrás, según el estilo reinante. Se había afeitado y la pronunciada línea de su mandíbula contrastaba con la curva de su boca. Lucía una chaqueta verde botella que le sentaba perfectamente, realzando su musculosa espalda, una camisa de lino blanca como la nieve, un calzón ceñido de color crema y unas lustrosas botas adornadas con borlas. Si no era un ilustre conde —y lo no era— lo parecía, mucho más que la mayoría de nobles que conocía Gabby.

Gabby reparó en todos esos detalles de pasada, deseando no haberlo hecho. Le dio la espalda, alzó el mentón y fingió no hacerle caso, aunque por supuesto eso era imposible, según comprobó muy a su pesar.

—Me ofrezco encantado a contribuir con una causa tan noble —dijo Wickham fijando en ella sus ojos azules y risueños.

—Gracias —respondió Gabby secamente, mirándole con frialdad antes de desviar de nuevo la mirada—. Pero no bailo.

29

—Tonterías —dijo él tomándola en sus brazos.

Gabby dio un traspié y durante unos momentos se apoyó contra el pecho de Wickham. Alzó la vista y le miró indignada, a lo que él respondió con una pícara sonrisa.

—Soy coja —farfulló Gabby, resistiéndose. Furiosa con Wickham por haberla obligado a confesar por segunda vez su defecto, humillada por tener que revelarlo públicamente, apoyó ambas manos contra su pecho para obligarle a soltarla. Pero fue inútil; Wickham la sostuvo con fuerza.

—No dejaré que te caigas —le prometió. Luego la enlazó con un brazo por su esbelta cintura, agarró su mano con fuerza y empezó a moverse al ritmo de la música, lentamente, contando los pasos en voz baja para ayudarla.

Para no hacer una escena —cosa que quería evitar en presencia de sus hermanas y el resto de asistentes—, Gabby no tuvo más remedio que dejarse llevar. Lo cual hizo con aire digno y las mejillas teñidas de rubor. Sus ojos relampagueaban por verse obligada a bailar contra su voluntad y mantenía los labios apretados debido al esfuerzo que le representaba disimular su cojera.

Gabby deseaba evitar por todos los medios aparecer torpe frente a Wickham, frente a los demás.

—Parece como si te dispusieras a propinarme otro bofetón —murmuró él con tono de guasa—. Recuerda que nos observan, y sonríe.

Al echar una rápida ojeada alrededor, Gabby comprobó que los otros los contemplaban con cierta curiosidad. Recordando que se suponía que Wickham era su hermano, por el que naturalmente sentía cariño, esbozó una sonrisa forzada al tiempo que le fulminaba con la mirada.

—Buena chica —comentó Wickham con aquella sonrisa tan irritante, ignorando la mirada asesina de Gabby y girando con ella por la habitación.

Aferrándose al hombro de Wickham para no perder el equilibrio, sintió cómo su amplia falda se ahuecaba mientras trataba de seguirle. Comprobó que si apoyaba sólo la punta del pie de su pierna mala, podía ejecutar los pasos de baile sin demasiados problemas. Nunca lograría moverse con la gracia de Claire, pero al menos no se caería de bruces.

—¿Siempre te empeñas en salirte con la tuya, prescindiendo de los deseos de los demás? —preguntó a Wickham en voz baja, sin dejar de sonreír forzadamente.

—Sólo cuando creo que es necesario salirme con la mía —respondió él con expresión risueña.

Gabby dio un respingo.

—Déspota —le espetó.

—Fierecilla —contestó él sonriendo.

—Me asombra que nadie te haya asesinado. Me siento tentada a intentarlo de nuevo.

—No olvides sonreír.

Wickham hizo otro giro en respuesta a la floritura de la melodía y Gabby vio la imagen de ambos reflejada en los grandes espejos que adornaban las paredes. Pestañeó extrañada al comprobar que formaban una magnífica pareja. Aunque Wickham fuera un canalla y un patán carente de modales, no dejaba de ser alto, moreno y musculoso. En materia de belleza física, ella era una modesta vela comparada con el deslumbrante resplandor que emanaba él, pero en sus brazos ofrecía una figura esbelta, pálida y delicada, y ataviada con su vaporoso vestido de muselina verde musgo y peinada con un moño en la coronilla que la favorecía mucho, se sentía casi una belleza.

Por primera vez en su vida, comprendió Gabby con asombro.

Y eso no era todo. Estaba bailando —no sin esfuerzo, pero bailaba—, cuando había creído que jamás podría hacerlo. Era consciente de que cojeaba ligeramente, pero, sabiendo que Wickham no dejaría que se cayera, fue recuperando la confianza al tiempo que evolucionaba por el salón.

—¿Lo ves? Has bailado —dijo él cuando la música cesó y ellos también se detuvieron—. Y muy bien.

Claire y Beth se acercaron, riendo y aplaudiendo, y Twindle, sentada al piano, miró a Gabby aplaudiendo también y sonriendo. El pobre señor Griffin, que no tenía remota idea de que estaba presenciando un importante momento familiar, sonrió tímidamente imitando a los demás. Por supuesto, sus hermanas y Twindle sabían que Gabby jamás había bailado, y conocían el motivo. Nunca se habían parado a pensar en ello, ni se habían preguntado si Gabby sería capaz de hacerlo o si lo deseaba. Se trataba simplemente de un hecho. Pero después de verla evolucionar en los brazos de Wickham, sonriente y con las mejillas arreboladas, se alegraron por ella y la felicitaron por su hazaña.

—Ha sido maravilloso —dijo Gabby a Wickham en voz alta para que los demás la oyeran, cuando él la soltó.

—Para eso estamos los hermanos —contestó él con cara seria excepto por la expresión risueña de sus ojos.

Gabby respondió a su expresión risueña con una mirada furibunda, tras lo cual se puso a charlar con sus hermanas.

—Ya que estás aquí, puedes hacer de pareja de Claire —propuso Beth a Wickham mirándole esperanzada—. Estoy cansada de que me pise continuamente.

—No te he pisado —replicó Claire con un tono tan indignado como la mirada que dirigió a Beth. Luego apoyó una mano en el brazo de Wickham y le sonrió seductoramente.

Al observar la escena, Gabby sintió envidia, lo cual le sorprendió. Claire era tan hermosa que cualquier hombre se enamoraría de ella. Ella y Wickham formaban una pareja ideal. Gabby comprendió desconcertada que era la primera vez en su vida que sentía celos de Claire.

—Me gustaría que bailaras conmigo —dijo Claire a Wickham con un tono encantadoramente quejumbroso—. El señor Griffin no puede hacerme de pareja porque tiene que observar mis pasos, y lo cierto es que Beth no deja de pisarme. Además, para mí es muy humillante tener que bailar con mi hermana.

—Bailar con tu hermano tampoco ha de ser muy satisfactorio —contestó Wickham sin compadecerse de ella—. En cualquier caso, debes disculparme, pues debo acudir a una cita y no quiero retrasarme.

Gabby no se dio cuenta de que había aguardado la respuesta de Wickham conteniendo el aliento. Lo exhaló lentamente una vez éste se hubo marchado.

Aquella noche asistieron a una cena en casa de lord y lady Ashley, seguida por un baile del que las hermanas Banning no regresaron hasta casi las dos de la madrugada. Gabby, a pesar de su experiencia con Wickham, conversó con las carabinas o paseó por los salones del brazo del señor Jamison, su respetable pretendiente. Como de costumbre, no bailó, pero Claire sólo se abstuvo de bailar los valses. Incluso cuando permaneció sentada, Claire tenía a una corte de admiradores arracimados en torno a ella, rivalizando por ofrecerle un helado o una limonada, lo cual hizo que las muchachas menos favorecidas y sus madres la observaran con antipatía. Cuando el cochero de tía Augusta las depositó a la puerta de su casa, Claire emitió un sonoro bostezo cubriéndose la boca con la mano y subió inmediatamente a acostarse. Gabby, percatándose de que Wickham, a quien no veía desde que se marchara después de bailar con ella, aún no había regresado, ya que quedaba una tercera vela, subió la escalera más despacio. Después de que Mary la ayudó a acostarse, permaneció en vela largo rato, cansada pero incapaz de conciliar el sueño.

Al cabo de un rato Gabby se dio cuenta de que estaba pendiente de oír a Wickham entrar en casa. No le oyó regresar, y al fin el cansancio pudo más que su curiosidad y se quedó dormida.

Al despertarse a la mañana siguiente, con los ojos hinchados, comprendió que aquel condenado impostor había turbado sus sueños.

No volvió a verlo hasta última hora de la tarde. Al regresar de una agradable visita al bazar del Panteón, donde Beth, Twindle y ella habían adquirido diversos objetos a cuál más curioso, Gabby fue recibida en la entrada por Stivers, quien le comunicó que el señor conde deseaba hablar con ella en su estudio cuando a ella le pareciera oportuno. Gabby estaba sola, pues Beth y Twindle habían ido a Green Park para reanudar aquel paseo que había quedado interrumpido al torcerse Twindle el tobillo, un accidente del que ya se había repuesto. Arqueando las cejas, Gabby entregó sus paquetes a Stivers y se quitó los guantes y la capa de piel antes de ir a reunirse con el «señor conde». Era la primera vez que Wickham encargaba al sirviente que le dijera que deseaba hablar con ella, una circunstancia que suscitó en Gabby una mezcla de curiosidad y temor.

La puerta del estudio estaba cerrada. Gabby llamó, y Wickham la invitó a entrar. Estaba sentado detrás del amplio escritorio, frente a la ventana, fumando un puro. Al parecer había estado examinando unos papeles que estaban diseminados sobre el escritorio. Al verla, se levantó, pero Gabby comprobó sorprendida y alarmada que tenía el ceño fruncido.

—¿Ocurre algo malo? —preguntó bruscamente.

Wickham le indicó que cerrara la puerta. Gabby obedeció, sintiendo que el corazón empezaba a latirle aceleradamente.

—Siéntate —dijo Wickham cuando ella le miró con expresión inquisitiva. Se había quitado la chaqueta y lucía un atuendo informal, en mangas de camisa y con un chaleco de color dorado, ofreciendo un aspecto capaz de seducir a cualquier mujer. Pero Gabby estaba demasiado preocupada por la expresión de su rostro para reparar en esos detalles.

—Te han descubierto —exclamó Gabby, inmóvil, expresando en voz alta sus peores temores.

Wickham hizo una mueca.

—Querrás decir que nos han descubierto a los dos. No que yo sepa —contestó meneando la cabeza—. ¿Quieres hacer el favor de sentarte? No puedo sentarme mientras permanezcas de pie.

—Entonces, ¿qué ocurre?

Aliviada de un temor, Gabby empezó a devanarse los sesos en busca de otro motivo de alarma. Se sentó en una butaca frente al escritorio, y Wickham lo hizo en una esquina, meciendo una bota y dando una calada a su puro mientras la observaba con expresión pensativa.

—¿Te importa que fume? —preguntó con tono cortés.

—No me importa siempre y cuando... ¿Quieres decirme de una vez qué ocurre?

Wickham dio otra calada al puro. El humo se elevó formando una voluta alrededor de su cabeza y el aroma hizo que Gabby arrugara la nariz.

—He recibido hoy una propuesta de un caballero pidiéndome tu mano.

—¿Qué?

—Del señor Jamison. Un excelente partido, según tengo entendido. Se expresó en unos términos muy correctos y prometió cuidar de ti.

—Te burlas de mí.

—En absoluto —respondió Wickham dando otra calada a su puro—. Incluso hablamos de su situación económica, a modo de trámite preliminar. Al parecer es muy sólida. Te felicito por la celeridad con que has actuado.

—Pero si no quiero casarme con él. Tiene como mínimo cincuenta años y siete hijos. No habrás aceptado, ¿verdad?

Wickham la miró en silencio.

—No.

—Gracias a Dios.

De pronto se le ocurrió que debía alegrarse por la proposición del señor Jamison. Era un hombre muy amable, preferible como marido a otro, pese a su avanzada edad y sus numerosos hijos, como cualquiera habría dicho a Gabby. A tía Augusta sin duda le habría parecido un matrimonio muy ventajoso. Gabby pensó que antes de que ella y sus hermanas fueran a Londres, incluso antes de que la muerte de Marcus la obligara a tomar esa decisión, seguramente habría aceptado la proposición de Jamison, siquiera para vivir una vida normal y tener hijos. ¿Qué había cambiado?

Wickham dio otra calada al puro, haciendo que la punta adquiriera un resplandor rojo y el humo formara una sutil guirnalda alrededor de su morena cabeza. Gabby lo miró fijamente.

¿Cómo podía fijarse siquiera en un viudo afable, corpulento y con una incipiente calvicie, cuando al único que veía era a Wickham?

El diablo encarnado en un hombre.

—¿Por qué me miras así? —preguntó él un tanto irritado y frunciendo el entrecejo.

—Debería... debería aceptar la propuesta del señor Jamison —respondió Gabby con gesto ausente—. Resolvería todos nuestros problemas. Los míos, los de Claire y los de Beth. En lugar de depender de que Claire se case, debería hacerlo yo, ahora que se me ofrece la oportunidad. Así estaríamos seguras frente a cualquier contingencia.

Durante unos momentos se miraron en silencio.

—No rechacé la propuesta en tu nombre. Dije que tú misma tendrías que tomar la decisión —contestó Wickham secamente.

Gabby sintió que se le encogía el corazón. Estaba atrapada. El mundo en que vivía descansaba sobre cimientos de arena, y ella lo sabía. Antes o después, alguien descubriría que el auténtico conde de Wickham había muerto y la nueva y maravillosa vida de Gabby se vendría abajo. El hombre que la miraba con ceño y expresión meditabunda desaparecería para regresar a las ignotas regiones de las que había surgido, y ella y sus hermanas se quedarían en la ruina.

En bien de ellas, y del suyo propio, Gabby debía hacer todo lo que fuera preciso para evitar que eso sucediera.

—Debo aceptar la propuesta del señor Jamison —dijo. La garganta le escocía y su voz sonaba tensa. Miró al hombre del que inexplicablemente había llegado a depender y comprendió que la relación que les unía era tan precaria como unos cimientos de arena. No era real.

—Podrías hallar un marido más acorde con tus preferencias.

—No —respondió Gabby, enfrentándose a la cruda realidad—. Y aunque pensara que existe la posibilidad de que otro hombre me propusiera matrimonio, no me atrevo a arriesgarme.

—Podrías confiar en que yo me encargue de que a ti (y a tus hermanas) no os falte nunca de nada.

Gabby emitió una estrepitosa carcajada con un punto de histerismo.

—¿Tú? ¡Si ni siquiera sé quién eres! No eres Wickham. Un día descubrirán el engaño y te meterán en la cárcel, o te ahorcarán, o te esfumarás y yo me quedaré sin nada.

—Los papeles que hay sobre mi escritorio están destinados a subsanar la injusticia del testamento de tu padre. Os conceden a ti y tus hermanas una parte de sus bienes si contraéis matrimonio, y en caso contrario pensiones vitalicias. Ordené a Challow que los redactara. Sólo tengo que firmarlos.

Gabby sintió un hálito de esperanza en su corazón. Una pensión vitalicia, tanto si se casaban como si no... tendrían el futuro asegurado. Todas sus preocupaciones se disiparían. No tendría que casarse con Jamison...

—Esas probabilidades son ilusorias como todo lo demás. —La verdad se impuso con contundencia—. Olvidas que no eres Wickham. Tu firma sería fraudulenta. Cuando te descubrieran, nos despojarían del dinero. ¡Nos encontraríamos en la misma situación en que estamos desde que murió Marcus!

—Baja la voz.

De pronto sonaron unos pasos en el pasillo, seguidos casi de inmediato por una enérgica llamada en la puerta. Sobresaltada, Gabby se volvió como un cervatillo al percibir el olor de un cazador. Wickham arrugó el entrecejo, se levantó para sentarse detrás de su escritorio e indicó a quien había llamado que entrara.

Beth irrumpió en la habitación, la atravesó corriendo y tomó la mano de Gabby.

—¡Ay, Gabby, ha ocurrido algo de lo más curioso! Al llegar a casa nos hemos encontrado con unos clarinetistas tocando en la calle, y un hombre con un mono graciosísimo. ¡Ven a verlos! Tú también, Marcus.

Gabby emitió un suspiro de resignación y se levantó dócilmente. A fin de cuentas, entre Wickham y ella ya estaba todo dicho. Su hermana tenía un aspecto tan alegre que a Gabby se le encogió el corazón. El futuro de Beth y de Claire dependía de ella. Si ella se casaba con Jamison tendrían el futuro asegurado. Cualquier otra conjetura era absurda. Cualquier otra conjetura era tan insustancial como un mero espejismo.

—Gabriella. —La voz de Wickham la detuvo antes de que alcanzara la puerta.

Gabby se volvió hacia él, sintiendo que el dolor de su corazón se intensificaba. Wickham se quitó el puro de la boca al tiempo que ambos se miraban a los ojos. Presentaba un aspecto tan imponente y poderoso que costaba creer que fuera tan poco sólido como una sombra.

—Confía en mí.

Eso ya se lo había dicho antes. Gabby se devanó los sesos, tratando de recordar la ocasión: el día en que él la había convencido de que hiciera un segundo trato con el diablo, a cambio de un beso.

Al recordar lo ocurrido sintió que su pulso se aceleraba y sus labios comenzaron a temblar. Lo miró casi con deseo. Él había cumplido su palabra y se había comportado como un caballero con Claire...

Pero esta vez estaba en juego el futuro de Claire, Beth y ella misma.

—No puedo —dijo, tras lo cual dio media vuelta y salió detrás de Beth.

30

Almack's resultó una triste decepción. Ése fue el veredicto de Gabby cuando, mientras bebía limonada junto a tía Augusta, que conversaba con una matrona que lucía un turbante púrpura y había sido presentada a Gabby como la señora Chalmondley, tuvo unos momentos para analizar el famoso local. Las habitaciones eran cómodas y espaciosas, aunque al estar abarrotadas parecían más reducidas, pero presentaban un aspecto muy tronado. Los refrigerios que servían consistían en té, limonada u horchata, acompañados por pan con mantequilla o unos bollos un tanto rancios. La diversión principal era el baile, aunque el chismorreo desempeñaba un papel casi tan preponderante. Por lo demás, había varias salas de naipes dedicadas principalmente al whist, al que jugaban algunas venerables matronas y caballeros que se contentaban con unas apuestas irrisorias. Las estridentes risas y voces, junto con la música, hacía que uno sólo alcanzara a oír lo que decía la persona que estaba sentada a su lado. Los grandes ventanales estaban cerrados a cal y canto y en los salones hacía un calor agobiante. El aire estaba saturado del perfume de demasiadas personas.

Lo único que animaba a Gabby era observar lo mucho que disfrutaba Claire. Ataviada con un sencillo vestido de muselina blanco ceñido debajo del pecho por unas cintas plateadas, peinada con un moño alto adornado también con unas cintas plateadas entrelazadas en el pelo, desprendía felicidad y era sin duda la muchacha más bonita del salón. Las madres de otras muchachas, menos solicitadas, la observaban con antipatía mientras Claire pasaba de un admirador a otro; entre estas damas se hallaba lady Maud, acompañada por su hija menor. Desdémona llevaba un vestido blanco como Claire, al igual que la mayoría de jóvenes presentes, pero que no le favorecía en absoluto. Debido a su pálida tez, le daba un aspecto macilento. Su madre se afanaba en buscarle parejas de baile, lo cual es preciso reconocer que conseguía las más de las veces. Cuando fracasaba en su empeño, Desdémona se quedaba sentada junto a la pista de baile, observando con una mezcla de rabia y tristeza a Claire hasta que lady Maud, al observar su expresión, se apresuraba a darle un codazo en las costillas para obligarla a sonreír.

Puesto que ya no se consideraba una jovencita, Gabby no se había visto obligada, por fortuna para ella, a vestir de blanco, sino que lucía un austero traje de crepe color lila, el cual favorecía su tez y encajaba con su edad.

Claire se había ganado la aprobación de las patrocinadoras, y lady Jersey, que se había acercado a saludarlas cuando llegaron y al parecer las consideraba sus protegidas, la miró sonriendo con una benevolencia que habría sorprendido a quienes habían sido víctima de la acerada lengua de Silence. Lady Sefton, aún más imponente que la otra, incluso había descrito a Claire como una joven muy guapa y de modales impecables al presentarla a un personaje tan importante como el marqués de Tyndale, un joven delgado y risueño, para que le hiciera de pareja en el primer vals.

—Tyndale casi me rogó que se la presentara —comentó lady Sefton a tía Augusta en un discreto aparte mientras Claire bailaba en brazos del marqués—. Sería un excelente partido para Claire, Gussie, si consigues que esté a la altura de las circunstancias. No deja de ser un marqués, con veinte mil libras anuales.

—¿Le apetece unas rebanadas de pan con mantequilla, lady Gabriella? —inquirió el señor Jamison, sofocando con su pregunta la respuesta de la tía de Gabby.

Ésta, que no se había percatado de su presencia, esbozó una sonrisa forzada pero afable. Si iba a casarse con ese hombre, se dijo, lo menos que podía hacer era comportarse amablemente con él.

Gabby declinó el ofrecimiento, pero le indicó que se sentara a su lado. Cuando Jamison se sentó con un sospechoso crujido que la hizo pensar que, al igual que Prinny, quizá trataba de ocultar su tendencia a la corpulencia con un corsé, Gabby se propuso averiguar más cosas sobre él. Al cabo de un rato Jamison se puso a hablar animadamente sobre su hogar en Devonshire, una hermosa propiedad, según aseguró a Gabby, y su interés por los modernos métodos agrícolas destinados a sacar el máximo rendimiento de los campos. Cuando la conversación giró en torno a sus hijos, Jamison insinuó que albergaba la esperanza de que Gabby consintiera en ser su esposa.

—Todos son unos hijos excelentes —afirmó, tras mencionar a cada uno por sus nombres y haber descrito varias anécdotas en las que alguno de ellos se había comportado de modo ejemplar—. Pobrecitos, lo único que necesitan para que su dicha sea completa es una madre. Las tres más jóvenes son hembras. Un hombre viudo a veces no sabe cómo educar a sus hijos.

Pasando por alto el desánimo que le provocaron esas confidencias, Gabby respondió que a tenor de lo que el señor Jamison le había contado sobre sus hijos, éstos debían de ser adorables.

—Confío en que se lo parezcan —dijo Jamison con afecto al tiempo que escrutaba el rostro de Gabby con la mirada—. Porque... bueno, imagino que su hermano le habrá contado mi visita.

A medida que el asunto se aproximaba al punto crucial, Gabby comprobó que estaba aterrorizada. Desviando apresuradamente la mirada se fijó en la esbelta figura de Claire, que bailaba entre los demás jóvenes. Ver a su hermana desempeñar su papel en aquella bulliciosa danza con gracia y sonriendo alegremente, fue justamente el tónico que necesitaba para hacer acopio de las pocas fuerzas que le quedaban.

Lo haría por Claire, por Beth y en última instancia, cuando los espejismos y los rayos de luna se hubieran disipado y el ardiente sol luciera de nuevo, por ella misma.

—Sí, me lo contó —respondió sonriendo Jamison, confiando en que éste interpretara su momentánea vacilación como modestia, o timidez, en lugar de reticencia.

—Confío de todo corazón que consienta en ser mi esposa —dijo Jamison en voz baja, tomándole la mano y mirándola fijamente. Gabby contempló aquellos dedos rechonchos y cubiertos de pecas debido al sol, esforzándose por no retirar la mano. Alzó el mentón con gesto decidido y sonrió al tiempo que miraba a Jamison a los ojos. Éste prosiguió—: Quizá se pregunte cómo es posible que haya llegado a esta decisión en tan breve tiempo, pero sé lo que quiero. Es usted exactamente la mujer que he elegido para ocuparse de la educación de mis hijos. Es lo bastante joven como para mostrarse enérgica con ellos, pero lo bastante madura para no desear asistir continuamente a bailes y fiestas; tiene buen carácter y por lo que he observado posee un elevado grado de sentido común. Por lo demás, yo... en fin, que la encuentro muy atractiva.

Jamison declaró esto con el aire de quien hace un encendido elogio. A Gabby empezó a temblarle el labio inferior y por un momento su sonrisa reflejó auténtico regocijo. Luego se disipó al tiempo que se imaginaba en su noche de bodas, en el lecho del señor Jamison.

Pero no era el momento de pensar en eso.

—Gracias —dijo, sonriendo de nuevo con aire decidido.

—Ah, ahí está Wickham. Le pedí que acudiera esta noche, pero son casi las once y temí que no viniera. Qué hombre tan atractivo.

Al oír la voz de tía Augusta, Gabby alzó la vista. En efecto, ahí estaba Wickham. Se hallaba a la puerta, elegantísimo con su traje negro de etiqueta, mirando alrededor mientras charlaba distraídamente con otro caballero que al parecer había entrado con él.

—A mi modo de ver es el más agraciado de los Banning —observó juiciosamente lady Sefton, sentada al otro lado de tía Augusta—. Salvo lady Claire, por supuesto. Forman una pareja de hermanos que llama la atención. —Lady Sefton bajó la voz dirigiéndose sólo a tía Augusta, convencida de que debido al fragor nadie más oiría sus palabras—. Tengo entendido que la menor tampoco es una belleza.

Gracias a un repentino silencio, Gabby captó esa frase, claramente ofensiva para su persona, pero no se molestó lo más mínimo. Wickham era ciertamente el equivalente masculino de Claire, pensó. Observó que al entrar éste en el salón muchas mujeres se volvieron para mirarle. Las damas se pusieron a cuchichear, cubriéndose la boca con la mano, dejando que sus miradas se posaran más de lo debido en el recién llegado. Al darse cuenta de que ella también le miraba, Gabby recuperó la compostura y se volvió de nuevo hacia Jamison.

—Su hermano viene hacia aquí —comentó éste, frustrando la intención de Gabby. Le soltó la mano y fijó al vista en Wickham. Por su expresión, Gabby dedujo que éste le hacía sentirse cohibido. Pese a la madurez de Jamison, Wickham poseía un mayor empaque y en cuanto a su atractivo personal... no había comparación. Jamison añadió apresuradamente—: Si me lo permite, iré a verla mañana para que me dé una respuesta, cuando podamos hablar en privado. No he debido decirle lo que he dicho en un lugar público, pero estaba tan ansioso de pedirle que se casara conmigo que me dejé llevar por mi impaciencia.

Nerviosa ante la inminente llegada de Wickham al tiempo que se esforzaba en aparentar indiferencia, Gabby asintió y esbozó una amable sonrisa dirigida a su pretendiente. En su fuero interno se sentía aliviada por ese respiro.

Decidida a no volver a mirarle, Gabby sintió la presencia de Wickham antes de verlo. Con la intensidad que habría sentido el calor de una estufa, sintió la fuerza de su presencia cuando se detuvo junto a ella. Luego Wickham dijo algo y ella no pudo evitar mirarlo. Vio que saludaba a tía Augusta y a lady Sefton con una sonrisa y estrechaba la mano del señor Jamison, que se había levantado, antes de mirarla a ella.

—¿Te diviertes, Gabriella? —preguntó Wickham esbozando una perezosa sonrisa.

—Muchísimo —respondió ella sin perder la calma, haciendo gala de su autodominio.

Él rió y se volvió hacia Jamison. Ambos conversaron unos minutos, haciendo caso omiso de Gabby, mientras ella respondía distraídamente a algún comentario de tía Augusta, que ni siquiera había oído, y se afanaba en mostrar una expresión afable. Estaba convencida de que Wickham se había presentado esa noche con el único propósito de atormentarla, lo cual estaba consiguiendo. Gabby era angustiosamente consciente de que estaba a un metro de ella, aunque se abstuvo de mirarlo.

De pronto, Wickham se acercó de nuevo a ella y la miró. Gabby no tuvo más remedio que alzar la vista. Advirtió en sus ojos una pícara expresión, una sonrisa burlona, que la puso sobre aviso, pero no pudo impedir lo que ocurrió a continuación.

—Creo que este baile me corresponde, Gabriella —dijo él.

Ella le miró con los ojos desmesuradamente abiertos. En aquel momento los músicos interpretaban un vals.

—Lady Gabriella no baila —intervino Jamison con tono perentorio, como para recordar a Wickham el defecto que padecía Gabby, antes de que ésta pudiera responder.

—Depende de la pareja —replicó Wickham restando importancia al tema—. Nuestros pasos están perfectamente sincronizados.

—Si puedes bailar, hazlo, querida —murmuró lady Augusta al oído de Gabby—. Yo creía... pero en vista de que eres capaz de hacerlo, la cosa cambia.

Gabby apretó los labios, pero no tuvo ocasión de responder a esto. Lady Sefton sonrió para darle ánimos.

—Si no se apresura, lady Gabriella, se quedará con las ganas. La mayoría de las damas estarían dispuestas incluso a matar con tal de tener a Wickham de pareja. Por supuesto, es su hermano, por lo que imagino que a usted no le impresiona, pero no obstante le aconsejo que baile con él.

—Aún espero tu respuesta, Gabriella —dijo Wickham sonriendo y extendiéndole la mano.

No queriendo alegar en público la endeble excusa de su cojera, especialmente cuando Wickham, el muy canalla, era perfectamente capaz de rechazar esa disculpa, Gabby sonrió también y apoyó la mano en la suya, dejando que él la ayudara a levantarse. Bajo la mirada benevolente de tía Augusta y lady Sefton, y la expresión un tanto preocupada del señor Jamison, Gabby tomó a Wickham del brazo y éste la condujo hacia la pista de baile.

—Cerdo. No deseo bailar. Y menos en público. ¿Cómo te atreves a ponerme en este compromiso? —murmuró Gabby entre dientes cuando se alejaron.

—Mereces bailar, Gabriella. Créeme, no te conviene casarte con un hombre que no lo comprenda.

Al llegar a la pista Wickham la tomó en sus brazos.

—¿Y tú qué sabes de esas cosas? —Cuando Wickham la enlazó por la cintura y tomó su mano en la suya, Gabby lo miró horrorizada a los ojos—. ¡No estarás casado!

Él sonrió.

—Tus endemoniados celos vuelven a traicionarte. No estoy casado. Vamos, Gabriella, deja de mirarme con esa cara de furia. La gente pensará que nos estamos peleando.

—Y es cierto —replicó ella entre dientes mientras comenzaban a deslizarse por la pista.

No obstante, Gabby le miró sonriendo, y bailó, y gozó bailando. Wickham la sujetaba con firmeza; la mano con que sostenía la suya era cálida, y el hombro sobre el que ella apoyaba la mano era amplio y poderoso. Gabby sabía que estaba segura en sus brazos, que él no dejaría que se cayera, de modo que se dejó llevar confiadamente, casi relajadamente. La música era cautivadora y Gabby comprobó, no sin asombro, que se estaba divirtiendo.

—Has nacido para bailar, Gabriella —comentó Wickham conduciéndola con destreza por la pista—. Te estás divirtiendo, ¿no es así? Tus ojos centellean, tienes las mejillas arreboladas y me sonríes de una forma encantadora.

—Eres despreciable —contestó ella. Pero lo dijo sin rencor, y cuando lo miró a los ojos éstos desmintieron sus palabras.

—Y tú eres muy guapa. No te sonrojes. Te ruborizas con excesiva facilidad —dijo Wickham riendo.

Consciente de que estaba roja como un tomate —sonrojarse era un defecto común a todas las personas de tez pálida—, Gabby miró a las parejas que bailaban en torno a ellos y comprobó aliviada que nadie parecía prestarles atención, por lo que dio gracias a Dios. Lo cierto era que la proximidad del cuerpo de Wickham enardeció sus sentidos. Gabby se percató de ciertos detalles que hubiera sido preferible que no notara. El hombro en que apoyaba la mano era fuerte y musculoso. La tela de su chaqueta de etiqueta tenía una textura sedosa. La mano con que Wickham sostenía la suya era decididamente viril, y mucho mayor que la suya. Su cuello era recio, y en su pronunciada mandíbula advirtió una incipiente barba. En su boca, esa boca tan perfectamente delineada, se dibujaba una sonrisa...

—No es preciso que me des coba —dijo Gabby con aire digno, esmerándose en ejecutar los pasos de baile con cuidado mientras ambos se deslizaban por el salón junto con el resto de las parejas. El hecho de apoyar el peso en la punta del pie disimulaba su defecto; a menos que se fijaran, Gabby dudaba que alguien pudiera advertir que era coja. De pronto le pareció extraño que jamás hubiera comprobado que podía bailar. Claro que hasta ahora nunca había deseado hacerlo.

El motivo de ese razonamiento la miró risueño, esbozando una sonrisa lenta, encantadora, que dejó a Gabby sin aliento.

—¿Crees que no hablaba en serio? Te aseguro que sí. ¿Quieres que entre en detalles? Mi hermosa Gabriella, tienes los ojos del color de los guijarros que tapizan el fondo de un estanque de aguas cristalinas. Tu cabello me recuerda las hojas otoñales de un intenso color castaño. Tu boca... Has vuelto a sonrojarte. Tendré que omitir ese detalle, o todos los asistentes empezarán a preguntarse de qué estamos conversando.

Gabby sintió que, efectivamente, volvía a ruborizarse y lo observó con recelo.

—No me sonrojaría si no te burlaras de mí.

—¿Qué te hace pensar que me burlo de ti?

Wickham se puso serio. Ambos se miraron a los ojos y de pronto Gabby sintió un intenso calor. Sus ojos debían de traslucir esa sensación, porque cuando Wickham escrutó su rostro, sus ojos se oscurecieron hasta adquirir casi el color de un mar agitado a medianoche por un violento temporal.

31

La música concluyó con una floritura. Wickham efectuó un último giro sosteniendo a Gabby entre sus brazos y se detuvieron. Luego, mientras ella seguía mareada —no sabía si debido al baile o a él—, Wickham se llevó su mano a los labios y la besó.

—A mis ojos, eres la mujer más bella del salón —dijo suavemente.

Gabby lo miró atónita, con los labios entreabiertos, y emitió un largo y trémulo suspiro. Ambos se miraron a los ojos. Ella sintió el calor que emanaba Wickham como un hierro candente sobre su piel.

—Mereces algo mejor que Jamison. —La voz de Wickham sonaba aún más melosa que antes.

Las parejas abandonaron la pista de baile. Gabby sintió la falda de otra mujer rozar la suya al pasar, y al alzar la vista instintivamente sorprendió una mirada de curiosidad. Devuelta repentinamente a la realidad, se alarmó al comprender que estaban dando un espectáculo. Después de retirar la mano que aún sostenía Wickham, consciente aunque demasiado tarde de que todos les miraban intrigados, alzó el mentón al tiempo que se esforzaba en apartar a Wickham de su mente.

—Creo que deberías conducirme de nuevo junto a mi tía —dijo Gabby con voz sosegada y asombrosamente fría.

Al darse cuenta, al igual que ella, de que atraían una excesiva atención, él obedeció dócilmente. Ambos guardaron silencio al abandonar la pista. Al dirigirle una mirada de soslayo, Gabby observó que Wickham mostraba una expresión un tanto hosca. El señor Jamison la esperaba fielmente como un perro junto a su tía. Gabby no pudo por menos de comparar a ambos hombres, en detrimento de Jamison. Pero, según se dijo con firmeza al soltar el brazo de Wickham para situarse junto a su pretendiente, existía el estilo y la sustancia, y el señor Jamison representaba la sustancia.

Wickham pronunció unas palabras corteses y se retiró con una reverencia. Lady Maud se acercó en el preciso momento en que se marchaba, instalándose en la silla que había ocupado antes lady Sefton.

Gabby se sentó de nuevo, abanicándose discretamente y procurando no mostrar una expresión malhumorada mientras observaba a Wickham conducir a Claire, y luego a una de las ruborizadas amigas de ésta, a la pista de baile. Lo que él hiciera o con quién bailara no la incumbía, se dijo severamente, tras lo cual se dispuso a escuchar al señor Jamison perorar sobre sus hijos durante el resto de la velada. Pero el caballero se mostró extrañamente silencioso y Gabby frunció el entrecejo al observar, en un par de ocasiones, que Jamison la miraba con perplejidad. Sus peores temores se confirmaron cuando lady Maud, dirigiéndole una pícara mirada, declaró alegremente durante la siguiente pausa de la orquesta:

—Te felicito por el extraordinario cariño que demuestra hacia vosotras vuestro hermano Wickham, Gabby.

Gabby se sintió orgullosa de sí misma. Aunque el comentario le chocó y a pesar de lo comprometido de la situación, ni siquiera palideció, sino que emitió una despreocupada y breve carcajada.

—Es cierto, Beth, Claire y yo nos consideramos muy afortunadas. Wickham es un encanto. Como se crió en Ceilán, no sabe lo fríos que solemos ser los ingleses. Demuestra una gran gentileza y afecto hacia nosotras.

Lady Maud parecía haberse llevado un chasco, según observó Gabby con satisfacción, y para su alivio no volvió a decir palabra. Jamison, quien al parecer había obtenido indirectamente una respuesta a su pregunta, se mostró más animado. Gabby observó a Wickham bailar con lady Ware y crispó la mandíbula. Iba a ser una velada muy larga.

Por fin, Jamison se disculpó y se dirigió hacia la sala de naipes; lady Maud se alejó con una amiga suya que fue a buscarla. Tan pronto ambos se marcharon, dejando a Gabby temporalmente a solas con su tía Augusta, ésta se inclinó y le susurró al oído:

—¿Cómo se le ocurrió a Wickham besarte la mano de ese modo? Causó una impresión muy extraña, tratándose de tu hermano. Se merece una buena reprimenda, por más que se haya criado en el extranjero. Todos os miraban. Y no es de extrañar. A mí también me llamó la atención ese gesto.

Al observar la expresión de censura de su tía, Gabby se apresuró a responder.

—Fue un gesto de disculpa —dijo tratando de quitarle hierro al asunto—. Nos habíamos peleado. Wickham opina que no debo casarme con el señor Jamison.

La tía Augusta la miró a la cara, abriendo los ojos desmesuradamente y formando con los labios una pequeña o.

—¿Pretendes decirme que el señor Jamison te ha propuesto matrimonio?

Gabby asintió con la cabeza. De pronto se sintió angustiada. Ahora, más que nunca, deseaba rechazar esa propuesta. Pero después de haber informado a tía Augusta, la suerte estaba echada.

—El señor Jamison fue a visitar hoy a Wickham.

—¡Ay, querida, esto es justamente lo que confiaba que ocurriera cuando os presenté! ¿Y dices que Wickham no está de acuerdo con este enlace? ¿Por qué? —inquirió con visible enojo.

—Creo que opina que el señor Jamison es demasiado mayor para mí. Pero al margen de lo que él opine, he decidido aceptar.

De golpe el rostro de tía Augusta se deshizo en sonrisas.

—Eres una joven inteligente y buena —dijo estrujándole el brazo afectuosamente—. Wickham no sabe nada sobre el tema, y pienso decírselo antes de que sea demasiado viejo para comprenderlo. Está claro que tiene mucho que aprender sobre nuestras costumbres inglesas. Puesto que el compromiso aún no es oficial, no diré más al respecto. Pero has obrado con sensatez, Gabriella. Me siento muy satisfecha.

Gabby comprendió que su tía tenía razón: al comprometerse con Jamison, su situación mejoraría más de lo que había imaginado. Pero la perspectiva de casarse con él la hacía sentirse profundamente desgraciada, y ese sentimiento no tenía nada que ver con el prosaico aspecto del caballero, su avanzada edad ni sus siete hijos.

La causa de su desdicha medía casi dos metros de estatura, fumaba unos puros apestosos y tenía unos preciosos ojos azules. El contacto de sus manos la abrasaba, sus besos le producían vértigo; al bailar entre sus brazos —cosa que había hecho admirablemente bien, pensó Gabby muy ufana— había comprendido que el único lugar del mundo donde deseaba estar era entre sus brazos.

Por más que se tratara de un romántico espejismo.

Pero la realidad era fría y dura, y ella no tenía más remedio que enfrentarse a la realidad. Su futuro era el señor Jamison; Wickham —o como quiera que se llamara; el hecho de que ni siquiera supiera su nombre auténtico demostraba su propia estupidez— no era más que el absurdo sueño de una mujer soltera enamorada hasta los tuétanos.

Un sueño que amenazaba todo cuanto ella se había esforzado en conseguir, se dijo severamente. No debía volver a bailar con Wickham, ni a besarle. Esta noche la alta sociedad les había observado con extrañeza. Gabby sabía que las murmuraciones, cuando empezaban a propagarse, podían ser desastrosas. Decidió no volver a dar pábulo a los rumores, a fin de no poner en peligro sus aspiraciones para Claire, Beth y para ella misma. Al día siguiente aceptaría la propuesta del señor Jamison, se casaría con él en el plazo más breve que fuera posible y de este modo aseguraría el futuro de sus hermanas y el suyo propio.

Luego cortaría todo contacto con Wickham.

Cuando ocurriera lo inevitable, y se descubriera el fraude de Wickham, Claire, Beth y ella estarían ya a salvo.

Gabby supuso que Wickham había oído algún chismorreo, pues no volvió a acercarse a ella. Bailó en otras dos ocasiones después de hacerlo con lady Ware, una con la astuta Desdémona y otra con una mujer a quien Gabby no conocía. Luego, por más que escrutó la multitud con mirada ansiosa, no volvió a verlo. Al cabo de un rato dedujo, con una desconcertante y ambivalente mezcla de emociones, que Wickham se había marchado. De repente apareció de nuevo el señor Jamison, que le preguntó tímidamente si le apetecía bailar con él. Cuando Gabby le aseguró, con absoluta sinceridad, que no le apetecía, Jamison aceptó su negativa con evidente alivio y conversó un rato con ella, hasta que por fin llegó la hora de regresar a casa.

Jamison ya se había marchado y Gabby, Claire y tía Augusta se hallaban en el vestíbulo esperando su coche, cuando Gabby se llevó el segundo disgusto de la noche. Reprimiendo a duras penas un bostezo, el cual reflejaba su creciente depresión ante la perspectiva de comprometerse en matrimonio al día siguiente, se situó a la sombra de una de las altas y ligeramente polvorientas palmeras que decoraban la entrada, separada de las otras, quienes conversaban con varias amigas que aguardaban también sus carruajes.

De pronto una mano enguantada le tocó el brazo, justo debajo del echarpe adornado con lentejuelas que le cubría los codos. Gabby se volvió con una sonrisa interrogante y se quedó helada al toparse con la mirada dura como la obsidiana del duque de Trent. Estaba en la sombra, vestido de etiqueta, cubierto con un gabán y sosteniendo en la otra mano el sombrero y su omnipresente bastón con la empuñadura de plata. Era evidente que se disponía a marcharse. ¿Había permanecido toda la velada en Almack's? Quizá se había ocultado en una de las salas de naipes, o en un discreto rincón, observando el baile. Gabby se estremeció al pensar que había estado toda la velada cerca de él, sin saberlo.

—Un desagradable encuentro a la luz de la luna, ¿no es así, Gabby? —dijo Trent en voz baja y sonriendo—. O más bien debería decir que desde mi punto de vista es un encuentro agradable.

Al mirar alrededor, Gabby comprobó que nadie observaba su conversación. Claire estaba de espaldas a ellos, riendo de algo que una de sus amigas había dicho, y tía Augusta se había alejado un poco del grupo del brazo de la señora Dalrymple, con quien charlaba animadamente.

—¿Te han abandonado temporalmente tus protectores? —comentó Trent sonriendo de satisfacción al observar la frenética mirada de Gabby—. Ninguno de ellos te servirá de nada, ni siquiera tu afectuoso hermano. Me propongo conseguir lo que es mío.

—No tengo nada que decirle —replicó Gabby con voz gélida. Dadas las circunstancias, se sentía orgullosa de poder articular palabra. Todos sus instintos le conminaban a dar media vuelta y alejarse, pero cuando trató de hacerlo comprobó horrorizada que era incapaz de moverse: el pánico la mantenía clavada en el suelo.

—Supongo que no habrás olvidado el pagaré, Gabby. No, por supuesto que no. Todavía está en mi poder, y pienso cobrármelo, te lo aseguro. Muy pronto.

—Usted no tiene ningún poder sobre mí —contestó ella, esforzándose en controlar el temblor de su voz. Sintió que su pulso se aceleraba y el corazón le latía violentamente. La presencia de Trent le impedía respirar con normalidad.

Éste avanzó un paso hacia ella.

En ese instante apareció el coche de tía Augusta y se detuvo frente a la puerta.

—Hasta pronto, Gabby.

El escalofriante susurro permaneció suspendido unos segundos en el aire hasta que por fin tía Augusta les indicó que subieran al coche. Trent pasó junto a Gabby, bajó los escalones de la entrada, tan apresuradamente que el faldón de su gabán se arremolinó en torno a sus piernas, y desapareció en la noche como el vampiro que parecía.

Pero por más que se esforzó, Gabby no consiguió borrar ese encuentro de su mente. Trent exhalaba un aire amenazador, y ella, por más que tratara de defenderse, estaba aterrorizada.

Gabby no comentó ese encuentro a su tía ni a su hermana. Se sentía demasiado angustiada, los recuerdos que Trent había evocado eran demasiado dolorosos, y no quería disgustar a Claire, que evidentemente no había visto nada.

Por su parte, Claire no dejó de parlotear alegremente durante el interminable trayecto de regreso a casa. En respuesta a las incesantes preguntas de tía Augusta, confesó que el marqués había estado muy amable con ella y, sí, le había dicho que iría a visitarla mañana, y habían bailado en dos ocasiones.

Aliviada de que la incesante cháchara de Claire disimulara su silencio, Gabby apenas despegó los labios durante el camino, y menos aún cuando Mary la ayudó a desvestirse y acostarse. Pero más tarde, al quedarse sola en la oscuridad —realmente sola, pues la habitación de Wickham, como de costumbre, estaba vacía, lo cual significaba que ella era la única persona que se hallaba en aquella inmensa ala de la casa— sucumbió por fin a una espantosa mezcla de emociones propiciada por una combinación de pesadumbre ante su próximo compromiso, un doloroso e ilícito deseo de estar con Wickham y el horror que la había atormentado durante años.

Avergonzada, lloró desconsoladamente hasta caer dormida.

32

Cuando Wickham depositó su vela en la mesilla junto a su cama y se quitó la chaqueta, pensó irónicamente que estaba piripi. No borracho, pero un tanto mareado debido a haber ingerido una gran cantidad de vino barato. Por más necesario que fuera exhibirse en lugares donde pudiera observar al personal y ser visto, se estaba haciendo demasiado viejo para pasar las veladas en esos antros. Al llegar a Londres, el aspecto más sórdido de la ciudad había presentado cuando menos la ventaja de la novedad. Pero ahora, después de haber visitado prácticamente todos los garitos, burdeles, reñideros y demás tugurios de mala muerte, lo único que había conseguido era un buen fajo de billetes y varias jaquecas, ninguno de los cuales había sido su propósito. Por lo demás, ese juego se estaba poniendo demasiado peligroso. Cuanto más tiempo fingiera ser Marcus, más probabilidades tenía de encontrarse con alguien que supiera que no lo era.

Si su presa se hallaba en Londres, mostraba una gran cautela. ¿A qué demonios estaba esperando?

Barnet, a quien Wickham había visto por última vez deambulando por el muelle y aún no había regresado, aunque eran más de las cuatro de la mañana, había tratado de obtener alguna información de los maleantes y ladrones que merodeaban de noche por los callejones. Los objetivos de Barnet eran los tipos más indeseables que pululaban por la ciudad, todo tipo de delincuentes que se esfumaban al primer indicio de una redada. Barnet había tenido la misma fortuna en sus pesquisas que su patrón: ninguna.

No podían continuar así eternamente, pensó con desánimo, sentándose en el borde de la cama para quitarse las botas. La situación, de por sí arriesgada, se estaba deteriorando rápidamente. Las cosas se habían puesto más complicadas de lo que él había imaginado. Gabriella y sus hermanas habían añadido un elemento a su búsqueda que hacía que ésta fuera infinitamente más peligrosa de lo que él había previsto.

Al margen de lo que ocurriera, no quería que ninguna de ellas resultara lastimada. Ni física, ni económica, ni emocionalmente. Sin pretenderlo, había llegado a preocuparse seriamente por la suerte de las Banning. Para bien o para mal, se sentía responsable de ellas.

Después de quitarse las botas, se acercó a la mesa situada junto al hogar, donde había ordenado que dejaran una botella de brandy y una caja de puros. Puesto que ya estaba beodo, decidió rematar la noche apurando la botella a fin de poder conciliar el sueño. Después de escanciar el brandy en la copa, admiró distraídamente la forma en que las oscilantes llamas conferían al líquido un color naranja tornadizo. Cortó la punta del puro y lo encendió. Luego, cogiendo la botella y la copa, se sentó junto al fuego, alternando las caladas al puro con los tragos de brandy.

Un brandy excelente, pensó. Era preciso reconocer que ser el conde de Wickham no dejaba de tener sus ventajas,

Aunque estaba físicamente rendido, su mente no dejaba de dar vueltas al dilema que venía atormentándole desde hacía días. No podía permanecer en su presente guisa eternamente, eso estaba claro. Siempre existía la posibilidad de que el día menos pensado se topara con alguien que le conocía, o que había conocido a Marcus, descubriéndose el pastel. Aun suponiendo que eso no ocurriera, antes o después su presa tendría que mover ficha y las cosas se desarrollarían a la velocidad de un caballo ganador en Ascot. Antes de que eso sucediera, él tenía que resolver ciertos asuntos.

Tres asuntos, para ser más precisos: sus «hermanas».

Beth era una niña encantadora, tan espontáneamente afectuosa como un cachorro. Le había aceptado como un hermano desde el primer momento, y él, poco a poco, sin apenas darse cuenta de lo que hacía, había desempeñado su papel tan bien que lo cierto era que se sentía como un hermano hacia ella. No podía consentir que le ocurriera nada malo a Beth.

Claire, la bella Claire era, como él había reconocido desde la primera vez que la vio, la mujer más espléndida que jamás había contemplado. Era una joven Venus, deslumbrante, con una belleza capaz de hacer que hombres de recia voluntad se rindieran ante ella. Cualquier hombre, al verla, pensaría al instante en una alcoba iluminada por el resplandor de las velas y en sábanas frescas y suaves. Pero él había comprobado que Claire era dulce, algo tímida, incuestionablemente leal con respecto a sus hermanas, y tan joven e ingenua como cualquier chica de dieciocho años. Asimismo había comprobado que no le atraían las inocentes muchachas en flor, por muy hermosas que fueran. Admiraba la belleza de Claire —ningún hombre podía dejar de admirarla—, pero su admiración era puramente objetiva. En realidad, después de manipular vilmente el temor de Gabriella de que tratara de seducir a su hermana para obligarla a besarle, no tenía la menor intención de propasarse con Claire. Se había encariñado con ella y le deseaba lo mejor. En suma, también con Claire se sentía como un hermano protector.

Y por último estaba Gabriella. Gabriella era la sorpresa, el comodín de la baraja, el ingenioso remate de un chiste, una broma que Wickham se temía que se la habían gastado a él. Gabriella, una solterona arrogante, de lengua afilada, que ni siquiera en su primera juventud había sido una belleza, le había atraído desde el principio. Pero ¿quién iba a adivinar que llegaría al extremo de que el mero hecho de verla inflamaría sus sentidos?

Él no, desde luego. Era ridículo, lo sabía, e incluso se reía de sí mismo. Pero la triste realidad era que él, que había tenido más amantes que cualquier soldado del ejército de Wellington, la deseaba hasta el punto de estar dispuesto a caminar descalzo sobre carbones encendidos con tal de llegar a su lecho. El hecho de saber que en ese momento estaba acostada en la habitación contigua a la suya, bastaba para hacerle rechinar los dientes y desviar la mirada para no levantarse y ceder a la tentación. Para colmo, ella también le deseaba a él. No cabía la menor duda. Su respuesta física cuando él la tocaba era inconfundiblemente apasionada e intensa. Y la forma en que ella le miraba a veces... No era un idiota ni un jovenzuelo sin experiencia en materia de mujeres. Sabía lo que significaba la expresión que había visto en los ojos de Gabriella.

Sabía que podía acostarse con ella cuando le apeteciera. Lo sabía con la certeza con que sabía su propio nombre.

Pero Gabriella era una dama y sin duda virgen. Aunque él no era conde, era lo bastante caballero como para respetarla. No podría seducirla y marcharse dejándola plantada.

Pero no podía quedarse.

Ése era el meollo del problema. La deseaba apasionada, ávidamente, hasta el punto de emborracharse con brandy porque de otro modo no podría conciliar el sueño, sabiendo que ella yacía en la cama al otro lado de la puerta, de la que él tenía la llave. Pero no podía acostarse con ella, porque aparte de ese acto carnal no podría ofrecerle nada.

Y Gabriella se merecía mucho más que eso.

Jamison. La imagen del pretendiente rechoncho y calvo apareció de pronto en su mente, haciéndole fruncir el entrecejo. La intensa antipatía que le inspiraba ese individuo le sorprendió. Entonces comprendió el motivo de su antipatía y se rió.

Él, que había tenido a mujeres locamente enamoradas desde que era un muchacho, sentía celos de un viudo de cincuenta años, gordo y cargado con siete hijos.

Era absurdo. Era cómico. Pero la idea de que Gabriella se desposara —se acostara— con ese hombre le volvía loco.

Tal como le había dicho a ella misma esa noche, se merecía algo mejor que Jamison. Pero eso conllevaba la inevitable pregunta: ¿qué, o mejor dicho, quién se merecía Gabriella?

¿Un hombre sin un apellido que pudiera revelar, sin una identidad que pudiera reconocer, que la abandonaría tan pronto hubiera cumplido el propósito que se había propuesto?

Hasta él tenía que reconocer que la sólida seguridad que Jamison ofrecía a Gabriella era más que aceptable comparada con eso.

Se sirvió otra copa de brandy y se repantigó en la butaca, estirando sus largas piernas, bebiendo y fumándose el puro mientras se emborrachaba para olvidar la realidad. Con todo, no podía dejar de pensar en Gabriella. Irracionalmente —aún estaba lo bastante sobrio para comprender que se comportaba de forma irracional—, la culpaba por todo. Gabriella era una espina que se le había clavado en el costado desde la primera vez en que la había visto. Una espina que seguía atormentándolo.

Tal como él le había dicho esta noche —aunque sabía que no debió hacerlo, pues quien juega con fuego suele acabar quemándose—, Gabriella se había convertido para él en la mujer más hermosa que jamás había conocido. Su esbelta figura, su cutis pálido y sus fríos ojos grises le seducían más que los encantos más sensuales de las mujeres con que anteriormente solía acostarse. Belinda era un claro ejemplo: no se había acostado con ella desde hacía varias semanas. Incluso dudaba que volviera hacerlo, por más que Belinda lo deseara. Tampoco había tomado otra amante, aunque no recordaba haber pasado tanto tiempo desde que era un hombre adulto sin una mujer.

Pero a la única mujer que deseaba no podía, honradamente, poseerla.

¿Qué tenía Gabriella que le seducía tanto?, se preguntó malhumorado, apurando de un trago el brandy que quedaba en la copa. ¿Era la forma en que le miraba a veces, como si él fuera un barrendero y ella la reina? ¿O su agudeza verbal, o la deliciosa forma en que se ruborizaba, o el brillo de sus ojos cuando se reía?

¿O era quizá su valor? Gabriella tenía más valor que cualquier hombre que él hubiese conocido. El destino había sido cruel con ella, y ella le había plantado cara y había tratado de derrotarlo. También le había plantado cara a él, desde el principio, cuando había tratado denodadamente de atemorizarla. Gabriella había tenido el valor de ir a Londres cuando cualquier otra mujer habría guardado luto por su pobre hermano difunto en Yorkshire, esperando a que otra persona decidiera su futuro. Era lo suficientemente valerosa para pensar en casarse con un hombre que sabía la haría desgraciada, porque creía que era el mejor modo de asegurar el porvenir de sus hermanas. Era lo suficientemente valerosa para sostener la cabeza bien alta y bailar pese a su pierna deforme.

Él había visto a héroes en el ejército de Wellington que no poseían ni la mitad de ese valor.

Cuando se había percatado de que no se sentía atraído por las dulces jovencitas como Claire, había descubierto también lo que le atraía: la inteligencia, gallardía y pasión que poseía Gabriella.

La deseaba con una pasión que, de un tiempo a esta parte, estaba siempre presente. No obstante, al mismo tiempo deseaba protegerla. Hacía unas horas, tras haber comprendido que había provocado un pequeño escándalo besándole la mano al finalizar el baile —cada vez le costaba más recordar que se suponía que era su hermano—, a continuación había bailado con media docena de mujeres con las que no deseaba bailar con el único fin de no añadir más leña al fuego dejando que las lenguas maledicientes dijeran que sólo había bailado con Gabriella.

Al margen de lo que ocurriera, no quería herirla. Ni dejar que nadie lo hiciera.

Y no iba a consentir que se casara con Jamison. No podía permanecer con ella, pero la salvaría de ese matrimonio. Estaba dispuesto a hacer lo que fuera con tal de ofrecer a Gabriella, Claire y Beth un porvenir seguro antes de marcharse.

Observó que el puro prácticamente se había consumido del todo. Y que la botella de brandy estaba casi vacía. Después de levantarse torpemente, apagó lo que quedaba del puro, bebió un último trago de brandy y empezó a desabrocharse el chaleco.

Decidió acostarse. Si no lograba conciliar el sueño ahora, estando tan borracho que tenía la impresión de ver la cama por el lado equivocado de un telescopio, no lo lograría nunca.

Tras despojarse del chaleco y empezar a desabrocharse la camisa, con movimientos lentos y torpes porque el alcohol ingerido impedía que sus manos respondieran con agilidad, oyó un ruido en la habitación contigua.

Alzó la cabeza y se quedó inmóvil. Miró la puerta que comunicaba ambos aposentos.

En ese momento Gabriella gritó.

33

Trent estaba allí, con ella en la oscuridad, golpeándola con su bastón, queriendo... queriendo...

Gabby gritó y volvió a gritar. Angustiosamente. Desgarradoramente.

—¡Gabriella! ¡Despierta, Gabriella, por el amor de Dios!

Unas manos fuertes la asieron por la parte superior de los brazos, zarandeándola, liberándola de la pesadilla que la aprisionaba. Gabby pestañeó y por unos instantes, mientras trataba de librarse del terror que la atenazaba, miró aturdida y alarmada la oscura forma que se erguía junto a ella. El corazón le latía aceleradamente; se le puso carne de gallina. Era la silueta de un hombre, sombría y desprovista de rasgos al leve resplandor naranja del fuego. Sintió unas manos que le aferraban los brazos. El aliento de un hombre, cálido y atiborrado de brandy, sobre su rostro.

De pronto lo reconoció, lo habría reconocido en la fisura más oscura, en el rincón más profundo del infierno. Era su diablo personal, que había venido para apoderarse de su alma.

—Ah, eres tú... —murmuró con un suspiro de alivio. Sus músculos tensos se relajaron. Ahora que la pesadilla había desaparecido, fue presa de unos intensos temblores que no pudo controlar.

—Sí, soy yo. No temas, Gabriella, estás a salvo.

Su voz era cálida, profunda y tranquilizadora. Su voz y su presencia, junto al olor a brandy, que complació a Gabby, y a puros, que le disgustó, le hicieron comprender que no tenía nada que temer. Respiró hondo una y otra vez, tratando de detener los temblores que sacudían su cuerpo. Parecían provenir de lo más profundo de su mente, pues pese a sus esfuerzos no consiguió atajarlos.

—Estás temblando.

—Ya lo sé. No puedo remediarlo. —Volvió a respirar hondo. Yacía boca arriba con la cabeza apoyada en la almohada, cubierta con el edredón hasta la cintura, temblando de forma tan violenta que le castañeteaban los dientes. Crispó las manos en unos puños, tratando de detener los temblores, pero no lo consiguió.

—¿Tienes frío? —preguntó Wickham suavemente.

Gabby negó con la cabeza. No cesaba de ver el rostro de Trent en su imaginación...

—¿Has tenido una pesadilla?

Gabby se estremeció.

—Abrázame —musitó, avergonzada de pedírselo.

—Gabriella...

La respuesta de Wickham no se hizo esperar. Retiró el edredón y se acostó en la cama junto a ella, estrechándola entre sus brazos. Ambos se instalaron cómodamente, Gabby con la cabeza apoyada en el pecho de Wickham y éste abrazándola por la cintura. Gabby se movió un poco para mirarlo a la cara con una mano mientras jugueteaba con el suave tejido de lino de su camisa. Los ojos de Wickham centelleaban en la penumbra. Gabby logró distinguir sus rasgos a duras penas. Tenía el entrecejo fruncido, de forma que sus cejas casi se unían sobre el caballete de la nariz, y su boca —su hermosa boca— estaba contraída en un gesto grave.

—Gritaste —dijo Wickham.

—Lo sé.

—Como una posesa.

Gabby se estremeció de nuevo, recordando, y él la abrazó con fuerza.

—Me alegro de que me oyeras —dijo.

Todas sus acostumbradas defensas se habían venido abajo. La pesadilla la había trastornado hasta el punto de que sólo era capaz de aferrarse a él como un náufrago a una balsa en un mar embravecido. Cerró los ojos y se acurrucó contra él. El calor que emanaba su cuerpo la atraía como un imán. La pesadilla le había provocado una intensa sensación de frío y una angustiosa vulnerabilidad. Era como si fuera de nuevo una niña, sola y temerosa, sin nadie que la protegiera...

Relajó la mano con que asía la camisa de Wickham, la alisó para eliminar la arruga que se había formado y comprobó que éste se la había desabrochado casi hasta la cintura. Sus dedos rozaron el vello pectoral. Atraída por el calor que emanaba su piel, intrigada por la fuerza de su poderoso torso, Gabby apoyó la mano sobre el poblado vello deslizando los dedos entre los apretados rizos.

Él no dijo nada, permaneció inmóvil y en silencio. Gabby notó que algo le rozaba la coronilla y se preguntó vagamente si serían sus labios. Al abrir los ojos vio que su pálida mano contrastaba con el montículo de vello negro sobre el que descansaba. Sintió el cuerpo largo y musculoso de Wickham a través del sutil lino de su camisón y comprobó que iba vestido con pantalón, camisa y calcetines. Gabby tenía los pies desnudos y los restregó contra las pantorrillas de Wickham, reconfortada por su calor, deseosa de tocarlo.

—Debo advertirte que estoy un poco bebido —dijo él articulando las palabras con claridad y asiendo la mano de Gabby que jugueteaba con el vello de su torso.

Ella alzó la vista para mirarle.

—Hummm. Hueles como una cervecería.

—Y tú hueles a... vainilla —respondió Wickham, esbozando una breve sonrisa. La miró entrecerrando los ojos, que relucían bajo el resplandor del fuego. Su mano descansaba sobre la de Gabby, impidiendo que la moviera pero sin retirarla de su pecho.

—Es el jabón que utilizo. Me di un baño antes de acostarme.

Wickham no respondió. Gabby sintió levemente bajo la palma de su mano los rítmicos latidos de su corazón. Acurrucada entre sus brazos, además del olor a brandy y a puros, percibió un leve aroma a cuero y un sutilísimo olor acre que, según había podido comprobar, era propio del cuerpo masculino. Sus temblores remitieron, gracias al calor del cuerpo de Wickham y al consuelo de su presencia. Gabby se tumbó de costado, oprimiendo los pechos contra las costillas de Wickham y sintiendo que la cadera de éste se clavaba en su vientre. Tenía los dedos de los pies helados y los introdujo entre la pantorrilla de Wickham y el colchón, tratando de entrar en calor.

El contacto con el cuerpo de Wickham le producía un intenso cosquilleo.

—Cuéntame tu pesadilla —pidió él con voz grave, un tanto ronca e imperiosa.

Gabby respiró hondo, dejando momentáneamente de pensar en la respuesta de su cuerpo al de Wickham, e instintivamente asió con fuerza el vello que cubría su torso, arañándole superficialmente. Él hizo una mueca de dolor y, al darse cuenta de que le estaba lastimando, Gabby relajó la mano y le hizo una caricia a modo de disculpa.

—Gabriella, cuéntame.

Gabby meneó la cabeza, ansiando que la pesadilla se desvaneciera como había ocurrido en muchas otras ocasiones, negándose a multiplicar su horror describiéndolo verbalmente.

—¿Se refería a Trent?

Ella se estremeció y le miró con los ojos desmesuradamente abiertos. Wickham la abrazó con tanta fuerza que Gabby sintió el duro contorno del hueso de su cadera.

—¿Cómo lo has... qué te hace pensar eso?

Wickham le acarició la cabeza y al tropezar con su trenza se puso a juguetear con el extremo de la misma, que estaba atada con una cinta azul.

—Los sirvientes constituyen una infinita fuente de información. Cuando vi que Trent te tenía aterrorizada, pedí a Barnet que hiciera ciertas indagaciones. Por lo visto, Trent es en cierto modo responsable del daño que sufriste en la pierna, ¿no es así?

Gabby sofocó una exclamación de asombro. Aferró de nuevo el vello de su torso, pero esta vez él no pareció notarlo. Wickham tenía la mano apoyada en la parte baja de la espalda de Gabby, donde comenzaba la curva de su trasero, apretándola contra su cuerpo.

—Cuéntamelo. —Esta vez no cabía duda de que era una orden.

Gabby dudó unos momentos. No podía hablar de lo que había ocurrido, nunca había sido capaz de hacerlo. Ni a sus hermanas, ni a Twindle ni a Jem. Durante muchos años había mantenido en secreto los sucesos de aquella fatídica noche, reviviéndolos periódicamente en forma de pesadillas. No obstante, a lo largo de los años éstas se habían hecho menos frecuentes, hasta que al fin habían cesado. La pesadilla de esa noche era la primera que había tenido desde la muerte de su padre. Sin duda había sido provocada por su espeluznante encuentro con Trent.

De golpe Gabby comprendió que Wickham era la única persona a quien podía contárselo, pues no se asustaría ni sufriría ningún perjuicio a causa de ello. Wickham no era un sirviente ni una mujer, sino un mero visitante en el pequeño mundo insular que la rodeaba, donde la riqueza y la nobleza conferían a uno todos los poderes de un rey medieval. Podía relatarle sus cuitas sin que ello tuviera más consecuencias que si hablara consigo misma.

—Él... yo... mi padre... yo tenía doce años —balbució, relajando la mano con que aferraba el vello pectoral y acariciando la castigada piel. No le miró a la cara, sino que mantuvo la vista fija en su mano. Los rizos cortos y negros se enredaron entre sus dedos—. Mi padre daba... fiestas en casa. Durante sus últimos años permaneció sentado en una silla de ruedas, de modo que rara vez salía de Hawthorne Hall. Sus amigos venían a visitarle. Formaban un grupo nada recomendable, formado principalmente por nobles y sus amantes. Bebían, jugaban y... en fin, estoy segura de que no necesito explicarte todos los detalles.

—Me los imagino —respondió Wickham secamente.

—Una noche, mi padre se quedó sin fondos. Se jugaba invariablemente cada libra de la renta que le proporcionaban sus tierras; de no haber estado embargadas, estoy segura de que también las habría perdido. Pasaba de las cuatro de la madrugada cuando entró un sirviente en mi habitación, conminándome a que me levantara porque mi padre deseaba verme urgentemente. Ni siquiera tuve tiempo de vestirme. Corrí a verlo vestida con mi camisón y una bata, suponiendo que lo hallaría a las puertas de la muerte. Mi padre se encontraba en sus aposentos en el segundo piso, pues en aquella época ya casi nunca bajaba. En lugar de la siniestra escena que había imaginado, me lo encontré jugando a los naipes con Trent. Al cabo de unos momentos comprendí que la apuesta sobre la mesa era yo.

Wickham emitió una exclamación ininteligible y abrazó a Gabby con fuerza. Ésta respiró hondo y prosiguió.

—Por lo visto mi padre había perdido mucho dinero. Trent tenía frente a sí un montón de dinero y pagarés. Al cabo de unos minutos durante los cuales ambos me ignoraron, mi padre me indicó que me acercara, obligándome a volverme hacia Trent. «¿Te conformas con ella?», le preguntó mi padre. Yo era demasiado joven para comprender lo que significaba, pero sabía lo suficiente para sentirme abochornada por la forma en que Trent me miró. Su expresión me asustó un poco, pero lo cierto es que temía más a mi padre. De modo que me quedé de pie frente a Trent, el cual asintió con la cabeza. Mi padre escribió algo en un papel y leyó: «Veinte mil libras contra una niña virgen», y pasó la nota a Trent. Luego se marchó. Al salir de la habitación las ruedas de su silla rechinaron. —Gabby cerró los ojos. Apenas pudo controlar el temblor de su voz—. Aún me parece oír el sonido de la llave cuando mi padre cerró la puerta desde fuera. Estaba encerrada en la habitación, a solas con Trent.

Wickham soltó una exclamación en voz baja. Gabby se detuvo, aferrando de nuevo el vello de su torso, incapaz de continuar. Percibía los violentos latidos del corazón de Wickham en su oído. Apenas podía respirar.

34

—Ese mal nacido trató de violarte. —No era una pregunta. La voz de Wickham sonaba áspera.

Gabby le sintió apretar los puños contra su espalda, arrugando de paso el delgado tejido de su camisón.

—Me ordenó que me desnudara —dijo Gabby con voz entrecortada—. Supuso que yo le obedecería. Cuando me negué, me agarró. Conseguí soltarme, pero cuando traté de salir de la habitación me golpeó con su bastón, el mismo que lleva ahora, derribándome al suelo. Luego me golpeó una y otra vez. Logré zafarme por segunda vez y me levanté. Cuando Trent se abalanzó de nuevo sobre mí, yo... salté por la ventana. Era una ventana muy alta. Me precipité al vacío (recuerdo que era una hermosa noche estrellada, cálida para septiembre, y durante unos momentos tuve la sensación de estar volando) y aterricé en la terraza, que es de piedra. Al caer me partí la pierna. Cuando recobré el sentido sentí un dolor espantoso y estaba muy asustada. Nadie acudió en mi ayuda hasta el amanecer. Entonces Claire me vio tendida en el suelo desde la ventana del cuarto de los niños y vino corriendo.

Al recordar el episodio, Gabby se echó a temblar violentamente.

—¿Qué clase de monstruo era tu padre? —preguntó Wickham con aspereza.

—Sí, era un monstruo. Nos odiaba a mis hermanas y a mí, a todo el mundo. Me culpó por lo sucedido, porque no había conseguido saldar su deuda y seguía debiendo dinero a Trent. Cuando me recuperé volvió a ofrecerme a Trent, pero éste ya no estaba interesado en mí porque me había quedado... coja.

Wickham profirió una palabrota en voz baja con una fluidez que debió de escandalizar a Gabby, y la abrazó con fuerza, meciéndola, acariciándole el pelo, la espalda. Sus labios rozaron su frente, su sien, su mejilla...

Pero antes de aceptar el consuelo que Wickham le ofrecía, debía revelarle otra cosa. Respiró hondo con el fin de controlar el temblor de su voz.

—Trent... por algún motivo, ahora que estamos en Londres... vuelve a demostrar... interés en mí. Esta noche lo vi... en Almack's. Dijo... que seguía conservando el pagaré. Dijo... que vendría por mí, para cobrar su deuda. Muy pronto. —Por más que se esforzó, no logró controlar el nerviosismo que denotaba su voz.

Abrazó a Wickham con tal fuerza que parecía como si sus brazos fueran de hierro. El cuerpo tibio y musculoso de éste se tensó y se quedó inmóvil. Su trabajosa respiración indicaba el esfuerzo que le costaba reprimir su ira. En esos momentos Gabby recordó la primera impresión que le había causado: era un hombre muy peligroso.

—¿Trent te amenazó esta noche? —preguntó con una voz curiosamente desprovista de toda emoción.

Gabby asintió con la cabeza, tragando saliva. Tenía la garganta tan seca que no podía articular palabra.

—No te preocupes, yo le mataré por ti. —Wickham lo dijo con la misma frialdad que si comentara el tiempo.

Gabby lo miró con ojos como platos. No podía hablar en serio... pero en el fondo sabía que sí. Sintió un escalofrío de terror al imaginar a Wickham tratando de matar a Trent y siendo abatido por éste.

Cuando alzó la vista para mirarle horrorizada, Wickham oprimió la mano con que ella le aferraba el vello del pecho.

—¡No! ¡Te ruego que no lo hagas! Trent es un hombre muy poderoso. Es inmensamente rico y además... conoce a gente capaz de todo. No quiero que te hagan daño. Te lo suplico.

Se produjo una brevísima pausa.

—Gabriella...

Ella sintió que su cuerpo rígido se relajaba entre los brazos de Wickham. Éste también pareció relajarse y su respiración se suavizó.

—¿Sí?

—¿Sabes que eso es lo más agradable que me has dicho nunca?

No obstante el pavor que la atenazaba, a Gabby le chocó la nota jovial que denotaba la voz de Wickham. Sus ojos centelleaban mostrando su habitual expresión burlona. En sus labios se dibujaba una leve sonrisa. Gabby le conocía lo suficiente para saber que pese a esa súbita jovialidad no había renunciado a su propósito de matar a Trent; era evidente que a Wickham no le hacía gracia la amenaza que representaba el duque. Gabby aferró con más fuerza el vello de su pecho. De pronto notó las manos muy frías.

En un enfrentamiento cara a cara con Trent, Wickham ganaría con toda seguridad. Pero Trent no era hombre de enfrentarse cara a cara con nadie. Era taimado y perverso, y con su poder y sus recursos no tenía más que expresar el deseo de que Wickham fuera eliminado para que su deseo se cumpliera.

—¡Ay! ¡Me haces daño! —se quejó Wickham. Apoyó la mano sobre la de Gabby, aplastándola sobre su pecho y obligándola a soltarle el vello.

—No debí contártelo —dijo ella desesperada, ignorando la incongruente reacción de Wickham al alzar la vista para mirarle—. Debes mantenerte alejado de él, ¿me has entendido? Ordenará que te maten. Puede ordenar...

—Gabriella —le interrumpió él acariciando su mano—, no temas por mí: sé cuidar de mí mismo. Trent no me hará daño, y me comprometo a asegurarte que, si le perdono la vida, no volverá a acercarse a ti. Deja el asunto en mis manos.

—No lo entiendes —protestó Gabby con voz entrecortada, tratando infructuosamente de volver a asirle el vello, pero Wickham se lo impidió acariciándole la mano—. No te matará él mismo. Ordenará a otras personas que lo hagan y les pagará bien por ello. Y le obedecerán. Por favor, prométeme que no te acercarás a él.

—Debes confiar en mí —respondió Wickham con un tono irritantemente sosegado mientras sus dedos jugueteaban con los de ella.

Gabby emitió una exclamación exasperada.

—¡Qué terco eres! No eres invencible, ¿sabes? Hasta yo conseguí herirte de un tiro.

Wickham la miró sonriendo.

—Es verdad, pero debo alegar en mi descargo que no esperaba que una joven tan distinguida como me parecías entonces tuviera un carácter tan rencoroso y violento.

Gabby casi rechinó los dientes de desesperación ante su negativa de tomar su advertencia en serio.

—Trent no se detendrá ante nada —insistió, escrutando ansiosamente el rostro de Wickham en busca de algún signo que indicara que había conseguido convencerlo—. Para él ordenar que te maten es como ordenar que aplasten a una mosca.

—Gabriella —contestó Wickham con una expresión burlona en sus ojos—. Si fuera un presuntuoso, interpretaría tu preocupación como un sentimiento de cariño hacia mí.

Pasmada ante semejante idea, ella lo miró unos momentos fijamente, sin pestañear. Un sentimiento de cariño hacia él...

Esa ocurrencia la desconcertó. Porque, como comprendió sintiendo un nudo en el estómago, era angustiosamente cierta. Sentía cariño hacia él, más que cariño. Durante los días en que lo había tratado, había llegado, paso a paso, a considerarlo un estimado amigo, más que eso. Aunque a la fría luz del día sabía —con toda certeza— que Wickham podía desaparecer tan repentinamente como había aparecido, esa noche, cobijada entre sus brazos, había descubierto que los espejismos poseían una magia irresistible.

«Me he enamorado de él», pensó. Atónita ante semejante descubrimiento, lo miró a los ojos.

—Ni siquiera sé tu nombre —murmuró perpleja, mientras la parte racional de su mente protestaba airadamente por haber obedecido los dictados de su impulsivo corazón.

—Nick —respondió él sin apartar los ojos de los suyos—. Me llamo Nick.

Apoyó la mano en la cabeza de Gabby y lentamente, muy lentamente, acercó su boca a la suya. Luego la besó.

35

Sus labios eran firmes, cálidos, tiernos. La besó suavemente, con dulzura y exquisita delicadeza, mientras Gabby sentía como si sus huesos se fundieran y su sangre se convirtiera en una ardiente lava que circulaba por sus venas.

Cerró los ojos y abrió la boca para recibir el beso de Wickham y dejar que le robara el alma sin protestar. Nick. No era mucho, y quizá ni siquiera fuera su verdadero nombre. A fin de cuentas, muchos incautos le conocían como Marcus. Pero daba lo mismo, se dijo Gabby. Fuera quien fuese, ella le pertenecía, y sería suya durante el tiempo que él quisiera. Su cuerpo lo comprendió instintivamente. Su corazón era un converso reciente. Atrapada en la pasión del momento, su mente lo aceptó también. No tenía noción del bien ni del mal, no pensó en la amenaza que eso representaba para su futuro, que tanto se había esforzado en asegurar, no era consciente de nada salvo de él, y de las sensaciones que le provocaba.

«Nick», pensó de nuevo, maravillada. Luego lo dijo en voz alta, rodeándole el cuello con los brazos y besándolo con ardor. De pronto el beso cambió; dejó de ser delicado. Wickham se montó sobre ella, haciéndola tenderse boca arriba, y se incorporó sobre los codos. Apoyó su muslo pesado y musculoso sobre el suyo, arremangándole el camisón, haciendo que Gabby se echara a temblar de excitación. La besó con avidez y Gabby sintió que su corazón latía con violencia. La lengua de él invadió y exploró su boca, acariciándola, pugnando con ella. Gabby respondió al principio tímidamente y luego con creciente intensidad al tiempo que su respiración se hacía más entrecortada.

Su boca sabía a brandy y a puros, pero Gabby estaba hambrienta de ella. Su incipiente barba le arañaba la piel, pero le encantaba su tacto viril. Wickham le tomó el rostro, acariciando sus mejillas, su sien, obligándola a abrir la boca para besarla más profundamente. Gabby arqueó el cuerpo en respuesta a sus caricias, oprimiendo descaradamente los pechos contra su torso, anhelando un contacto más íntimo. Sintió el miembro duro e insistente de Wickham contra su cadera, la turgente prueba de su deseo.

—Gabriella... —dijo él con voz trémula, alzando la cabeza. Gabby respondió abriendo los ojos para escudriñar su rostro. Nick. Su extraordinariamente apuesto Nick—. Gabriella, yo...

—Chitón —murmuró ella deslizando una mano por su nuca para acercar de nuevo sus labios. No deseaba hablar ni oírle hablar. Tan sólo deseaba que la besara hasta hacerla morir de placer. Sus besos inflamaban sus sentidos, la hacían sentir mareada...

—Escucha, Gabriella —le dijo, evitando que sus bocas se tocaran cuando ella alzó el rostro para besarlo. Sus ojos, que centelleaban en la penumbra como dos diamantes negros, escrutaron su rostro—. Ya te he dicho que estoy bebido. Esta noche no puedo limitarme a jugar contigo, como hicimos anteriormente. Te deseo tanto que me duele todo el cuerpo, y me temo que si no abandono ahora mismo tu lecho, cuando llegue el momento no podré hacerlo.

Pero al tiempo que pronunciaba esa advertencia fijó la vista en la boca de Gabby y acarició el delicado contorno de sus labios. Su miembro rígido, silencioso testimonio de su ardiente deseo, se restregó contra la cadera de Gabby como si tuviera vida propia.

Entreabriendo instintivamente los labios cuando Wickham introdujo el pulgar entre ellos, Gabby alzó la vista y lo miró. Oprimió los pechos contra su torso, sintiendo el calor que emanaba. Sus muslos temblaron bajo el peso de los de él. Estaba loca por ese hombre, le deseaba con pasión, con frenesí.

Pasara lo que pasase, independientemente de las consecuencias, no podía renunciar a este momento. Quizá no volviera a sentir en su vida lo que sentía ahora.

—No quiero que abandones mi lecho —dijo con un tono sorprendentemente sosegado.

Él entornó los ojos y la miró.

—No sabes lo que dices. Mañana... —Tenía la voz ronca.

Gabby acarició su nuca y jugueteó con su cabello espeso y sedoso. Por más que él trató de resistirse, al fin inclinó la cabeza para besarla.

—No me importa lo que ocurra mañana —murmuró ella levantando la cabeza de la almohada para fundir los labios con los suyos.

—Gabriella.

Wickham emitió un sonido gutural cuando ella apretó la boca contra la suya. Luego se rindió. De pronto deslizó sus manos por todo su cuerpo, acariciándole los pechos, el vientre, los muslos. Gabby gimió de placer, gritó, se retorció, ayudando a Wickham a subirle el camisón y a quitárselo, temblando mientras yacía desnuda en la cama y él se quitaba la camisa. Luego, con movimientos rápidos y frenéticos, él se despojó del pantalón. Antes de introducir las rodillas entre las de Gabby, ésta separó las piernas para recibirlo. Su miembro viril rozó sus partes íntimas, explorándolas, y Gabby gimió de deseo al sentir el fuego abrasador y la tensión que invadía la zona más secreta de su cuerpo. Al oírla gemir, Wickham se detuvo. Los músculos de su espalda se tensaron y apartó la boca de la suya para respirar hondo un par de veces. Se incorporó un poco, retirando su miembro.

—Lo haremos despacio —susurró al oído de Gabby, que al sentir el cosquilleo de su cálido aliento volvió instintiva y ciegamente la boca hacia la suya.

Él yacía con el pene entre los muslos de Gabby, caliente y pulsando de deseo, pero no trató de penetrarla. En vez de ello, la besó en la boca. Gabby le rodeó el cuello con los brazos y le correspondió con febril abandono, olvidándose del rígido miembro que sentía entre las piernas.

—Qué hermosa eres... —Wickham alzó la cabeza y le retiró suavemente unos mechones que le caían sobre la cara.

—Tú también eres muy hermoso.

Él la miró sonriendo —una sonrisa conmovedoramente dulce— y la besó en el mentón. Luego deslizó los labios por su cuello y se detuvo en sus pechos, acariciándolos, succionándolos, mordisqueando suavemente sus pezones, hasta que Gabby sintió que se abrasaba de placer. El corazón le latía con violencia. Su pulso se aceleró. Su respiración se convirtió en breves jadeos, como si hubiera corrido varios kilómetros. Por fin, cuando hundió las manos en el pelo de Wickham y le ofreció sus pechos sin disimulo, éste deslizó la mano por su cuerpo hasta detenerse en el lugar secreto entre sus piernas. Gabby sintió que estaba ardiendo, que se humedecía, que se derretía, tan enloquecida de pasión que no le importaba fundirse. Wickham apoyó la mano sobre el nido de rizos y lo acarició. Gabby emitió un quejido. Él bajó más la mano. Gabby se puso a temblar mientras él la tocaba donde ella ansiaba que la tocara sin saber siquiera lo que deseaba. Siguió acariciándola, localizó el botoncito que ella ni siquiera había imaginado que existía, y lo frotó. Gabby sintió que unas intensas llamaradas recorrían su cuerpo y gimió de placer.

Luego Wickham introdujo los dedos en su vulva.

Gabby contuvo el aliento, hincándole las uñas en los hombros. La lenta penetración en su cuerpo de un dedo en primer lugar, luego dos juntos, le produjo un placer tan intenso que sintió cómo su vulva se tensaba y contraía espasmódicamente. Gabby emitió una exclamación y arqueó el cuerpo contra aquella mano que la invadía, suplicando... no sabía muy bien qué. Empezó a mover las caderas en sentido circular y de pronto el cuerpo de Wickham se tensó como una tabla. Durante unos momentos permaneció completamente inmóvil.

—¡Dios bendito! —murmuró con voz ronca—. Esto me matará.

Gabby abrió los ojos y lo miró. Él clavó sus ojos enfebrecidos de pasión en los suyos.

Él siguió explorando las partes íntimas de Gabby con sus dedos. Los retiró brevemente y luego volvió a introducirlos en su vulva, sin apartar la vista de su rostro.

—¿Te gusta? —preguntó con voz gutural. Tenía los labios entreabiertos y al respirar emitía un sonido sibilante.

—Sí —gimió ella, asiéndole con fuerza por los hombros, dejando a un lado toda sensación de vergüenza. Su cuerpo se tensó y rompió a llorar, a temblar—. ¡Sí, sí!

—Te deseo más de lo que jamás he deseado nada en mi vida. —Las palabras de Wickham sonaron como un quejido. Escrutó el rostro de Gabby—. Muy bien, allá vamos.

Retiró la mano izquierda del cuerpo de Gabby y se montó sobre ella, sosteniéndose sobre los codos. Ella separó las piernas instintivamente para recibirlo. Él deslizó los muslos entre los suyos y de pronto introdujo su miembro en la vulva ardiente y húmeda que había preparado con los dedos.

Cuando Gabby sintió que la penetraba, al principio sólo un poco, su deseo se intensificó hasta producirle una especie de descarga eléctrica. Sus muslos temblaban. Tenía el cuerpo en llamas. Ansiaba...

Wickham se retiró y luego volvió a penetrarla.

Gabby gritó de placer y él la besó en la boca con un inesperado y feroz ardor. Ella deslizó las manos por su espalda húmeda de sudor. Wickham tensó los músculos y la penetró más profundamente, hasta toparse con una barrera.

Su virginidad. Ella iba a entregarle su virginidad. Gabby lo comprendió con el último destello de cordura que le quedaba, y comprendió también que, aunque hubiera podido, no la habría frenado. Antes bien, si él se detenía ahora ella moriría.

Wickham flexionó de nuevo los músculos, como si hiciera acopio de todas sus fuerzas. Y acto seguido la penetró con una fuerza brutal, atravesando la barrera.

Gabby sintió un dolor repentino y desgarrador. Sorprendida, gimió y se tensó, clavándole las uñas en la espalda a modo de protesta.

—Lo siento. —La miró con los ojos entornados, negros como el azabache y relucientes. Murmuró unas palabras de disculpa en su oído al tiempo que la penetraba con más fuerza, más profundamente, llenándola hasta el extremo de que Gabby creyó que iba a estallar.

—Me has... hecho daño —balbució ella al tiempo que el dolor empezaba a remitir.

—Lo sé —respondió besándola con ternura en la comisura de la boca—. No volveré a hacerte daño. Yo... ¡Dios, Gabriella!

Gabby no se resistió, pero no pudo impedir que sus músculos se tensaran cuando él empezó a moverse lentamente, como si no pudiera evitarlo. Wickham sudaba como si hubiera pasado toda la jornada trabajando bajo un sol abrasador. Se sostuvo sobre sus temblorosos brazos, para no descargar su peso sobre ella, mientras se movía lenta y rítmicamente en su interior.

Tal como le había prometido, no volvió a hacerle daño, pero una parte de la magia se había disipado.

Pero cuando él se inclinó para besarle los pechos al tiempo que la penetraba profundamente, Gabby emitió un inesperado gemido. Ese breve sonido le hizo perder el control. Gabby lo oyó gemir también y sintió que un escalofrío le recorría la espalda. De pronto los movimientos de Wickham cambiaron, dejando de lado toda delicadeza. Empezó a moverse con furia, penetrándola cada vez más salvaje, rápida y profundamente. Respiraba dificultosamente; su cuerpo aplastaba el de ella de forma inmisericorde contra el colchón.

Él se había convertido en un codicioso depredador y ella en su presa semirresignada. La intensidad de su pasión hizo que Gabby se sintiera violada, abrumada. De haberse tratado de otro hombre, se habría resistido, habría pugnado por liberarse. Pero en lugar de ello aceptó dócilmente sus embates, arañándole en la espalda, resbaladiza debido al sudor, mientras él la convertía en una mujer.

Gabby no cesaba de pensar: si se sentía así realizando el acto carnal con el hombre al que amaba, ¿cómo se sentiría haciéndolo con alguien a quien no amara? Al imaginar al señor Jamison realizando semejante acto con ella, se estremeció.

Su estremecimiento enloqueció a Wickham. Farfulló el nombre de Gabby, hundió la cara en su cuello y la penetró con tal fuerza que ella temió que la partiera en dos. Él se contuvo durante unos segundos, empalándola con su miembro, asiéndola por las caderas con tal fuerza que le clavó los dedos en su delicada piel, tras lo cual gimió al tiempo que se movía como presa de violentas convulsiones. Por fin, al cabo de un rato que a Gabby le pareció interminable, su cuerpo se relajó.

Ella permaneció tendida contemplando el techo, con las manos descansando fláccidas sobre los poderosos hombros de Wickham, los cuales la mantenían, junto con el resto de su cuerpo, inmovilizada. Ese hombre pesaba una tonelada. Estaba ardiendo, húmedo, y distaba bastante de ser el príncipe encantador con que sueñan todas las mujeres solteras. Gabby había deseado acostarse con él y había visto cumplido su deseo.

En el futuro, pensó, tendría más cuidado a la hora de desear algo.

De pronto, Wickham alzó la cabeza y la miró a los ojos. Gabby trató de sonreír, pero no lo logró. Él se retiró de ella esbozando una mueca, se tumbó a su lado y la abrazó. De no haberla rodeado por la cintura con su musculoso brazo, inmovilizándola, Gabby se habría levantado rápidamente de la cama, como sin duda había deducido Wickham.

Tomó la mano de Gabby que descansaba fláccida sobre su pecho y la besó en la palma. Luego, sin soltar su mano, la miró.

—Si deseas propinarme un bofetón, estoy dispuesto a encajarlo —dijo con un tono ligeramente burlón, restregando la mano de Gabby sobre su hirsuta barbilla.

Curiosamente, ese comentario consiguió hacerla sonreír. Fue una sonrisa fugaz pero sincera, y grata después del trauma emocional y físico que Gabby había sufrido en los últimos minutos. De pronto recordó que estaba enamorada de él, locamente enamorada, y el motivo. Entre otras razones, cabía destacar la expresión burlona de sus ojos.

—Ahora mismo no me apetece —respondió Gabby con tono melindroso.

—¿Qué te ha parecido tu primera experiencia sexual? —inquirió él mirándola con curiosidad.

Gabby vaciló unos instantes, ruborizándose. Hablar de un tema tan íntimo... Pero ¿las personas hablaban de estos temas? No tenía ni idea. Aunque si él se lo había preguntado, sería porque lo hacían. Además, el preocuparse por mantener un cierto decoro le pareció absurdo dadas las circunstancias. Wickham estaba desnudo, ella estaba desnuda, estaban acostados en una cama, ella estaba apoyada sobre él, empapada de su sudor y otros líquidos corporales y él acababa de hacerle unas cosas que ella jamás había imaginado que le haría ningún hombre. Hacía un buen rato que su pretendido pudor se había evaporado.

—Bien. —Era una palabra pálida e insignificante para describir el furioso despertar que había experimentado su cuerpo y el decepcionante resultado, pensó Gabby, pero no se le ocurrió nada mejor.

Wickham emitió una carcajada, seguida de un gemido, y volvió a besarle la palma de la mano. Luego se levantó de la cama, la tomó en brazos antes de que adivinara sus propósitos, y se dirigió con ella hacia su habitación.

36

—¿Qué haces? —preguntó Gabby, escandalizada, al tiempo que rodeaba el cuello de Wickham con un brazo.

Estar desnuda y en la cama con él era bochornoso, pero estar desnuda, sin nada con qué cubrirse, y transportada en sus brazos era infinitamente peor. Al mirar hacia abajo vio cada centímetro de su propio cuerpo, desde el cuello hasta los dedos de los pies: sus senos, no mayores que unas naranjas, cuya cremosa piel estaba coronada por unos pezones pequeños y erectos, todavía enrojecidos debido a las caricias de Wickham; el triángulo de vello color caoba que éste había explorado y reclamado; las esbeltas curvas de sus muslos, apoyados sobre el brazo musculoso de Wickham; el muslo izquierdo mostraba unas tenues cicatrices, blancas como la nieve y no mayores que su dedo meñique, que indicaban el lugar donde el hueso le había sobresalido por dos sitios aquella trágica noche hacía años. De no ser por las cicatrices, pensó Gabby, nadie habría adivinado, a simple vista, que se había lastimado gravemente la pierna.

—Necesito fumar y beber un par de brandys para aclararme la cabeza. Luego, querida mía, tú y yo vamos a tener una conversación.

Parecía una proposición interesante, especialmente cuando él la depositó con delicadeza sobre el borde de su cama, la besó brevemente en la boca y le entregó una jofaina, una palangana y una toalla antes de volverse de espaldas. Mientras ella se lavaba apresuradamente, lo observó con profundo interés. Wickham estaba desnudo como el día que nació, lo cual, al parecer, no le turbaba lo más mínimo. No es que, aparte del pudor del que parecía carecer por completo, tuviera nada de qué avergonzarse. Desde sus anchos hombros hasta sus poderosas piernas, pasando por su larga y musculosa espalda, presentaba un aspecto más espléndido y viril que incluso las estatuas griegas del museo.

Gabby observó fascinada sus nalgas. Sabía, porque las había tocado, que eran lisas y firmes. Ahora vio que además estaban bien formadas. Muy bien formadas.

—Nick —dijo tentativamente después de haberse lavado, alisado su melena suelta y haberse puesto la bata de Wickham, que éste había dejado oportunamente a los pies de la cama.

Sosteniendo una copa con una mano y un puro encendido con la otra, él respondió a ese nombre, volviéndose y mirándola con expresión inquisitiva. Gabby estaba sentada con la espalda apoyada contra el cabecero de la cama y las piernas encogidas, sintiéndose decididamente mejor después de haberse lavado y estar mínima pero decentemente cubierta.

Al contemplar por primera vez a un hombre desnudo, de frente, las palabras que iba a decir no llegaron a brotar de sus labios.

El espectáculo prácticamente le cortó el aliento.

Gabby sabía que él tenía los hombros anchos y los brazos musculosos. Conocía el vello negro que cubría su pecho y descendía estrechándose hasta convertirse en una fina línea sobre su vientre duro como una piedra. Conocía su miembro viril y que, cuando estaba saciado, pendía en un estado semialetargado desde su nido de rizos negros. Conocía la cicatriz roja y desigual que tenía sobre la cadera izquierda —que ella misma le había causado— e incluso la otra cicatriz, serrada como un relámpago y más pálida que su piel, que se extendía sobre su muslo derecho.

Lo que no sabía era la profunda impresión que le causaría el hecho de contemplarlo desnudo. Gabby abrió los ojos desmesuradamente y sintió la boca seca.

—¿Qué? —preguntó Wickham al ver que no decía nada.

Ella alzó la vista y lo miró, percatándose, turbada, de que él se había vuelto en respuesta a algo que ella había dicho. El problema era que no lograba recordar lo que era. Ah, sí, su nombre: Nick.

—Sólo quería comprobar si respondías a ese nombre —dijo con cierta impertinencia—. Imagino que debe de ser difícil recordar tu verdadera identidad cuando utilizas un seudónimo.

Él se rió, bebió un trago de brandy y depositó la copa en la mesa. Luego se encajó el puro en la boca y avanzó hacia ella, gloriosamente desnudo.

—Conque volvemos a comportarnos como una arpía, ¿eh? Eso indica que te sientes mejor. —Al alcanzar la cama se quitó el puro de la boca y lo aplastó en un receptáculo situado sobre la mesilla—. Te aseguro que mi verdadero nombre es Nick.

—¿Nick qué más? —Le miró a los ojos con cierto recelo. El estado del cuerpo de Wickham, que había cambiado notablemente en el curso de su conversación, la alarmó. Parecía preparado, dispuesto y deseoso de... ¿Era posible que los hombres pudieran hacer eso más de una vez en una noche? Por lo visto sí. Pero ella no. En cualquier caso no le apetecía, lo cual iba a dejar muy claro.

Él le dirigió una mirada exquisitamente burlona y se sentó en el borde de la cama.

—Me pregunto por qué las mujeres no os sentís nunca satisfechas. Te digo mi nombre, que es Nick, y tú replicas «¿Nick qué más?». Te hago el amor y me dices que ha estado bien. «Bien» no es la palabra que un hombre quiere oír en ese contexto, Gabriella. Creo que si volvemos a intentarlo, conseguiré mejorar la puntuación.

—Espera. —Cuando él se inclinó para besarla, ella apoyó una mano en su pecho para detenerle—. Yo...

Wickham la sujetó por la muñeca para impedir que moviera la mano. Gabby sintió los acompasados latidos de su corazón debajo de la espesa mata de vello y la textura cálida y musculosa de su piel.

Le miró a los ojos. El fuego que ardía en la habitación era tan sólo mínimamente más intenso que el suyo propio, pero proporcionaba la suficiente luz para que Gabby viera con claridad las angulosas y pronunciadas facciones y la mirada intensa que mostraban los ojos de Wickham.

—Por más cuidado que se ponga, la primera vez nunca es agradable para una mujer —dijo él suavemente—. Y para colmo, yo estaba un poco bebido. Al final perdí el control. Debí comportarme con más delicadeza pero no fui capaz de contener mi ardor. Perdóname.

—No es culpa tuya, Nick —dijo ella sintiendo que su firme propósito flaqueaba frente a aquellos ojos azules—. Me lo advertiste y yo te pedí que prosiguieras.

—¿Te arrepientes? —Acercó la mano de Gabby de nuevo a sus labios y le besó los nudillos. El calor de sus labios hizo que ella se estremeciera.

—No. —Gabby tragó saliva, sabiendo que había respondido la verdad—. No me arrepiento.

—Eres lo más hermoso que he visto en mi vida —dijo él con voz grave, retirando la mano de Gabby de sus labios pero sin soltarla—. Me cortaría la mano derecha antes de volver a lastimarte. —De pronto se contrajo un pequeño músculo situado en la comisura de su boca. Luego se estremeció como si hubiera hecho presa en él un escalofrío. Cuando habló de nuevo, su voz tenía un tono más animado y enérgico—. Estoy helado y tú, por si no te habías dado cuenta, llevas puesta mi bata. ¿Qué te parece si nos acostamos y charlamos un rato? No haré nada que tú no quieras, te doy mi palabra. Y puedes hacerme todas las preguntas que desees.

Gabby lo miró con cierta suspicacia. Eso sonaba demasiado prometedor para ser verdad. Le recordó caballos indómitos y recipientes metálicos llenos de maíz.

Los hechos le demostraron que tenía razón. Después de dejarse convencer por Wickham para meterse en la cama con él —aunque negándose categóricamente a devolverle la bata—, Gabby se arrebujó entre sus brazos bajo las mantas que les cubrían a los dos. Se sentía abrigada y confortable, observando satisfecha cómo jugueteaba con un grueso mechón de su abundante cabellera con expresión distraída, enrollándola y desenrollándola en torno a su muñeca.

—¿Nick qué más? —fue lo primero que le preguntó.

Él la miró con una expresión entre exasperada y divertida.

—Si te lo dijera, ¿cambiarías de forma de pensar?

—Es posible. Dímelo.

Él emitió una carcajada y la besó brevemente en la punta de la nariz.

—Te lo diré a su debido tiempo.

—Dijiste que podía preguntarte lo que quisiera —le recordó Gabby. Tenía la mano apoyada sobre su pecho, con los dedos extendidos y enredados en su gruesa mata de vello. Aunque estaba tapada con las mantas hasta los hombros, a él sólo le cubrían hasta la cintura. Gabby, en un arranque de amabilidad, trató de taparle más con las mantas para que no se enfriara, pero Wickham las apartó hasta la cintura. A ella no le importó.

El espectáculo de su torso amplio y cubierto de vello negro, sus poderosos hombros y sus musculosos brazos resultaba increíblemente atrayente.

—Es cierto —dijo Wickham mirándola con expresión risueña—. Pero no te dije que te respondería.

—¡Eres...! —A Gabby le sorprendió la evasiva, pero de todos modos dio un tironcito del vello a modo de reprimenda.

—¡Ay! —Él le sujetó la mano que tenía apoyada en su pecho, obligándola a abrir el puño—. Has vuelto a mostrar esa faceta tan desagradable de tu carácter a la que me he referido antes.

—Las únicas veces que me he comportado de forma desagradable y violenta contigo lo tenías más que merecido —replicó Gabby con tono severo, contemplando las manos entrelazadas de ambos. El tacto del torso de Wickham era subyugante, pese a la decepción que le habían causado otras partes de su anatomía, pensó. Su piel era tan cálida, los músculos tan recios... Gabby movió los dedos tentativamente.

Él respiró hondo y le soltó la mano para retirar aún más las mantas, de forma que quedó sólo mínimamente cubierto. Su ombligo, sus caderas, la fea cicatriz que indicaba el lugar donde ella le había herido de un disparo, estaban al descubierto.

—Creí que tenías frío —comentó Gabby frunciendo el ceño.

En los labios de Wickham se dibujó una leve sonrisa.

—Ya no —respondió.

—Ah —dijo ella, captando el mensaje.

—Sí, ah.

—No pretenderás decir que... ¿Es posible que quieras hacerlo otra vez? —inquirió con cierto tono de consternación.

—Confieso que se me había ocurrido.

—Pues yo no quiero —declaró Gabby con firmeza.

Él emitió una carcajada.

—Gabriella —dijo con un tono levemente alterado—. Te gusta que te toque, ¿no es cierto?

Ella alzó la cabeza y le miró de reojo. Dado que en aquellos momentos le estaba acariciando suavemente el torso, era absurdo negarlo.

—Sí... supongo que sí.

—Entonces, ¿por qué no lo haces tú?

—¿A qué te refieres? —preguntó Gabby abriendo los ojos como platos.

—Me gusta que me acaricies el pecho de este modo. Me gusta sentir tus manos sobre mi cuerpo. Si me lo permites, te enseñare otras cosas.

Gabby le dirigió una mirada tan cargada de suspicacia que él sonrió con picardía.

—Me miras como si yo fuera una araña y tú una mosca. Cariño, no voy a obligarte a hacer nada que no desees. Si algo te disgusta, no tienes más que decirlo y nos detendremos enseguida.

Fue la ternura con que Wickham pronunció la palabra «cariño» lo que desarmó a Gabby. Eso y la expresión risueña de sus ojos.

—¿Qué quieres que haga? —preguntó. En realidad no tenía ningún inconveniente. Siempre y cuando lo único que él pretendiera fuera que le tocara.

—Esto. —Apoyando la mano sobre la de Gabby, Wickham guió sus dedos sobre su pecho, sobre cada una de sus tetillas planas y masculinas, que para asombro de Gabby se pusieron rígidas cuando las tocó, y luego sobre su vientre, su abdomen. Gabby sintió un cosquilleo en los dedos al tacto de su piel. Era lisa, cálida y estaba cubierta de áspero vello, con una textura muy distinta a la de su propia piel, suave y sedosa. Era un placer acariciarle, comprobó Gabby; habría seguido acariciándole el resto de la noche.

Wickham le soltó la mano cuando uno de los dedos de Gabby comenzó a explorar, como si tuviera voluntad propia, su ombligo. Gabby recordó que había deseado hacer eso anteriormente, sin que una toalla se interpusiera... Introdujo y sacó el dedo varias veces, tras lo cual le acarició la zona abdominal circundante. Aquel vientre firme y musculoso contrastaba con el suyo...

—No te detengas ahí —dijo cuando Gabby se detuvo para pensar en el contraste que ofrecían sus finos y pálidos dedos con la piel atezada y cubierta de áspero vello de Wickham. Éste lo dijo con tono burlón, pero su voz era ronca.

Al mirarlo, deteniendo sus movimientos, Gabby comprendió que deseaba que descendiera más. Cuando volvió a apoyar la mano sobre la suya para guiarla hacia abajo, ella no se resistió. Él retiró las mantas de una patada, que quedaron cubriéndole tan sólo los pies, mostrando el objeto de su exploración.

Gabby sintió un escalofrío al contemplarlo. ¡Cielo santo! No era de extrañar que esa cosa le hubiera hecho daño al penetrarla. Cualquiera con mediana inteligencia comprendería que era imposible que encajara. Sin duda estaba destinada a una hembra más grande que ella.

Cuando se lo dijo a Wickham, éste soltó una sonora carcajada.

—Supongo que ése es el motivo de que tu calificación no pasara de «bien».

—¿Qué? —preguntó Gabby, frunciendo el entrecejo.

—Nada, Gabriella. Tócame ahí, te le lo ruego. Me vas a matar.

Gabby no pudo resistirse a ese «te lo ruego».

Cuando dejó que Wickham la guiara hasta el pene y lo asió, estuvo a punto de retirar la mano horrorizada. Le produjo una sensación extraña asirlo. Antes, cuando él permanecía confinado en la cama debido al accidente y había obligado a Gabby a apoyar la mano en su miembro, éste tenía un tamaño más reducido, aunque el contacto había sido tan breve que Gabby apenas recordaba los detalles. Ahora se había convertido en una cosa monstruosa, gruesa y caliente, cubierta por una piel ligeramente húmeda y suave como la seda. Ella lo apretujó un poco, para ver qué pasaba.

Contuvo el aliento, haciendo que Gabby alzara la vista y le mirara. Observó fascinada que había crispado la mandíbula y unas gotas de sudor perlaban su frente. Tenía los labios entreabiertos y el sonido de su respiración era sibilante. Wickham fijó en ella sus ojos entornados y relucientes.

—¿Te hago daño? —preguntó Gabby, dispuesta a soltarlo.

—No —respondió él entre dientes—. Ni mucho menos. Me gusta... cómo me tocas.

—¿De veras? —Intrigada, se incorporó y estrujó de nuevo el miembro viril.

Él emitió un sonido grave y gutural, entre un gemido y un gruñido.

—También puedes hacerlo de este modo.

Wickham cubrió de nuevo la mano de Gabby con la suya, demostrándole en silencio cómo complacerle. Arrodillada junto a él, Gabby repitió lo que él le había enseñado hasta que éste la detuvo repentinamente, sujetando su muñeca y obligándola a retirar la mano de su miembro.

Gabby le miró con expresión interrogante.

—Es suficiente. —Wickham respiraba dificultosamente.

Durante unos momentos permaneció tendido con los ojos cerrados, sujetándola por la muñeca. Por fin abrió los ojos y la miró a los suyos, sonriendo con cierta ironía.

Luego se incorporó en la cama.

—Gabriella.

Gabby lo sintió muy cerca. En esos momentos estaba acuclillada junto a él, pero su coronilla no alcanzaba el mentón de Wickham.

—¿Qué?

—¿Confías en mí lo suficiente para permitir que te enseñe otra cosa?

A esas alturas Gabby se sentía más intrigada que nerviosa.

—¿Qué es?

Sin soltarle la muñeca, Wickham apoyó la otra mano en la nuca de Gabby. Por un momento se limitó a acariciarle la suave piel sin responder. Luego inclinó la cabeza y la besó en la boca.

37

Cuando Gabby se percató de que estaban de nuevo acostados, que Wickham había conseguido despojarla de su bata y se disponía a situarse entre sus muslos para emprender otro asalto a su persona, estaba tan embargada de pasión que no pudo sino abrazarlo y esperar, como una mártir, a experimentar el dolor que en esos momentos recordaba con toda nitidez. La había engatusado con sus besos, primero en la boca y luego en sus pechos, su vientre y la cara interna de sus muslos. Luego, para sorpresa y turbación de Gabby, le había besado sus partes íntimas, haciéndole el amor con la boca hasta que Gabby se había puesto a temblar, gemir y retorcerse de pasión.

Entonces, después de hacerle sentir un placer enloquecedor, se había colocado entre sus muslos. Así pues, el necio y olvidadizo cuerpo de Gabby estaba caliente, húmedo y dispuesto a recibirle, abrasado por el fuego que él había prendido, deseándole, necesitándole, ansiando que la penetrara.

Su miembro viril era demasiado grande para encajar dentro de ella, recordó Gabby desesperada mientras él le acariciaba la entrada de la vagina, preparándola para la penetración. Gabby le miró espantada, pero él la besó en la boca y antes de que ella pudiera liberarse y ordenarle que se detuviera, la penetró hasta el fondo, llenándola, pero esta vez Gabby no sintió dolor alguno.

Antes bien, experimentó una sensación... casi maravillosa.

—¿Estás bien? —preguntó Wickham con voz ronca mientras retiraba su boca de la de Gabby y la miraba a los ojos.

—Sí. —Su respuesta debió de sonar dubitativa, o quizá seguía mirándole espantada, porque, pese a la intensa pasión que se reflejaba en el rostro de Wickham, éste esbozó una breve e irónica sonrisa.

—Confía en mí —dijo.

Gabby descubrió, no sin cierta sorpresa, que confiaba en él. Sintió su pene, gigantesco, recio y duro como un poste, en su interior, pero Wickham no lo movía, sino que permanecía inmóvil dentro de ella, y el resultado era... asombroso.

Gabby movió las caderas tentativamente, para ver qué ocurría, y sus genitales se contrajeron produciéndole un placer tan intenso que gritó. Él sonrió, de modo distinto que antes, y se inclinó para besar un punto sensible situado debajo de la oreja de Gabby. Pero seguía sin mover la parte inferior de su cuerpo. Gabby movió de nuevo las caderas, como un acto reflejo que no podía evitar, y sintió de nuevo una llamarada de placer que le recorrió el vientre y los muslos. Cuando gimió y se estremeció en respuesta a esa deliciosa sensación, Wickham deslizó las manos debajo de sus muslos y los alzó hasta hacerle doblar las piernas.

—Rodéame la cintura con las piernas —le susurró al oído.

Gabby contuvo el aliento, pero obedeció, y al rodearle con las piernas comprobó que temblaba de deseo. Por fin él empezó a moverse. Con cada movimiento lento y experimentado, Gabby emitía un grito de placer, arqueando la espalda y abrazándolo con fuerza.

—¡Dios, qué placer me das! —exclamó él con voz gutural.

Gabby apenas le oyó. El corazón le latía con violencia. Gritó, gimió, inmersa en un mar de sensación que jamás había imaginado que existieran. La sensación de humedecerse que había experimentado antes se convirtió en puro fuego líquido que circulaba por sus venas, deslizándose a través de sus terminaciones nerviosas, haciéndola sentir como si de pronto su cuerpo fuera a estallar en llamas. Cuando Wickham percibió su reacción empezó a moverse con fuerza, penetrándola profundamente, y esta vez Gabby gozó de la furia de sus movimientos y respondió con la avidez de su propio ardor. Al cabo de unos momentos él deslizó la mano entre los cuerpos de ambos, localizó el núcleo del gozo que experimentaba Gabby y la acarició allí, haciendo que su pasión se desbordara.

—¡Nick, Nick, Nick, Nick! —sollozó Gabby hundiendo la cabeza en el hombro de Wickham mientras su mundo parecía estallar en fuegos que la abrasaban. Unos prolongados y exquisitos temblores le recorrían el cuerpo. Se abrazó a él, temblando descontroladamente, gritando mientras unas estrellas fugaces de placer circulaban por sus venas.

Él la abrazó con fuerza en respuesta a su pasión y, estremeciéndose, la penetró profundamente al tiempo que alcanzaba la eyaculación.

Cuando Gabby regresó flotando a la Tierra y abrió los ojos, comprobó que yacía boca arriba junto a él, que estaba incorporado sobre un codo, observándola con una perezosa e irritante sonrisa autocomplaciente.

—¿Qué te parece? ¿Hemos conseguido mejorar la puntuación de «bien»? —A juzgar por su expresión, él ya conocía la respuesta a su pregunta.

—No voy a responderte. Eres un engreído.

Él soltó una carcajada, se inclinó sobre ella y la besó.

—Algún día me lo dirás —comentó jovialmente. Luego articuló un enorme bostezo, rodeó a Gabby con los brazos y se quedó dormido casi al instante.

Antes de que ella tuviera tiempo de sentirse ofendida, se quedó también dormida entre los brazos de su amado.

Cuando se despertó, comprobó que se hallaba en su cama y Mary trajinaba silenciosamente por el dormitorio, atizando el fuego y preparando la habitación para la jornada. La fría luz de la mañana se filtraba en torno a los bordes de las cortinas. Al desperezarse, Gabby vio que estaba completamente desnuda y recordó de inmediato los hechos de la noche anterior. Se había acostado con Wickham, no, Nick. Ahora era Nick. Su Nick.

En una sola e increíble noche, tras dejar de lado toda cautela y renunciar al señor Jamison y su futura seguridad, había entregado su mayor tesoro a un bribón impenitente cuyo verdadero nombre ni siquiera conocía con certeza.

Y lo mejor del caso era que Gabby no se arrepentía ni un ápice.

Volvió a desperezarse y de pronto se percató del escozor que sentía entre las piernas y un leve dolor en los pechos. Al recordar la causa con toda nitidez, alzó la vista hacia el techo y sonrió extasiada.

Nick. Se había entregado a Nick.

—Lo siento, señora. No quería despertarla —dijo Mary, que estaba barriendo las cenizas del hogar, mirándola con expresión contrita.

—No importa, Mary. —Sonriendo a la doncella, Gabby sintió una súbita sensación de alarma. ¿Había Wickham (no, Nick, se dijo, confiando en que fuera el auténtico nombre de ese bribón) dejado alguna prueba de su presencia en su alcoba, por ejemplo sus calzones o una media? Gabby tuvo la espantosa visión de sus ropas diseminadas por la alfombra.

Por supuesto, no podía incorporarse para comprobarlo. Tenía que permanecer acostada y tapada hasta el cuello para que Mary no descubriera que estaba desnuda. Dormir desnuda era de por sí lo suficientemente chocante sin que encima Mary hallara las prendas de un hombre en su dormitorio. Eso sería tan escandaloso como que Mary descubriera al caballero en cuestión acostado en el dormitorio de Gabby o a Gabby acostada en el de él.

Que era justamente donde había estado hasta hacía aproximadamente una hora, calculó.

Recordó vagamente que Nick la había transportado en brazos hasta su lecho. A Dios gracias, Nick se había despertado del profundo sueño en que había caído a tiempo de tomar esa precaución. Probablemente se había llevado también su ropa de la habitación de ella. Al margen de sus muchos defectos, no tenía un pelo de tonto.

Mientras Gabby pensaba en los numerosos defectos de Nick, a la par que reconocía que estaba locamente enamorada de él, en su interior empezó a formarse una curiosa sensación de felicidad.

—Ya puedes prepararme el baño, Mary. Y tráeme el desayuno.

—Es temprano para que se levante, señora —respondió Mary, perpleja—. No son más que las siete y media. Aunque no es la única que se levanta esta mañana con las gallinas. Hace una hora que el señor salió de casa.

Gabby la miró sorprendida.

—El señor... ¿te refieres al conde de Wickham? —Gabby comprendió que iba a costarle lo suyo acordarse de llamarle Wickham en público y Nick en privado; había estado a punto de meter la pata. ¡Ay, Señor, la situación se hacía cada vez más complicada!—. ¿Se ha marchado de casa?

—Sí, señora. Salió hace una hora, y su mayordomo, el señor Barnet, se fue con él. El propio Barnet ensilló los caballos. Jem se mostró muy disgustado por eso cuando entró esta mañana en la cocina. Dijo que el señor Barnet no tenía por qué andar husmeando en los establos.

Gabby la miró desconcertada. Nick —y Barnet— habían partido a caballo. Si Nick había salido a dar simplemente un paseo a caballo —un paseo a primeras horas de la mañana después de la agitada noche que había pasado— no se habría llevado a Barnet. ¿O sí?

De pronto se le ocurrió una angustiosa idea. ¿Había ido —rogó a Dios que estuviera equivocada— a enfrentarse con Trent?

La mera perspectiva hizo que se sintiera mareada.

—Baja corriendo a buscar mi desayuno, Mary. Voy a levantarme.

Nick no regresó aquel día, ni aquella noche. Gabby, pretextando una intensa jaqueca, pasó todo el día en su habitación, sobre ascuas, esperando su regreso. Pero esperó en vano.

El señor Jamison fue a verla, pero tuvo que dar media vuelta y marcharse, no demasiado contento, después de que le informaran de que lady Gabriella estaba indispuesta y no podía recibirle. No fue la única visita, según Claire, quien, junto con Beth, fue periódicamente a la habitación de Gabby para ver si se sentía mejor. Se presentó una docena de caballeros, y prácticamente el mismo número de damas: un signo inconfundible del éxito social que habían tenido.

—Mañana debes bajar y aceptar al señor Jamison —advirtió tía Augusta a Gabby con tono severo, después de subir a su alcoba con el expreso propósito de darle la receta de una tisana que sabía por experiencia que curaba de modo infalible las jaquecas—. Lamento decir que corren ciertas habladurías sobre el extraño comportamiento de Wickham hacia ti, aunque he logrado sofocar la mayoría. Maud Banning, que siempre ha tenido una lengua viperina, ha cogido ojeriza a Claire. Estoy segura de que ha sido ella quien se ha encargado de propalar esas habladurías. Aunque pocas personas (desde luego ninguna sensata) le hacen el menor caso. No obstante, te conviene afianzar tu compromiso con el señor Jamison. Como sabes, pueden ocurrir muchos imprevistos y para una muchacha de tu edad las perspectivas de boda no abundan.

Gabby le dio la razón, y si mostró escaso entusiasmo tía Augusta lo achacó a la jaqueca.

A la mañana siguiente Nick no había regresado a casa y Gabby estaba aterrorizada. Apenas había pegado ojo, pues había permanecido alerta para oírle entrar. Incluso había ido dos veces a su cuarto para comprobar si estaba allí. Pero no había regresado y la espantosa idea de que Trent le hubiera herido o matado hizo presa en ella.

¿Qué otro motivo podía mantenerle alejado de casa en esos momentos? Después de la noche que habían pasado juntos, no era lógico que se ausentara. Y menos sin decir una palabra a nadie. Demasiado inquieta por Nick para preocuparse por otras cosas, mandó llamar a Jem.

—¿Quiere que vaya a ver si ese cerdo del duque de Trent sigue en la ciudad? —preguntó Jem incrédulo. Al igual que Stivers, conocía a Trent desde hacía años y sentía una profunda aversión hacia él, aunque Gabby nunca les había revelado el papel desempeñado por Trent en la caída a consecuencia de la cual se había roto la pierna—. ¿Por qué motivo, si no le importa que lo pregunte?

—Porque... porque Trent me insultó. Se lo conté a Wickham y éste dijo que mataría a Trent por haberme ofendido. Ayer por la mañana Wickham partió muy temprano y aún no ha regresado a casa.

—A mí me parece, señorita Gabby, que no conviene que cuente a ese impostor sus asuntos personales —declaró Jem con tono severo.

—Haz el favor de hacer lo que te pido, Jem. —La voz de Gabby debió de traslucir su angustia, pues la expresión severa de Jem dejó pasó a una expresión preocupada.

—¿De modo que la ha conquistado con sus palabras zalameras? Manténgalo a raya, señorita Gabby. Ese hombre no es trigo limpio, se lo digo yo.

—Jem...

—Iré, si es su deseo. Pero no creo que le haya ocurrido nada malo a ese bribón. Lo más seguro es que se le haya presentado la ocasión de cometer otra estafa más provechosa y se haya largado.

Cuando Jem regresó e informó a Gabby de que Trent seguía en Londres, sin novedad, y que después de indagar entre los empleados de las caballerizas del duque ninguno le había indicado que Wickham o Barnet se hubieran acercado a éste, Gabby se sintió desfallecer.

Las posibilidades relacionadas con la desaparición de Wickham eran infinitas, y ninguna, desde su punto de vista, halagüeña.

Pretextando un cansancio residual debido a la jaqueca padecida el día anterior, Gabby se zafó de las visitas a la ciudad que le propusieron Claire y Beth y subió a su cuarto en cuanto terminó de comer. Sabía que era innoble e impropio de una persona de su categoría, pero pensó que si registraba la habitación de Wickham —de Nick o comoquiera que se llamara—, quizás hallaría alguna pista de por qué se había marchado tan precipitadamente.

Sin una palabra.

Eso era lo que más la inquietaba. Después de la noche que habían pasado juntos, después de lo que habían experimentado ambos, era ilógico que se ausentara durante tanto tiempo sin decir una palabra.

Gabby entró en la habitación a través de la puerta que comunicaba ambos aposentos, sintiéndose como una ladrona que entra a robar con nocturnidad y alevosía. A esa hora del día, los sirvientes solían estar ocupados con sus quehaceres, pero Gabby no quería que nadie la sorprendiera registrando las cosas de Wickham. No sabría cómo justificarlo...

La alcoba le produjo una sensación curiosamente reconfortante. En el vestidor descubrió unos pocos cabellos negros y relucientes adheridos al cepillo. Sus botas altas y lustrosas, adornadas con borlas, estaban colocadas ordenadamente en un rincón. Sobre el respaldo de una butaca colgaban unos foulards limpios. Gabby abrió los cajones, sintiéndose tremendamente culpable mientras registraba su contenido, pero no encontró nada aparte de los gemelos, las joyas y los adornos que un caballero elegante suele poseer. En el dormitorio halló unos objetos incluso menos personales: un catalejo plegable sobre la repisa de la chimenea, una caja de puros y una botella de brandy sobre la mesa junto al hogar, y un libro de historia militar sobre la mesilla de noche.

Nada que indicara quién era y qué se proponía; nada que indicara dónde se hallaba.

Sintiéndose más culpable que antes, Gabby abrió el cajón de la mesilla de noche.

Lo primero que le llamó la atención fue el olor. Un perfume penetrante, dulzón y empalagoso, a rosas marchitas. Torció el gesto al tiempo que esbozaba una breve sonrisa. No era un perfume que pudiera complacer a Nick, pensó, pero frunció el entrecejo al percatarse de que le resultaba vagamente familiar. Entonces reparó en la colección de notas abiertas y pulcramente dobladas que contenía el cajón y lo comprendió todo.

El perfume emanaba de los *billets doux* que lady Ware había enviado a Wickham.

38

Leer la correspondencia de otra persona era un acto inadmisible. Gabby lo sabía, sabía que debía cerrar el cajón y salir inmediatamente de la habitación. Pero era incapaz de hacerlo. Tomó una de las notas perfumadas y empezó a leerla.

Aparte de unas exageradas palabras de amor, contenía descripciones eróticas de las cosas que *mon cher Wickham* había hecho a lady Ware, o de cosas que ésta deseaba que le hiciera.

Cuando Gabby terminó de leerlas —había unas seis notas—, tuvo la impresión de hacer recibido un golpe mortal. Sintió que palidecía, una intensa sensación de náuseas y temió ponerse a vomitar.

Algunos de los actos descritos en las notas los había experimentado ella misma de primera mano. *Mon cher Wickham* también se las había enseñado a ella.

—¡Señora!

Al oír la voz de Mary en la otra habitación Gabby alzó la cabeza. Después de dejar la nota que acababa de leer, cerró el cajón y se dirigió con paso lento y pausado hacia su propia alcoba. Ya no le importaba que la sorprendieran en los aposentos de Wickham. No le importaba nada que estuviera relacionado con Wickham. Recordó el tono de advertencia con que éste había pronunciado, aquella inolvidable noche en que ella había dejado que la sedujera un hombre que según Jem no era sino un canalla, la palabra «mañana». No podía decir que él no la hubiera advertido, a su estilo, de que mañana sería otro día.

Y así había sido.

Los temores que había sentido por la suerte de Wickham le parecieron absurdos. Peor aún, patéticos, como el amor no correspondido de una solterona enamoriscada. Por supuesto que a Wickham no se le había ocurrido dejarle recado cuando había partido con Barnet por el motivo que fuera. Lo que él y ella habían hecho juntos había significado para Gabby el sol, la luna y las estrellas. Pero para Wickham no había significado más que un placentero ejercicio en compañía de una mujer, algo que hacía con distintas y variadas mujeres prácticamente cada noche. Nada especial, en definitiva. Al pensar en ello sintió que se le partía el corazón.

—¡Ah, señora, por fin la encuentro!

Gabby había atravesado su alcoba sin siquiera reparar en ello. Mary la miró primero sonriendo y luego frunciendo el entrecejo.

—¿Vuelve a tener jaqueca, señora? —preguntó la doncella—. Está pálida.

—¿Quieres hacerme un favor, Mary? —dijo Gabby, sorprendida de lo fría y sosegada que sonaba su voz. En su interior se sentía herida, no, destrozada. Pero la ventaja de haber vivido con el padre al que había tenido que soportar durante buena parte de su vida era que había aprendido a no mostrar jamás su dolor.

—Han venido el señor Jamison, señora, y lady Salcombe, que me pidió que subiera a comunicárselo. ¿Les digo que se siente indispuesta, señora?

Gabby respiró hondo. Si Jamison había venido a verla, sólo podía significar una cosa: que deseaba pedirle formalmente que se casara con él.

Sería una idiota si le rechazaba. Tenía que dar gracias a Dios por haber recuperado el sentido común antes de que fuera demasiado tarde.

—No, Mary, bajaré. Pero antes debo lavarme las manos y peinarme.

Gabby se lavó las manos y Mary le recogió de nuevo el pelo en un moño. Luego bajó. Con cada paso que daba, no podía evitar percibir el nauseabundo olor a rosas marchitas. Por más que se lavara, tenía el perfume de lady Ware adherido a la piel.

La noche siguiente era la puesta de largo de Claire. Pese a los frenéticos preparativos que se habían llevado a cabo bajo la dirección de tía Augusta, Gabby casi se había olvidado de ello. De no ser por Claire, que la obligó a entrar en su vestidor, y por Mary, que ayudó a su señora a darse un baño y la vistió y la peinó, Gabby habría pretextado una indisposición y se habría quedado en su cuarto. En este caso, alegar que no se encontraba bien no habría sido una mentira. Desde hacía tres días apenas podía probar bocado y no había pegado ojo.

Wickham aún no había regresado a casa. Hacía casi tres días que se había marchado sin decir palabra.

—Voy a matar a ese chico —murmuró tía Augusta al oído de Gabby mientras tomaba del brazo a su rezagada sobrina y la conducía al lugar donde iban a recibir a sus invitados. La anciana ofrecía un aspecto espléndido con un vestido de satén púrpura, adornada con un magnífico collar de diamantes y un tocado compuesto por tres plumas de avestruz. Gabby, ataviada con un traje de noche de encaje dorado oscuro sobre una túnica de satén dorado, sabía que entre su imponente tía y su bella hermana la gente apenas se fijaría en ella, de lo cual se alegraba—. Es el anfitrión. ¿Qué pensarán todos al ver que no está aquí?

Tía Augusta echó un vistazo a Gabby y a Claire, que se hallaba junto a su hermana ofreciendo el aspecto de una princesa de cuento de hadas con un vestido blanco como la nieve, adornado con lentejuelas, y un sencillo collar de perlas.

—Las dos estáis muy elegantes. Pellízcate las mejillas, Gabriella. Estás muy pálida.

Entonces empezaron a aparecer los primeros invitado en el salón situado en el segundo piso.

El baile fue un rotundo éxito. A medida que transcurría la velada, en el ambiente se palpaba una gran animación. Toda la alta sociedad londinense estaba presente, las damas ataviadas con sus trajes de noche más suntuosos y sus mejores joyas, los caballeros vestidos con sus elegantes trajes de etiqueta. Tía Augusta oyó a varios invitados describir el evento como «una espantosa aglomeración», y sabiendo que era el mayor elogio que podían hacer, se sintió tremendamente ufana. La ausencia de Wickham, aunque inoportuna, apenas fue motivo de comentario puesto que la anciana había tenido el buen juicio de atribuirla al fallecimiento de un pariente lejano por parte de madre. Y la indecorosa conducta de Gabby con su hermano parecía haber caído en el olvido.

—Espero que algún día me expliques cómo es posible que Wickham se fuera sin decir una palabra —comentó tía Augusta hoscamente cuando do el señor Jamison fue, a instancias suyas, a buscarle una copa de ponche—. Sería magnífico anunciar tu compromiso en el trascurso de esta fiesta organizada en tu casa, pero no podemos hacerlo estando Wickham ausente. Tendremos que esperar su regreso.

Suponiendo que regrese, pensó Gabby, sintiendo que el dolor que experimentaba en la boca del estómago desde que había hallado las misivas de lady Ware arreciaba. Aunque siempre había sabido que Wickham era un impenitente mujeriego —entre otras cosas probablemente peores—, ella había cometido la estupidez de imaginar que su relación con él era especial. Después de haber sido tan idiota como para enamorarse de él, ahora era incapaz de eliminar de su corazón el amor que sentía por él como si se tratara de una molesta astilla. Gabby temía que le llevaría mucho tiempo curarse de su pasión. Pero al menos ésta ya no la cegaba y sabía lo que era Wickham: un sinvergüenza encantador, ni más ni menos.

Y ella tenía que vivir su vida, y cuidar de sus hermanas.

El señor Jamison sería un esposo leal y honrado. Mejor de lo que Gabby se merecía. El día anterior había aceptado su propuesta, sabiendo que iba a él deshonrada. Pero estaba decidida a ser la esposa que él deseaba que fuera.

Era lo menos que podía hacer por él, toda vez que, al aceptar su propuesta sin revelarle que ya no era virgen, se había convertido en una mentirosa y una embaucadora.

—Supongo que son los últimos. Después de saludarles, podremos reunirnos con nuestros invitados —dijo tía Augusta, observando que la hilera que subía por la escalera se había reducido a unas pocas personas.

Abajo, en el vestíbulo, los sirvientes vestidos de librea se apresuraron a llevarse las últimas capas y gabanes. La puerta de entrada se cerró, sofocando el ruido de los coches que se alejaban.

Después de saludar a los últimos invitados, Gabby tomó el brazo que le ofreció el señor Jamison para entrar en el salón de baile. Claire, a quien habían dado permiso hacía un rato para reunirse con sus amigas, bailaba junto con otras parejas al son de una alegre danza. Gabby observó que la pareja de Claire, el marqués de Tyndale, la contemplaba arrobado. Un grupo de invitados se había agolpado junto a la pista de baile. Unas pocas jóvenes, a las que nadie había sacado aún a bailar, se hallaban sentadas en unas sillas dispuestas a lo largo de la pared, ataviadas con unos vestidos blancos que destacaban entre los coloristas atavíos de sus carabinas. Entre ellas se encontraba Desdémona, y junto a ella estaba sentada lady Maud, quien exhibía una sonrisa que parecía esculpida en granito mientras conversaba con la dama sentada a su lado. Gabby, compadeciéndose de su prima, decidió enviar a un joven caballero a sacarla a bailar tan pronto le fuera posible, tras lo cual se volvió para saludar a otros convidados.

La estancia era larga y estrecha, y empezaba a hacer calor, aunque la velada no había hecho más que empezar. Los largos ventanales que daban al jardín estaban abiertos y la brisa agitaba los visillos. Docenas de velas ardían en dorados candelabros de pared. Otras velas arrojaban su luz desde unos resplandecientes candelabros de cristal que pendían del techo. Las esquinas de la habitación estaban adornadas con profusión de flores y plantas, y los espejos que colgaban de las paredes reflejaban la escena. La orquesta contratada para la ocasión tocaba maravillosamente, y el ambiente estaba presidido por la contagiosa música y el sonido de voces que charlaban y reían.

Gabby se paseó del brazo del señor Jamison, quien le presentó a su hermana y a varios de sus mejores amigos. Gabby conversó con sus amigas y, aunque fingió no darse cuenta, se percató del torrente de comentarios acerca de ella y el señor Jamison que eran unos de los numerosos tributarios del río de habladurías que constituía el sustento de la alta sociedad. El único momento comprometido de la velada, por lo demás muy agradable, fue cuando la orquesta interpretó el primer vals.

De pronto Gabby recordó con toda nitidez su vals con Nick.

—¿Le apetece...? —le preguntó galantemente Jamison, indicando la pista de baile.

Gabby le sonrió. Era un hombre amable y bondadoso, que no tenía la culpa de que ella se hubiera enamorado perdidamente de un apuesto bellaco en lugar de apreciar su buena fortuna por haber atraído a un hombre como él.

—No bailo —respondió con una sonrisa.

Jamison, casi dando un suspiro de alivio, la condujo a la sala del buffet.

39

Después de haber pasado buena parte de los tres días a lomos de su caballo, Nick estaba agotado. Barnet, que trotaba junto a él, parecía tan cansado como se sentía. Al acercarse a la casita acondicionada en los antiguos establos a través del estrecho callejón que discurría detrás de un grupo de elegantes mansiones, ambos oyeron la música al mismo tiempo y se miraron.

—¡Maldita sea, me había olvidado del dichoso baile de Claire!

—Pues le espera una buena regañina, capitán —comentó Barnet con tono risueño, como si se alegrara ante esa perspectiva—. La señorita Gabby le matará. Y lady Salcombe no digamos. La anciana ha organizado este evento con más meticulosidad que Napoleón organiza sus campañas. Le hará picadillo.

—¿De qué lado estás tú, Barnet? —inquirió Nick con aspereza. Su humor no mejoró al observar la amplia sonrisa de su sirviente. Para colmo, el mozo que salió de los establos para llevarse a sus caballos era Jem. Al reconocerlos, el anciano puso cara de pocos amigos.

—De modo que ya están aquí —dijo con evidente falta de respeto cuando Nick desmontó y le entregó las riendas.

Barnet hizo lo propio y Jem contestó con un mohín.

—¿Cómo están las señoras? —preguntó Nick, porque deseaba saberlo y porque había llegado a la triste conclusión de que no tenía más remedio que soportar a ese viejo loco para complacer a Gabriella.

—Perfectamente —respondió Jem con un tono sombrío que desmentía sus palabras. Cuando se disponía a llevarse los caballos al establo, se volvió de pronto y le espetó a Barnet—: Ocúpate tú mismo de tu caballo. —Tras lo cual añadió entregándole las riendas—: Yo no soy tu mozo de cuadra. —El anciano tensó la mandíbula y miró a Nick de soslayo—. Y tampoco el suyo, bien mirado. Porque usted no es él.

—Ese viejo cascarrabias está como un cencerro —dijo Barnet cuando Jem se alejó llevando de las riendas el caballo de Nick—. El día menos pensado perderé los estribos y le propinaré un puñetazo, capitán.

—No puedes hacer eso —contestó Nick secamente—. A la señorita Gabby le disgustaría.

Barnet profirió una exclamación de enojo y se dirigió hacia el establo con su caballo.

Cuando se quedó a solas en la penumbra, Nick atravesó rápidamente el jardín trasero. Anduvo por la sombra junto a los arbustos, optando por atravesar el césped en lugar de seguir uno de los senderos empedrados que serpenteaban a través del jardín, procurando evitar las zonas iluminadas por las luces del salón de baile que se filtraban por las ventanas junto con la música, las risas y las voces de los asistentes. Si podía, se proponía alcanzar su alcoba sin ser visto. No se daba un baño desde que se había marchado y sabía que apestaba como un montón de basura de tres días. Tampoco se había afeitado, ni mudado de ropa. En su opinión, era poco menos que imposible hallar a alguien con un aspecto menos parecido al de un conde que él en aquellos momentos.

Pero, pensó casi convencido de ello, había dado con lo que andaba buscando. En un principio se había propuesto ausentarse sólo medio día, pero una cosa había conducido a la otra; de pronto había hallado la respuesta al enigma y el medio día se había convertido en tres.

Ahora lo único que deseaba era ver a Gabriella.

Al margen de cómo resolviera aquella complicada situación, una cosa estaba meridianamente clara: Gabby le pertenecía. Al tomar su virginidad, se había comprometido con ella, aunque dadas las circunstancias no iba a ser fácil cumplir ese compromiso. Sea como fuere, tendrían que resolverlo sobre la marcha.

Nick esbozó una media sonrisa cuando entró por la puerta posterior y subió la escalera de servicio de dos en dos. La cuestión era: ¿hasta qué punto le había echado de menos Gabby?

Con suerte, cosa que siempre había tenido, la respuesta, que él confiaba en darle la ocasión de demostrárselo en un futuro inmediato, sería «muchísimo».

—¡Marcus! ¡Marcus!

Nick alzó la cabeza, sorprendido. Beth, vestida con un sencillo vestido blanco, estaba sentada en el rellano frente a él, con los pies calzados en unos escarpines negros apoyados en el escalón debajo de ella. Nick no imaginó qué hacía la joven allí. Luego vio el plato que sostenía en el regazo y sonrió al darse cuenta: por lo visto había asaltado el buffet.

—¿Dónde te habías metido? —Beth se levantó, sonriendo, bajó la escalera y le abrazó brevemente con un brazo.

Nick la abrazó también, percatándose de que se alegraba de verla como si en realidad fuera su hermana menor. Al soltarla, le pellizcó la barbilla.

—Te estás perdiendo el baile de Claire. Tía Augusta está que echa chispas y Gabby también está muy disgustada... al menos, eso creo. Aunque ella dice que ha estado indispuesta. —De pronto Beth torció el gesto y le miró recelosa—. ¿Qué es ese olor?

Nick no pudo por menos de sonreír, aunque el anterior comentario de Beth le había llamado la atención.

—Creo que soy yo. Pero eso no importa. ¿Dices que Gabriella ha estado indispuesta?

—Eso dice ella —respondió Beth mirándole fijamente—. Yo creo que está disgustada porque ha decidido casarse con el señor Jamison. No le gusta nada, ¿sabes?

—¿Qué? —Nick la miró estupefacto.

Beth asintió con vehemencia.

—¿No lo sabías? Cuando se lo pregunté a Gabby respondió que no necesitaba tu permiso, pero yo creí que lo sabías.

—Sabía que Jamison iba a proponer matrimonio a Gabriella —respondió Nick cautelosamente, tratando de tener bien presente que, por lo que concernía a Beth, estaban hablando de la hermana de ambos. Estaba tan cansado que le costaba pensar con claridad y más aún impedir que los hilos de la gigantesca telaraña de mentiras que había tejido se enredaran en su mente—. Yo tenía entendido que Gabriella iba a rechazar la proposición.

Beth meneó la cabeza.

—No; aceptó.

—¿Cuándo?

—El señor Jamison vino ayer a pedirle que se casara con él. Gabby aceptó. Tía Augusta quería anunciarlo esta noche durante el baile, pero dijo que no podía hacerlo hasta que tú regresaras a casa. —Se interrumpió y miró a Nick con ceño—. Pero ahora ya estás aquí. Si te cambias y bajas, aún puedes anunciar el compromiso.

—¡Y un cuerno! —contestó Nick sin poder contenerse.

Beth no puso ninguna objeción a esa respuesta.

—Yo opino lo mismo. En realidad Gabby no desea casarse con él, estoy segura. Quizá tú puedas impedírselo. A mí no me hace caso.

—Haré lo que pueda. —Nick empezó a subir la escalera, estirando afectuosamente uno los tirabuzones rojos de Beth al pasar junto a ella—. Gracias por prevenirme.

—Me alegro de que hayas vuelto —respondió Beth cuando Nick alcanzó el rellano y se dirigió por el pasillo a sus habitaciones.

Cuando Barnet apareció al cabo de unos quince minutos, Nick ya se había dado un baño después de pedir a uno de los criados que se lo preparara, se había vestido con un calzón negro de etiqueta y unas medias de seda blancas y se estaba afeitando.

—Menudo mayordomo estás tú hecho —comentó secamente mientras seguía afeitándose.

—No la pague conmigo, capitán, no tengo la culpa de que la señorita Gabby se haya echado otro novio mientras estábamos fuera. —Barnet sacó del ropero la chaqueta de su patrón, la sacudió y la colgó sobre el respaldo de una silla.

—Así que ya te has enterado. —Era imposible mantener secretos ante Barnet y Nick ya ni se molestaba en intentarlo.

La cuchilla resbaló y al ver aparecer una gota de sangre en su mejilla Nick profirió un juramento. Barnet emitió un sonido sofocado que podía interpretarse como una tos o una carcajada. Nick le miró de soslayo.

—Esto representa toda una novedad para usted, ¿no es así? Por lo general las mujeres se pelean por conquistarle.

Nick se limpió los restos de jabón de la cara y arrojó la toalla a un lado.

—Ocúpate de tus asuntos. Y dame la camisa.

Una vez vestido, Nick bajó por la escalinata principal, apresuradamente pero con el decoro propio de un conde. Casi había llegado abajo, después de indicar a Stivers que se retirara cuando el criado salió para saludarle, pero algo, un ruido, le hizo mirar hacia un lado.

Vio a Gabriella en el cuarto de estar. Estaba con Jamison. Según pudo ver Nick, estaban solos y aquel viejo seboso la abrazaba.

La besaba.

Nick se paró en seco. La ira, el instinto de posesión y un ardiente e intenso sentimiento primario que reconoció con cierto disgusto como celos hicieron presa en él, pugnando por alcanzar la supremacía. Finalmente se aliaron. Nick tensó la mandíbula. Sus ojos relampagueaban.

Esforzándose por controlar su agresividad, se dirigió hacia la pareja que se abrazaba.

40

—¿Qué demonios significa esto?

Ésa fue la primera indicación que tuvo Gabby de que Nick había regresado. Volvió la cabeza tan bruscamente que se hizo daño en el cuello. Al principio se contentó con comprobar que estaba sano y salvo. Le observó de pies a cabeza: iba vestido con un impecable traje de etiqueta que ponía de realce sus anchas espaldas y sus piernas largas y poderosas. Se había cepillado su pelo negro, y su rostro duro y armonioso exhibía una expresión severa, casi furiosa. Sus ojos —sí, no cabía duda de que estaba furioso— presentaban un color añil que presagiaba tormenta. Nick la miró furibundo.

El primer y absurdo pensamiento que se le ocurrió a Gabby fue: «No hay ningún hombre tan guapo como Nick.»

El segundo fue: «Me gustaría partirle el cuello.»

Jamison, evidentemente cohibido ante la imponente presencia de ese hombre que les observaba encolerizado, soltó a Gabby tan bruscamente que ésta perdió el equilibrio y tuvo que agarrarse a una silla cercana para no caerse. Perversamente, Gabby culpó a Nick del incidente y lo miró con la misma furia que él a ella.

—Señor... este, milord... mi futura esposa... —El señor Jamison, sonrojado, se puso a tartajear de una forma más propia de un escolar que del próspero terrateniente cincuentón que era.

—Gabriella —dijo Nick, ignorando a Jamison y dirigiéndose a ella con un tono manifiestamente indignado—, ¿estabas besando a este hombre?

Ella sonrió. Alzó el mentón y respondió con un tono claro y frío:

—Sí.

Ambos se miraron en un silencio cargado de tensión.

—No ha ocurrido nada indecoroso, se lo aseguro —intervino Jamison—. Su hermana ha aceptado mi propuesta de matrimonio. Esto... va a casarse conmigo. No hay motivo para que se enoje, señor, aunque respeto sus sentimientos y su deseo de proteger a su hermana...

—Señor Jamison —terció Gabby con dulzura—, creo que deberíamos regresar al salón de baile.

—Desde luego. Lo que tú digas. —Jamison ofreció el brazo a Gabby y ésta lo tomó. Tras dirigir una breve y airada mirada a Nick, se dispuso a abandonar la habitación.

—Gabriella —dijo Nick, interceptándole el paso mediante el simple y expeditivo trámite de asirla del brazo. Gabby bajó la vista y observó los dedos largos y fuertes que sujetaban su brazo esbelto y pálido a la altura del codo. Luego le miró a la cara—. Deseo hablar un momento contigo.

—No —contestó ella de forma categórica, liberándose con un brusco movimiento. Tenía el otro brazo entrelazado con el del señor Jamison y condujo a éste apresuradamente fuera de la habitación. Casi pudo sentir el cálido aliento de Nick sobre su cuello cuando echó a andar tras ellos.

—Lady Gabriella —la reprendió Jamison con una expresión tan angustiada como su tono de voz—. Su hermano... creo que usted debería... no deseo indisponerme con la familia... a fin de cuentas es su tutor.

—No es mi tutor —replicó Gabby furiosa. Tras recobrar la compostura, añadió—: Soy mayor de edad.

—No obstante...

En aquellos momentos llegaron al salón de baile y Gabby esbozó una sonrisa forzada. Nick, que le pisaba los talones, se vio obligado a detenerse en cuanto entró, rodeado por un numeroso grupo de asistentes. Al volver la cabeza mientras conducía al señor Jamison apresuradamente a través de la habitación, Gabby le vio saludar con un apretón de manos a lord Denby, mientras que el señor Pool y sir Barty Crane aguardaban su turno. Lady Alicia Monteigne se aproximó a él por la izquierda, seguida por la señora Armitage, y tía Augusta, que le había divisado desde el lugar donde se hallaba charlando con una amiga, se dirigía hacia él apresuradamente.

—¡Ajá! —exclamó Gabby con satisfacción, conduciendo al señor Jamison hacia el lugar donde Desdémona seguía sentada junto a las carabinas. Suponía que Nick la sacaría a bailar en cuanto pudiera y quería tener un arma a mano.

—Has estado un poco dura con lord Wickham. A decir verdad, pensé que le querías. Daba la impresión de que... —Jamison no terminó la frase—. Pero imagino que habrá ocurrido algo entre vosotros que os ha enemistado. Lo lamento. ¿Por qué no tratas de hacer las paces con él? Yo confiaba en que convencieras a tu hermano para que anunciara nuestro compromiso esta noche. Cuanto antes se sepa, antes podremos casarnos.

El tono jocoso de Jamison cayó en saco roto. Tan pronto se sentó Gabby, Claire se dirigió hacia ella y acaparó su atención.

—Ha regresado Marcus —dijo Claire alborozada tras abandonar la pista entre baile y baile. Su pareja, el joven señor Newbury, la siguió, mirándola con la misma expresión arrobada con que la miraban todos sus pretendientes—. ¿Has hablado con él? ¿Te ha contado dónde estuvo?

Antes de que Gabby pudiera responder, Claire saludó a su «hermano» con la mano. Al ver que Nick devolvía el saludo a Claire y se excusaba ante la gente que se agolpaba a su alrededor para dirigirse hacia ellas, Gabby se enojó con Claire, cosa que le sucedía rara vez.

—Estamos muy contentas de verte —comentó Claire entusiasmada cuando Nick se acercó a ellas. Sonriendo, se puso de puntillas y le besó en la mejilla. Nick tomó sus manos entre las suyas y la hizo girar para admirar su vestido.

—Estás guapísima, como siempre —dijo sonriendo.

—Gracias. —Claire le miró riendo y Nick le soltó las manos. Gabby notó que tenía una expresión hosca y volvió a esbozar una sonrisa forzada—. Hemos estado muy preocupadas por ti, sobre todo Gabby. No debiste marcharte sin decirnos nada.

Nick miró a Gabby y respondió:

—Eso está claro.

La orquesta comenzó a tocar de nuevo.

—Vaya por Dios, ¿dónde se habrá metido el señor Newbury? Le prometí este baile. ¡Ah, señor Newbury, no le veía! Hablaremos más tarde, Marcus. Gabby, señor Jamison.

Claire se dirigió de nuevo a la pista de baile.

—¿Quieres bailar, Gabriella? —Nick, situado frente a ella, la miró con ceño.

—No bailo —contestó ella secamente. Tuvo que alzar la cabeza para mirarle a la cara, lo cual le disgustó. El ser tan alto le daba una ventaja que no merecía.

—Por supuesto que bailas —replicó Nick con tono irritado.

Jamison, sentado junto a Gabby, les observaba con aire perplejo y meneando la cabeza.

—Es cierto que su hermana no baila —dijo—. Se lo he pedido muchas veces y siempre responde lo mismo: «No bailo.»

Nick lo fulminó con la mirada.

—¿De veras quieres bailar? —le preguntó Gabby antes de que Nick pudiera aplastar a Jamison con unas pocas pero bien elegidas palabras.

—Sí.

Gabby sonrió y se volvió hacia Desdémona, que estaba sentada a su izquierda. Entre ellas había una silla vacía, por lo que Gabby tuvo que tocarla en el brazo para atraer su atención.

—Wickham comentaba que desea bailar —dijo Gabby alzando la voz para hacerse oír a través de la música—. Yo no puedo, pero quizá tú...

—Me encantaría —se apresuró a responder Desdémona, levantándose.

Atrapado, Nick no tuvo más remedio que aceptar. Dirigiendo a Gabby una breve y furibunda mirada, sonrió y ofreció a Desdémona el brazo. Gabby sonrió a Nick dulcemente cuando la pareja se dirigió hacia la pista de baile.

—¿Tomamos un refresco? —preguntó Gabby al señor Jamison. Los refrescos estaban dispuestos en el comedor, y ahí es donde ella deseaba estar antes de que Nick abandonara la pista.

—Si te apetece, traeré una copa de ponche —respondió Jamison levantándose con expresión bastante disgustada.

—Te acompaño.

Lamentablemente, tía Augusta les atrapó antes de que hubieran alcanzado la puerta.

—Qué suerte que Wickham haya regresado, ¿verdad? —preguntó a Gabby asintiendo enérgicamente con la cabeza y agitando sus plumas de color púrpura—. Estoy segura de que no quería perderse el baile de Claire. Le he comentado lo de anunciar esta noche tu compromiso con el señor Jamison. Dice que lo hará encantado, en cuanto tenga oportunidad de hablar contigo para cerciorarse de que eso es lo que deseas. Debo decir que eres muy afortunada de tener un hermano tan solícito, Gabriella. La mayoría de los hermanos no son así.

—De modo que eso era de lo que quería hablar contigo —dijo Jamison asintiendo con expresión de alivio—. Debes hablar con él cuanto antes. —Miró a tía Augusta y agregó—: He pensado que podíamos casarnos en junio, lady Salcombe, pero quería preguntarle su opinión sobre...

Los dos se pusieron a charlar sobre las ventajas y desventajas de una boda en junio, un tema que parecía interesarles a ambos pero que a Gabby la traía sin cuidado. Tras alejarse unos pasos de ellos, sintió el peso de una insistente mirada a su espalda. Al volverse vio a Nick observándola. Parecía malhumorado y sus ojos azules no presagiaban un encuentro amable. Resignada, alzó el mentón y se dispuso a plantarle cara.

—Deja de mirarme con cara de pocos amigos, estás dando un espectáculo —le espetó en voz baja cuando Nick se acercó a ella.

Él sonrió sin apenas mover los labios.

—Si vuelves a tratar de rehuirme, daré un espectáculo como jamás has visto, te lo prometo.

Jamison volvió la cabeza y los vio.

—Ah, señor conde, lady Salcombe y yo queríamos pedirle que nos hiciera el honor de anunciar el compromiso entre lady Gabriella y yo...

En esos momentos la orquesta empezó a tocar un vals.

Nick la miró. Gabby adivinó lo que iba a ocurrir.

—Si no me equivoco, me prometiste este baile —dijo Nick en voz baja, sujetándola por la muñeca de forma que Gabby no podía soltarse sin ponerse a forcejear, suponiendo que aun así lo lograra. Luego Nick miró a Jamison, le dedicó una leve inclinación de la cabeza y agregó—: Ya le comunicaré mi decisión.

Acto seguido condujo a Gabby casi a rastras hacia la pista de baile.

41

—¿Quieres hacer el favor de explicarte? —preguntó Nick con tono áspero cuando empezaron a bailar.

Gabby le miró en silencio, tan sorprendida por su impertinencia que no pudo articular palabra.

—A ti no te debo ninguna explicación —contestó con tono gélido cuando recobró la compostura—. Pareces haber olvidado que no eres mi hermano.

—No —respondió él con una expresión desagradable—, ten por seguro que no lo he olvidado.

Incapaz de contenerse, Gabby se sonrojó al captar la pulla. El hecho de que hubiera conseguido turbarla la enfureció.

—Eres un cerdo —murmuró.

—¿Qué hacías besando al señor Jamison?

—¿Hay algún motivo que me impida besarle? Estamos comprometidos para casarnos.

Nick le sujetó la mano con más fuerza, tensó el brazo en torno a su cintura y la hizo girar al compás de la música.

Gabby no tuvo más remedio que aferrarse a su poderoso hombro. Por el rabillo del ojo observó que su falda de encaje dorado se ahuecaba y golpeaba las piernas de Nick. Estaba tan furiosa que no se había percatado de lo que hacía: estaba bailando prácticamente sin esfuerzo; su pierna deforme compensaba instintivamente su debilidad sin que ella se diera cuenta.

—Que te crees tú eso —contestó Nick con tono casi afable, pero cuando Gabby le miró vio unos ojos duros como ágatas.

—Estás celoso —comentó ella con incredulidad—. Del señor Jamison. —Y soltó una carcajada.

Aquellos ojos azules y duros la miraron relampagueando de ira.

—¿Y qué? —inquirió Nick secamente al cabo de un momento—. Tengo todo el derecho de sentirme celoso. ¿O es que imaginé que hace unas noches te tuve desnuda en mi lecho? Si es así, te pido disculpas.

Gabby le miró boquiabierta. Luego cerró la boca bruscamente. Estaba tan furiosa que sintió el calor de la cólera que se acumulaba en su interior.

—Después de lo cual desapareciste durante tres días sin decir una palabra —replicó sonriendo con la falsa dulzura de un cocodrilo.

—¿De modo que te comprometiste en matrimonio con Jamison para darme una lección?

—No seas fatuo.

—¿Estabas preocupada por mí durante mi ausencia, Gabriella? —preguntó Nick mirándola con expresión burlona—. Claire me dijo que lo estabas.

Gabby se tensó. Ese hombre tenía sobre ella un influjo increíble. Sintió sus piernas rozándole la falda. Si hubiera tenido algún medio de escapar, pensó, se habría librado de sus brazos y se habría marchado.

Pero no podía hacerlo. Estaban en medio de la pista de baile, rodeados por docenas de parejas bailando el vals y seguramente centenares de ojos que les observaban con curiosidad.

—¿Eso crees? —preguntó Gabby, esforzándose en mirarle también de forma burlona—. No me sorprende. Si no recuerdo mal, ambos convinimos en que eres un engreído.

—Lo que yo creo, amor mío, es que esta rabieta tuya se debe a que has descubierto que estás locamente enamorada de mí.

Al percibir su tono guasón, Gabby se sintió como si estuviera desnuda delante de todo el mundo. Deseaba fundirse, derretirse como la nieve bajo el sol, escapar de él como fuera. La acusación era tan cierta que la hirió como una puñalada. ¡Y Nick había sido capaz de echárselo en cara, y de llamarla «amor mío» con ese tono burlón después de haberle arrebatado la virginidad y haberse marchado sin una palabra...!

Entonces Gabby recordó las notas perfumadas de lady Ware. Sin duda lady Ware estaba también locamente enamorada de él.

Y probablemente muchas otras mujeres.

Esa idea la hizo estremecerse.

—Me das asco —dijo con gélida claridad, y antes de darse cuenta de lo que hacía retiró la mano de la de Nick y le propinó una bofetada.

El sonido traspasó la música, las conversaciones y las risas como una aguja al pinchar un globo. Nick se paró en seco, soltándola para llevarse una mano a la mejilla. Gabby vio claramente la señal que le había dejado al abofetearlo: al principio blanca, pero al cabo de unos instantes de un vivo rojo.

Lo primero que la hizo recordar que estaban en público fue un sonido sibilante. Al mirar alrededor, comprobó que se habían convertido en el centro de todas las miradas. Las parejas cercanas a ellos se detuvieron para mirarles con curiosidad. Otras se detuvieron también, como extrañadas del revuelo que se había organizado, e incluso los asistentes que se hallaban agrupados junto a la pista de baile empezaron a estirar el cuello para ver lo que sucedía. Gabby vio a Claire estirando también el cuello para contemplar la escena con expresión de perplejidad, como si no acabara de entender lo ocurrido. Tía Augusta, situada al otro lado de la sala, les observó horrorizada. Jamison, que estaba junto a ella, les miró pasmado.

El sonido sibilante que había oído Gabby se había producido cuando docenas de personas habían contenido el aliento simultáneamente.

Había dado al traste con todo, inclusive su vida y la de Claire.

Sin mirar siquiera al hombre que la había obligado a ponerse en ridículo, Gabby dio media vuelta y salió huyendo del salón tan rápida y airosamente como pudo.

—Gabriella. —Al alcanzar la puerta oyó a una voz ronca pronunciar su nombre.

Nick. Como era de prever, iría tras ella.

Ella no quería verle. Ni ahora ni nunca.

Cuando llegó al vestíbulo, se volvió y bajó por la escalera de servicio.

Más tarde Gabby no habría sabido explicar cómo llegó al jardín trasero. Estaba tan desesperada que no sentía nada; por fortuna, el estado de conmoción en que se hallaba sumida la protegía, siquiera de momento, de unos sentimientos insoportables.

Había dado al traste con todo, todo, todo.

Lo había perdido todo, inclusive a Nick, simple y únicamente debido a su estupidez. Pero de pronto recordó que nada de todo aquello era suyo. Sus hermanas y ella habían vivido de prestado desde que habían llegado a Londres. Y esa noche se les había acabado la franquicia.

Al igual que Nick, todo —las fiestas, los vestidos, los pretendientes, todo lo que constituye la vida de la alta sociedad— era un mero espejismo.

El fin había estado implícito desde el principio. Lo único que le chocaba era que hubiera tardado tanto en producirse.

Echó a andar por las sombras, sorteando la luz que se proyectaba a través de las ventanas del salón de baile situado en el segundo piso, frotándose los brazos para entrar en calor, pues llevaba un vestido muy escotado y la noche era fresca. Soplaba una leve brisa que agitaba su falda. La música seguía sonando; Gabby oía las risas y las voces de los invitados.

Gabby estaba segura de que tía Augusta se afanaría en subsanar la torpeza que ella había cometido.

Se volvió de nuevo para mirar la casa cuando de pronto apareció una mano entre las sombras y la sujetó del brazo. Sobresaltada, Gabby se volvió imaginando que se trataba de Nick, que por fin había dado con ella.

Pero lo que vio la hizo desfallecer. La boca se le resecó y el corazón le latía aceleradamente.

Una pistola la apuntaba al corazón; al alzar la vista vio un rostro siniestramente familiar.

—Según parece, volvemos a encontrarnos a la luz de la luna, querida Gabby.

42

No bien hubo reconocido a Trent oyó a Nick llamarla.

—¡Gabriella!

Trent la sujetó por el brazo con tanta fuerza que la lastimó. El repentino dolor hizo que Gabby contuviera el aliento.

—Silencio —le ordenó Trent adoptando de pronto un tono desabrido al tiempo que la atraía de un tirón, sosteniéndola de espaldas a él y rodeándole el cuello con el brazo con la suficiente fuerza para cortarle momentáneamente la respiración. Gabby le aferró el brazo, clavando sus uñas en la fina manga de su chaqueta. Trent apoyó el cañón de la pistola en su sien. Gabby apenas podía respirar, ni emitir siquiera un gemido. Un escalofrío le recorrió la columna vertebral. Los acelerados latidos de su corazón resonaban en sus oídos.

—¡Gabriella!

Nick se dirigía hacia ella, creía Gabby, aunque ignoraba si atraído por algún sonido o por instinto. Trent la arrastró hacia las espesas sombras de los arbustos. La pálida luna menguante iluminaba sólo el centro del jardín. Nick avanzaba por el sendero. Su alta figura constituía una mera silueta negra al tenue resplandor de la luna. Gabby pugnaba por recobrar el aliento, pero en ese momento sólo temía por Nick.

—¡Gabriella!

Entonces la vio. O en todo caso vio algo, quizá sólo el reflejo de un rayo de luna en un hilo dorado de su vestido. Era evidente que no había visto a Trent, ni se había percatado del peligro que corría. Cambió de trayectoria, dirigiéndose apresuradamente hacia ella. Gabby trató de gritar para prevenirle, pero no pudo; tenía las palmas de las manos empapadas en sudor.

—Por el amor de Dios, Gabriella... —dijo Nick con voz ronca.

—¡Ajá! —exclamó Trent con satisfacción, empujando a Gabby para salir del escondite y aparecer iluminados por la luna. Trent seguía sujetando a Gabby por el cuello y apuntándole a la cabeza con la pistola.

Nick se detuvo en seco. Después de mirar a Gabby para cerciorarse de que estaba bien, fijó la vista en Trent. Sus ojos eran negros y relucientes como dos trozos de azabache.

—Suéltela.

Trent rió con aspereza.

—Mi querido muchacho, no hablará en serio.

—No podrá escapar.

—Yo creo que sí podré, mientras tenga a Gabby como rehén.

Apoyó el cañón de la pistola contra la sien de Gabby con tal brutalidad que ésta temió que fuera a traspasarle el cráneo. Emitió un quejido. El leve sonido quedó sofocado cuando Trent tensó el brazo en torno a su cuello. Gabby recordó entonces que Trent era un hombre cruel. Que gozaba siendo cruel.

Se estremeció. Sintió que tenía el cuerpo helado. Temiendo caer presa del pánico, se resistió a él con todas sus fuerzas.

—Si la lastima, le mataré —afirmó Nick con un tono que no admitía dudas respecto a sus intenciones.

—¿Me está amenazando, capitán? Disculpe, ahora es comandante, según creo. —Trent aflojó un poco el brazo con que sujetaba a Gabby y ésta aspiró una profunda y trémula bocanada de aire. Luego Trent volvió a sujetarla con fuerza. Era un tormento tan pronto poder respirar como no, pero Gabby dedujo que eso era precisamente lo que Trent pretendía—. Enhorabuena por el ascenso. Supongo que sabes que ese hombre no es tu hermano, ¿no es así, Gabby? Por supuesto que lo sabes. Pero ¿sabes quién es? El comandante Nicholas Devane, el principal cazador de espías de Wellington.

Trent pronunció las últimas palabras con tono despectivo. Gabby miró a Nick con ojos como platos. ¿De modo que trabajaba para el gobierno? Eso demostraba que le había juzgado mal desde el principio.

—Y usted es el último espía al que llevo tiempo tratando de cazar —contestó Nick con voz afable pero que denotaba una clara amenaza.

—Es usted muy eficiente. Le felicito. Creí que había logrado borrar mis huellas. Le he estado vigilando desde que llegó a Londres. Confieso que el hacerse pasar por Wickham fue un ardid muy ingenioso. Me llevó varias semanas cerciorarme de que el auténtico Wickham había muerto, tal como suponía.

—Usted mandó que le asesinaran.

Gabby sintió que Trent se encogía de hombros a su espalda. Durante unos instantes respiró de nuevo con cierta normalidad, pues Trent estaba concentrado en Nick.

—Me disgustó hacerlo, puesto que Wickham era hijo de un amigo mío, pero el idiota de Challow le envió una carta sellada que Matthew le había entregado para que la guardara a buen recaudo, junto con una caja que contenía otros documentos. La carta me identificaba como espía de los franceses. Lo que mantuvo a Matthew vivo durante tanto tiempo fue el hecho de tener esa carta en su poder. Matthew tenía muchos defectos, pero no quería traicionar a su país. Sólo el hecho de que padeciera graves apuros económicos me permitió convencerle de que nos dejara utilizar Hawthorne Hall como lugar de reunión. Tenía la ventaja de hallarse en un lugar remoto. Matthew me debía mucho dinero que había perdido a las cartas y no podía saldar su deuda. Pero escribió esa carta, y me lo contó. Claro está, en cuanto cayó en manos del hijo de Matthew comprendí que era preciso recuperarla a toda costa. Según creo, hacía menos de una semana que había llegado a su poder cuando... la recuperé.

—¿De modo que ordenó que sustrajeran la carta de casa de Marcus y le asesinaran porque temía que tuviera esa carta?

Trent sonrió.

—Así es. No estaba seguro, desde luego. Pero es evidente que Marcus la leyó, de otro modo usted y yo no estaríamos aquí. Él le pidió que fuera a verle, ¿no es así? Pero lo que me intriga es cómo llegó a descubrir la verdadera identidad de usted. La mayoría de la gente lo ignora. Incluso entre el estamento militar. Yo me ufano de ser uno de los pocos que lo saben.

—Marcus era primo mío. Su madre y mi madre eran hermanas. Nos criamos juntos en Ceilán. Mi padre era militar, el suyo era conde. De jóvenes emprendimos distintos caminos, pero seguimos manteniendo una estrecha relación. No dejaré que su crimen quede impune.

—Ah —respondió Trent con un tono semejante a la satisfacción—.
El punto débil. Siempre hay uno. Usted confiaba en que yo creyera que
era Wickham, que había sobrevivido al intento de asesinarlo y había venido a Londres. ¿Acaso creyó que iría a por usted sin cerciorarme de su
identidad?

—La esperanza es lo último que se pierde.

—Una última pregunta: ¿qué le hizo sospechar de mí?

—Usted. —Nick sonrió, pero no fue una sonrisa amable—. No debió amenazar a Gabriella. Ése fue su gran error.

Trent se echó a reír y miró alrededor.

—Bien, confieso que estoy encantado de haberle conocido pero ha
llegado el momento de marcharme. No vine aquí por Gabby, sino para
matarlo a usted. Pero Gabby es una agradable recompensa adicional.
Matthew prometió entregármela hace muchos años y estoy decidido a cobrarme esa deuda.

Trent comenzó a retroceder, arrastrando a Gabby consigo. Gabby le
arañó el brazo pero fue inútil, pues Trent la sujetaba de nuevo con tal
fuerza que apenas podía respirar. La pistola se le clavaba en la sien, lasti-
mándola. Pese al frío que hacía, sudaba de terror, tanto por ella como por
Nick. Temía que ya no había tiempo para seguir hablando. Trent era el
único que disponía de un arma y no dejaría que ninguno de los dos vi-
viera. Gabby suponía que pretendía alejar a Nick de la casa antes de matarlo. Avanzaba boqueando, como si el corazón fuera a estallarle en el pecho, al tiempo que procuraba tropezar constantemente para obligar a que
Trent aminorara la marcha. Pero el duque tenía una fuerza pasmosa.

Si Nick adivinó lo que Trent se proponía, no lo manifestó. Les siguió
de cerca, paso a paso, acercándose a Gabby poco a poco, según advirtió
ésta, sin apartar la vista de Trent. Su semblante, cuando el resplandor de
la luna lo iluminó, mostraba una expresión impávida. Sus ojos eran unos
fragmentos de hielo negros, clavados en el rostro de Trent.

—No conseguirá escapar. El jardín ya debe de estar rodeado —comentó Nick con tono casi distendido.

Trent emitió una breve carcajada.

—No logrará engañarme con sus faroles.

—No es un farol. Ordené que le siguieran desde ayer por la mañana.
A estas horas debe de haber una docena de mis hombres apostados al otro
lado del seto.

—Lo dudo mucho, comandante.

—Suelte a Gabriella y quizá podamos hacer un trato.

Gabby advirtió que la voz de Nick sonaba más áspera que antes, con un dejo tan afilado como una cuchilla. No parecía el Nick encantador y burlón que ella conocía. Parecía un hombre... tan implacable como Trent. Al reparar en ello Gabby se estremeció. Pero al mismo tiempo le dio esperanza.

Si existía alguien capaz de detener a Trent, era Nick.

Gabby se percató de que Trent la había arrastrado prácticamente hasta el ángulo oriental del jardín, donde había una abertura en el seto.

Al pensar que dentro de poco se quedaría a solas con Trent, a merced de ese monstruo, el terror volvió a hacer presa en ella. Se le encogió el corazón y se le formó un nudo en la boca del estómago. Un sudor frío le perló todo el cuerpo...

Pero no, se dijo Gabby, no. Tenía que confiar en Nick.

El corazón empezó a palpitarle al pensar que dentro de unos instantes Nick tenía que tomar la iniciativa, o uno o los dos morirían.

—Quizá me equivoque, pero creo que tengo todos los ases en mi mano. No hay trato, comandante.

—¡Ahora, Barnet! —ordenó Nick a voz en cuello.

Gabby se sobresaltó al mismo tiempo que sentía una combinación de esperanza y terror antes de recordar que era el mismo truco ineficaz que Nick había utilizado en cierta ocasión con ella...

43

Nick se arrojó sobre Gabriella en el preciso momento en que la pistola se disparó. La detonación, a tan corta distancia, fue ensordecedora. La bala pasó casi rozando su oreja cuando Nick cayó al suelo junto con Gabriella. Tal como había supuesto, Trent había disparado contra él en lugar de contra Gabriella. Gracias a Dios, no se había equivocado en sus cálculos. Al pensar en lo que podía haber ocurrido de no haber reaccionado Trent según lo previsto, Nick se echó a temblar.

Sus hombres acudieron de todos los rincones del jardín para rodear a Trent. Eran hombres que trabajaban en silencio, competentes y bien adiestrados. Trent forcejeó denodadamente tratando de liberarse, pero los soldados no tardaron en reducirlo y maniatarlo. Unos pocos invitados salieron de la casa, sobresaltados por el disparo, y miraron hacia el lugar donde se había producido el incidente. Nick, que yacía sobre la tierra fría y dura sosteniendo entre sus brazos el cuerpo cálido y dúctil de Gabriella, dejó que sus hombres se encargaran de todo. Hacía meses que perseguía a Trent, desde que habían averiguado que un espía con acceso a documentos secretos del gobierno pasaba información al enemigo sobre los movimientos del ejército de Wellington. Paradójicamente, Nick había ido a por Trent a causa de Gabby. De no ser por esa circunstancia, ni se habría fijado en él. Pero al indagar en el pasado de Trent, había descubierto lo suficiente para convencerle de que el hombre que buscaba era el duque.

Pero ahora lo único que le preocupaba era Gabriella.

Ésta le aferraba por el cuello con sus brazos desnudos y sedosos como si no estuviera dispuesta a soltarlo, oprimiendo sus deliciosos pechos contra su torso, con el rostro hundido en su hombro. Al igual que él, estaba temblando.

—¡Ay, Nick! —exclamó con voz trémula.

Nick jamás había oído un sonido tan dulce como la forma en que Gabby había pronunciado su nombre. La abrazó con fuerza, besándola en la oreja, pues era la única parte de su anatomía que alcanzaba con la boca, y aspiró su fragante aroma a vainilla.

—¿Estás bien?

Los temblores de Gabby remitían poco a poco, según advirtió Nick. Los suyos casi habían cesado. En cualquier caso, el temor que había sentido era por Gabby. Esa noche había temido por la vida de Gabby como jamás lo había hecho por nadie. ¿Qué quería decir eso?

—Sí. ¿Y tú estás bien?

—Aparte de haber perdido unos diez años de vida cuando creí que Trent iba a disparar contra ti, perfectamente.

—Yo temí que disparara contra ti.

Eso sonaba muy halagüeño. Nick le acarició la espalda. El vestido de encaje que llevaba Gabby dejaba sus hombros y buena parte de sus omóplatos al descubierto.

—Gabriella.

—¿Qué?

—Mírame.

Gabby seguía temblando, unos espasmos largos y sutiles que sacudían su cuerpo, pero obedeció. Sus ojos, a la luz de la luna, eran dos estanques misteriosos y oscuros. Tenía los labios entreabiertos cuando alzó la vista para mirarle. Nick la miró a los ojos para no pensar en esos labios.

—¿Recuerdas lo que dije antes de que me abofetearas en el salón de baile?

Gabby frunció el entrecejo.

—Sí, claro que lo recuerdo.

—¿Algo sobre que estabas locamente enamorada de mí?

La tensión de Gabby se hizo más manifiesta.

—No es necesario que me lo repitas —contestó con cierta arrogancia.

Nick sonrió. No pudo evitarlo. Esa altivez innata fue lo primero que había advertido en ella. Había descubierto, asombrado, que le complacía la combinación de orgullo y coraje en una mujer. Especialmente cuando ésta tenía una figura delicada, una tez como la porcelana y unos ojos del color de la lluvia...

—¿Sonríes? —preguntó Gabby secamente.

—Te dije eso —se apresuró a continuar Nick antes de que Gabby volviera a enfurecerse— porque he descubierto, lo cual me ha llenado de estupor, que estoy perdidamente enamorado de ti. —Al decirlo comprendió que jamás había dicho nada más en serio.

Gabby abrió los ojos desmesuradamente. Contuvo el aliento. Sus manos, que tenía entrelazadas en la nuca de Nick, se tensaron. Alzó el rostro para mirarlo.

—Ay, Nick —murmuró esbozando una trémula sonrisa. De pronto sus ojos expresaron sus sentimientos sin reservas—. Te amo, Nick.

Por fortuna, Nick estaba de espaldas a la multitud de curiosos, cada vez más numerosa. Gabby y él yacían sobre la áspera hierba, a la sombra de un enorme arbusto, abrazados. La vaporosa falda dorada de Gabby estaba enredada entre las piernas de Nick, quien sentía los pechos de ella apretados contra su torso. Nick no tenía el menor deseo de modificar la situación. Ni tampoco Gabby. Al pensar en ello, Nick supuso, sonriendo, que la presencia de los curiosos que salían del salón de baile era motivo suficiente para levantarse y ayudar a Gabby a incorporarse también. Si les veían juntos, los invitados se sentirían aún más escandalizados de lo que ya estaban. Por lo que a ellos respectaba, estaban viendo al auténtico conde de Wickham tumbado en la hierba besando a su hermana; la cual, no hacía ni treinta minutos, le había propinado un sonoro bofetón en medio de la pista de baile delante de todo el mundo.

Pero a Nick le tenía sin cuidado. Besó de nuevo a Gabby.

—¡Capitán, capitán! —gritó Barnet con tono apremiante.

Nick se dio cuenta de ello, echó un vistazo alrededor y se levantó con la rapidez de un gato al ver a un extraño avanzar hacia él con paso sigiloso y siniestro a través de la hierba. Vestido de negro de pies a cabeza, con el rostro oculto por un antifaz, sólo podía ser un asesino. Nick se puso inmediatamente en guardia. Barnet perseguía al agresor, corriendo como un caballo a pocos metros de la meta, pero todo ocurrió repentinamente. Nick, agazapado entre la hierba, blasfemando en voz baja, se enfrentaba desarmado a su agresor. Gracias a Dios, Gabriella estaba situada a su espalda...

Fue él último pensamiento lógico que tuvo. De pronto se oyó un disparo y algo le golpeó en el pecho. Al mirar hacia abajo, Nick vio una mancha roja en su chaleco, en el centro del pecho.

Gimió.

Gabriella, que estaba detrás de él, gritó.

Nick seguía contemplando estúpidamente la mancha que se extendía sobre su chaleco cuando cuatro de sus hombres se abalanzaron sobre el agresor y lo derribaron. Barnet se acercó a Nick al cabo de unos segundos.

—¡Capitán! ¡Capitán!

Nick alzó la vista y miró a su viejo amigo y camarada con incredulidad.

—Ahora no —dijo con voz temblorosa y arrastrando las palabras—. No estoy preparado. Gabriella está...

—De acuerdo, capitán. —Barnet le abrazó con fuerza al tiempo que Nick empezaba a desfallecer.

Con los ojos nublados, Nick vio que su unidad había desaparecido, llevándose a Trent y al asesino. Como sombras en la noche...

—No —protestó de nuevo Nick sacando fuerzas de flaqueza.

—¡Nick! ¡Nick! —El grito horrorizado de Gabriella sonó a través del vocerío que retumbaba en los oídos de Nick.

—Llévatela de aquí —murmuró éste. Luego, al tiempo que la oscuridad se cerraba sobre él, se estremeció por última vez y cayó al suelo.

Quince minutos más tarde, mientras Barnet sujetaba a una histérica Gabriella a una distancia prudencial, después de que los hombres de Nick se hubieran marchado y todos los ocupantes del salón de baile se hallaran agolpados alrededor de ellos, el médico al que habían avisado urgentemente declaró que Marcus Banning, séptimo conde de Wickham, había muerto.

44

Aquel año hizo frío en junio. No obstante, Gabby pasaba tanto tiempo en el exterior como podía, bien abrigada, caminando, dando paseos interminables por los páramos. Caminaba hasta el extremo de que las piernas le dolían continuamente, pero no por ello dejaba de caminar. Caminaba hasta caer rendida, hasta tener que darse un masaje en los muslos antes de poder moverse por las mañanas, hasta que su cojera se hacía más pronunciada. Caminaba porque era el único medio que conocía de conseguir unas horas de paz tras el largo espacio de tiempo entre la medianoche y el amanecer, cuando le asaltaban las pesadillas y los sueños tristes y dolorosos.

En cierto modo, se alegraba de haber regresado a Hawthorne Hall. De esa forma podría pasar unos pocos días, por última vez en su vida, en la casa de su infancia. El primo Thomas, que se había convertido en el octavo conde de Wickham, les había permitido regresar a su antiguo hogar para recoger sus enseres personales antes de que él tomara posesión de la propiedad. Gabby y sus hermanas debían abandonarla antes de tres días.

Pese al escándalo provocado por Gabby que había afectado a toda la familia, tía Augusta les había ofrecido a ella, Claire y Beth un hogar permanente en su residencia londinense. El escándalo había sido mayúsculo. El señor Jamison había retirado su proposición de matrimonio; Gabby había tenido que soportar el que varias personas a quienes consideraba amigas le negaran el saludo; y en todas partes se topaba con gente que la miraba con desprecio y se ponía a cuchichear disimuladamente. Pero no podía censurarles: toda la sociedad londinense estaba convencida de haberla visto enamorarse de su hermano y presenciar luego el asesinato de éste a manos de un pistolero desconocido en el jardín de Wickham House. Gabby no había explicado a nadie, ni siquiera a sus hermanas, una versión distinta, pero al menos sus hermanas, en lo tocante a su supuesta historia de amor con su hermano, estaban dispuestas a concederle el beneficio de la duda. Barnet había ido a verla al día siguiente de la muerte de Wickham, junto con un oficial de alta graduación perteneciente al Ministerio de Guerra. Ambos le habían pedido, por razones de seguridad nacional, que no revelara la auténtica identidad del hombre que había muerto aquella noche. Gabby había prometido no hacerlo jamás.

A veces Gabby se preguntaba, ociosamente, si la habrían matado de no haber accedido a esa petición.

Nick había muerto, pero nadie lo sabía. Todo el mundo, sus hermanas, su tía, los sirvientes, todos excepto Jem, creían que Gabby lloraba la muerte de su hermano Marcus, con quien, a juicio de la opinión pública, había mantenido una relación sentimental ilícita. De no ser por la desesperación que le había producido la pérdida de Nick, habría sido casi cómico.

Gabby no podía compartir su intenso dolor, su profunda desesperación, con las personas que más quería. De modo que se dedicaba a dar largos paseos por los páramos, sola.

—No tardará en oscurecer, señorita Gabby. Debe regresar enseguida a la casa.

Gabby volvió la cabeza y sonrió a Jem. Sabía que éste estaba preocupado por ella. Cuando hablaba con su ama lo hacía con gentileza y cuando la miraba sus ojos traslucían una expresión casi sombría que Gabby sólo había advertido en una ocasión, cuando se había roto la pierna y el hueso no se había soldado debidamente. Jem la seguía a todas partes, aunque procuraba que ella no se percatara, pero cuando Gabby se ausentaba poco antes del anochecer, o se hallaba cerca de un pantano u otro lugar peligroso, Jem aparecía de improviso. Gabby sabía por qué lo hacía y apreciaba que velara por ella.

Claire y Beth también estaban preocupadas por ella. Gabby lo sabía y procuraba comportarse como si se sintiera relativamente animada en su compañía. Ambas lloraban la muerte del hombre que habían conocido tan sólo como Marcus, pero no como ella.

Gabby no lloraba la muerte de un hermano encantador al que había conocido hacía poco. Lloraba la muerte del hombre que amaba.

Los días del funeral le habían parecido una pesadilla. Habían acudido casi mil personas a la abadía de Westminster para presentar sus últimos respetos, o quizá para observarla y cuchichear, como sospechaba Gabby. Pero a ella le había tenido sin cuidado.

Ahora sabía que la verdadera pesadilla consistía en seguir viviendo después del funeral. Su mundo había quedado reducido a cenizas y estaba poblado por sombras; tenía la sensación de que en su interior se había roto algo (¿tal vez su corazón?) que jamás se recompondría.

Pero nadie lo sabía.

—No sé usted, pero yo tengo frío.

Gabby sonrió a Jem y echó a andar junto al anciano hacia la casa. Soplaba un viento fresco que olía a brezo. El sol crepuscular se reflejaba en el lago cercano a la mansión. La imponente silueta de Hawthorne Hall se recortaba contra el cielo, tan oscura y sombría en su exterior como se sentía Gabby por dentro.

Subió los peldaños de la entrada y entró en la casa. Jem la siguió, pero en cuanto entró se dirigió a la cocina. Claire y Beth oyeron entrar a Gabby y salieron al recibidor mientras ella se quitaba la capa y los guantes. Gabby dedujo que la habían estado aguardando en el salón. En el hogar ardía un fuego.

—Pareces helada —comentó Beth con un tono fingidamente jovial mientras Gabby colgaba la capa del perchero situado en el centro del recibidor.

Beth tomó a Gabby de la mano y la condujo hacia el hogar. Una vez allí, Gabby apretó cariñosamente la mano de su hermana y extendió las suyas hacia las llamas para calentarlas. Lo cierto era que por más fuegos que encendieran y por más vivamente que ardieran, Gabby nunca conseguía entrar en calor.

—No deberías permanecer tanto tiempo a la intemperie —dijo Beth.

—Estás demasiado delgada, Gabby. —Claire, que había entrado tras ellas en el salón, la observó con preocupación.

Las tres habían vuelto a ponerse de luto, por la muerte de su supuesto hermano. Gabby sabía que parecía más flaca y pálida de lo habitual con su austero vestido negro de manga larga, pero no le importaba.

Ya nada le importaba. No, no era verdad. Le importaban sus hermanas. Por ellas intentó esbozar una sonrisa.

—¿Habéis terminado de reunir toda vuestra ropa vieja para dársela a los pobres? —preguntó adoptando un tono lo más animado posible. No quería que sus hermanas se entristecieran al contemplar su dolor.

—¿Qué te hace pensar que los pobres las aceptarán? —inquirió Beth sin rodeos—. Son auténticos andrajos.

Las tres se echaron a reír ante aquella ocurrencia. Claire se acercó a la ventana.

—Fijaos —dijo cogiendo una esquina de la cortina de seda y sosteniéndola bajo la luz mortecina que penetraba a través del cristal—. Están enmohecidas. Quizá podríamos quitarlas y dárselas también a los pobres.

—Lady Maud especificó que sólo podíamos llevarnos nuestros enseres personales, ¿recuerdas? —contestó Gabby secamente—. Creo que debemos dejar las cortinas donde están, so pena de que nos acusen de robarlas.

—Se acerca alguien —dijo Claire, dejando caer la cortina y mirando por la ventana con interés.

Gabby y Beth se acercaron también. Recibían tan pocas visitas en Hawthorne Hall que el hecho las intrigó.

La luz crepuscular les impidió distinguir más detalles que la silueta de un coche cerrado tirado por dos caballos y conducido por un solitario cochero.

—¿Suponéis que el primo Thomas ha adelantado la fecha de su llegada? —preguntó Beth expresando el angustioso pensamiento que se les había ocurrido a las tres.

Al llegar frente a la casa el vehículo aminoró la marcha y se detuvo. A continuación se abrió la portezuela.

—Es un caballero —dijo Claire frunciendo el entrecejo, mientras las tres lo observaban apearse del coche—. ¿Quién puede ser? —preguntó.

—Vamos a averiguarlo.

Las tres salieron al recibidor. Gabby y Claire no fueron tan rápidas como Beth. Apenas habían alcanzado la entrada cuando Beth abrió la puerta.

El hombre subió los escalones de la entrada con paso lento y pausado, como si fuera el dueño de la casa. Lucía un gabán de doble capa, un gorro con visera enfundado hasta las cejas, y, puesto que estaba al trasluz, era imposible observar ningún detalle salvo que era un hombre alto.

Pero había algo en sus ademanes...

Gabby lo observó atentamente. Luego, cuando el hombre entró y lo vio a la luz del recibidor, sintió que el corazón se le paraba.

—Nick... —Al principio Gabby musitó su nombre al tiempo que oprimía sus temblorosas manos contra su pecho. Luego gritó alborozada—: ¡Nick!

Y echó a correr hacia él antes de que éste se quitara el sombrero.

Gritando, llorando y riendo al mismo tiempo, Gabby le arrojó los brazos al cuello. Nick la tomó entre sus brazos, alzándola en volandas y abrazándola con tal ímpetu que por poco le cortó el aliento, girando con ella en un amplio círculo antes de volver a depositarla en el suelo.

Gabby alzó la vista y contempló aquellos ojos azules y risueños que creyó que jamás volvería a ver. De pronto se sintió desfallecer.

—Nick... —exclamó con voz entrecortada, abrazándole con fuerza.

Él inclinó la cabeza y la besó.

Fue un beso prolongado, apasionado, entre dos amantes, y cuando Nick levantó por fin la cabeza, a Gabby no le chocó comprobar que Claire y Beth les observaban boquiabiertas. Se volvió hacia ellas, abrazada todavía a Nick, pero antes de que pudiera abrir la boca o pensar lo que iba a decir, Nick se le adelantó.

—Claire, Beth, como sin duda habréis adivinado no soy vuestro hermano, de modo que dejad de mirarnos de ese modo. Me llamo Nick Devane.

—Gracias a Dios —exclamó Claire devotamente.

Beth asintió con vehemencia. Ambas se precipitaron hacia Nick, quien sin soltar a Gabby abrazó primero a una y luego a la otra. Después miró de nuevo a Gabby, que estaba apoyada contra él, rodeándole con los brazos por la cintura. No podía apartar la vista de él, y sabía que sonreía como una idiota mientras le contemplaba embelesada. Sentía una felicidad inmensa, una maravillosa y radiante dicha que la reconfortaba de la cabeza a los pies, que ya no estaban helados. Milagrosamente, Nick no había muerto. Había regresado junto a ella.

Él la besó de nuevo, no tan intensamente como antes, pero con pasión. Gabby le rodeó el cuello con los brazos y le besó también apasionadamente.

Al cabo de unos momentos Nick alzó la cabeza y la miró sonriendo. Gabby sonrió de felicidad, sin retirar las manos de su cuello, sin importarle un ápice que sus hermanas les observaran fascinadas. Le parecía como si hubiera despertado de una larga y espantosa pesadilla...

—Deduzco que me has echado de menos —dijo Nick con voz ronca, cerrando por fin la puerta, a través de la cual penetraba un aire polar que congelaba.

Gabby le miró pestañeando. Después de cerciorarse de que era real, no un fantasma, ni fruto de su trastornada imaginación, ni un espejismo, empezó a recobrar la calma.

—¿Que si te he echado de menos? —preguntó incrédula al tiempo que asimilaba la pregunta de Nick. Luego se indignó—. ¡Sinvergüenza, canalla, creí que habías muerto!

Gabby le empujó por los hombros y se liberó de sus brazos.

—Gabriella... —Nick la miró sonriendo.

—¿Tienes idea de lo que he sufrido? —inquirió Gabby furiosa. El corazón la latía con fuerza y sintió que se sonrojaba—. Creí que habías muerto.

—Lo lamento...

—¡Lo lamentas! —le espetó Gabby casi temblando de ira. La rabia le nublaba la vista y sentía una opresión en el pecho.

Claire y Beth, que seguían observando la escena fascinadas, retrocedieron instintivamente cuando Gabby se volvió hacia ellas. Sobre la mesa, junto a sus guantes, había un pequeño volumen encuadernado en cuero que Gabby cogió y arrojó contra Nick. Éste se situó de un salto detrás de una butaca para esquivar el golpe, sonriendo, y el libro se estrelló contra la pared.

—¡De modo que lo lamentas! ¿Crees que con eso basta? ¡Asistí a tu funeral!

Acto seguido le arrojó un estuche de naipes de cuero. Nick volvió a zafarse, sonriendo y avanzando hacia Gabby al tiempo que procuraba interponer diversos muebles entre su persona y los proyectiles que le llovían.

45

—No pude evitarlo —protestó Nick, esquivando un apagavelas lanzado con certera puntería—. Escúchame un momento, Gabriella.

Al mirar alrededor Gabby distinguió a Barnet, que acababa de aparecer seguido de Jem, la señora Bucknell, Stivers, Twindle y varios sirvientes que habían acudido al oír el alboroto.

—Y tú —dijo Gabby señalando a Barnet con el dedo— dejaste que yo creyera que había muerto. No; me dijiste claramente que había muerto. Trajiste a un funcionario del gobierno que lo confirmó. ¡Asististe a su funeral y lloraste!

Barnet, que se había detenido en el umbral, retrocedió un paso.

—Sólo cumplo órdenes, señorita Gabby —respondió tímidamente, con aspecto cohibido.

—¡Órdenes! —gritó Gabby mirando alrededor en busca de otro objeto que arrojar.

—No la emprendas contra Barnet —dijo Nick con tono de guasa—. A propósito, es el sargento George Barnet, mi ordenanza, que no hizo sino obedecer mis órdenes. Yo también cumplía órdenes.

De pronto se abalanzó sobre Gabby y la sujetó por los brazos. Ella le miró con cara de pocos amigos.

—¿Cómo pudiste hacerme eso? ¿Sabes lo que he pasado? Creí que habías muerto.

Entonces Gabby rompió a llorar, dando libre curso a las lágrimas que se había esforzado en reprimir y que empañaban sus ojos. La sonrisa de Nick se borró de su rostro. La miró con expresión contrita y, sin decir palabra, la tomó en brazos como si pesara menos que una pluma.

Gabby casi había olvidado lo fuerte que era.

Le rodeó el cuello con los brazos, hundió la cara en su hombro y sollozó desconsoladamente.

—Cálmate, Gabriella. Lo lamento —le susurró Nick al oído. Esta vez parecía sincero. Luego, en vista de que ella no cesaba de llorar y gimotear, Nick añadió dirigiéndose a todos los presentes—: Creo que necesitamos un poco de privacidad. Un estudio o algo así. Una estancia con la chimenea encendida.

Gabby tiritaba de forma incontrolable en sus brazos.

—Sígame, comandante —dijo Jem con un tono sólo ligeramente hosco.

Cuando Nick transportó a Gabby por el pasillo, ésta alzó la vista y vio que Jem abría la puerta del despacho para que pasaran. Luego fue presa de otro ataque de llanto, que no pudo controlar, y ocultó de nuevo la cara en el cuello de Nick, empapándole la chaqueta con sus lágrimas.

—Gracias, Jem —dijo Nick.

—Jamás imaginé que viviría para decir esto, comandante —respondió Jem con absoluta sinceridad—, pero me alegro de verle. Nunca había visto a la señorita Gabby en este estado.

Gabby notó que Nick asentía con la cabeza. Luego entró con ella en el despacho. Gabby oyó cerrarse la puerta a sus espaldas. Al cabo de unos momentos Nick se sentó frente al hogar sosteniendo a Gabby sobre sus rodillas.

—Gabriella. —Nick la besó en la mejilla. Tenía los labios tibios y su hirsuta barba le arañó la piel. Perversamente, las sensaciones que su caricia despertó en ella hicieron que redoblara sus sollozos—. No llores, amor mío. Te lo ruego. Lo lamento. Lo organizaron para que pareciera que yo había muerto. Yo sabía que iban a hacerlo antes o después, pero no supuse que lo harían en aquel momento. Mi agresor era uno de mis hombres. Me golpeó con un pellejo lleno de sangre de cerdo. Barnet oprimió un punto estratégico en mi cuello y me desvanecí al instante. El resto fue puro teatro.

—¡Dejaste que yo creyera que habías muerto!

—Aunque me dedique a cazar espías, sigo siendo un soldado. Me ordenaron que no se lo contara a nadie, ni siquiera a ti. No tuve más remedio que obedecer. He venido tan pronto como he podido. —La besó a lo largo de la barbilla y añadió con tono persuasivo—: No podía pasarme la vida fingiendo ser el conde de Wickham. De haberlo hecho, ¿cómo hubiera podido pedirte que te casaras conmigo?

Al oír esas palabras Gabby, como era de prever, dejó de llorar y se enderezó. Se sorbió la nariz un par de veces y restregó sus mejillas húmedas con las manos. Luego miró a Nick con una expresión recelosa que le hizo sonreír.

—¿Me estás pidiendo que me case contigo?

—Sí.

Gabby frunció el entrecejo.

—No quiero casarme con un soldado.

—Tienes suerte —respondió él con una amplia sonrisa de satisfacción—. Acabo de dejar el ejército. Al igual que Barnet.

La expresión preocupada de Gabby se intensificó.

—¿Y cómo piensas mantener a una familia?

Nick la miró con expresión risueña.

—Creo que ha llegado el momento de revelarte que soy inmensamente rico. Me propongo adquirir una finca, que tú mismas puedes elegir, y trasladarme a ella contigo, tus hermanas y los sirvientes que deseen venir con nosotros. Hace mucho que no tengo un hogar y creo que va siendo hora de que tenga uno.

—Tía Augusta nos ha ofrecido su casa —respondió Gabby alzando el mentón en gesto altivo.

—Entonces debes elegir entre tía Augusta y yo.

Gabby bajó la vista, dudó unos instantes y luego le miró de nuevo.

—¿Y lady Ware?

—¿Belinda? —preguntó Nick arrugando el entrecejo—. ¿A qué te refieres?

—Debo confesarte que me encontré casualmente algunas de sus... cartas —dijo Gabby. En su fuero interno temía que Nick se pusiese furioso, pero ella jamás podría compartirlo con una amante. Le amaba demasiado para consentirlo. Aunque, bien pensado, prefería compartirlo con una amante que perderlo de nuevo. Eso no lo soportaría.

—¿Registraste mi cajón y leíste mis cartas, Gabriella? —preguntó Nick con tono severo.

Ella asintió con expresión contrita.

—Temía que te hubiera ocurrido algo malo. Buscaba algo que me indicara dónde te hallabas.

Nick la miró y soltó una carcajada.

—¡Ojalá hubiera podido ver tu cara! Las cartas de Belinda son bastante obscenas.

—Ya lo advertí, te lo aseguro —respondió Gabby secamente.

Nick frunció el entrecejo.

—¿Y por eso aceptaste a Jamison? Estabas celosa de Belinda. —Volvió a reír.

—Y tú estabas celoso del señor Jamison —replicó Gabby irritada.

—Es cierto. Te ruego que no me lo recuerdes. —La miró sonriendo. Gabby tenía las manos apoyadas en el regazo; Nick tomó una de sus manos, se la acercó a los labios y la besó. De pronto adoptó una expresión seria al tiempo que bajaba su mano y la miraba fijamente—. Está bien, Gabriella, lo confieso: ha habido muchas mujeres en mi pasado. Pero te doy mi palabra de que si te casas conmigo, tú serás la única mujer en mi futuro.

Ella le miró mientras reflexionaba unos instantes, sintiendo que su corazón palpitaba y su pulso se aceleraba. Luego sonrió.

—Te amo, ya lo sabes.

—¿Eso significa sí?

—Sí. Claro que sí.

Él la abrazó. Ella le rodeó el cuello con los brazos y le besó con todo el amor y el deseo que había tratado de sofocar durante semanas. Cuando Nick alzó la cabeza y ella contempló sus hermosos ojos azules, comprendió que por fin había hallado la dicha.

—Te amo —dijo Nick con voz grave y ronca al tiempo que volvía a acercar sus labios a los de Gabby—. Dedicaré toda mi vida a demostrarte lo mucho que te amo.

—Nick... —Profundamente conmovida, sintiendo su corazón henchido de amor, Gabby no pudo articular otra palabra. De modo que volvió a besarle.

Más tarde, mucho más tarde, ambos yacían sobre la alfombra frente al fuego. La puerta estaba cerrada con llave, los otros ocupantes de la casa se habían acostado hacía rato y ellos estaban cubiertos tan sólo con el gabán de Nick, que éste había extendido sobre ambos. Estaban desnudos y sus cuerpos entrelazados. Él yacía boca arriba con la cabeza apoyada en un brazo. Tenía los ojos cerrados y parecía estar dormido. Gabby tenía la cabeza apoyada en su pecho, que utilizaba a modo de almohada, cuando el súbito crepitar de las llamas la sobresaltó y abrió los ojos.

Durante unos momentos miró el fuego pestañeando, somnolienta, mientras trataba de descifrar qué la había despertado. De pronto otro rescoldo emitió un chasquido más sonoro que el anterior y Gabby abrió los ojos, alarmada. Luego sonrió.

Fue delante de esta misma chimenea que ella había hecho un pacto con el diablo. Y ahora éste yacía junto a ella, encarnado en un cuerpo firme y hermoso.

Acarició el torso cubierto de vello negro de Nick, mirándole de soslayo para ver si se había despertado. Pero seguía dormido.

El fuego volvió a crepitar. Gabby sonrió satisfecha y deslizó la mano hacia abajo.

Hablando del diablo, ahora era suyo y no estaba dispuesta a renunciar a él. No sólo esto, sino que se proponía casarse con él.

Pero entretanto, pensó sonriendo pícaramente cuando su mano encontró lo que buscaba, no estaría de más que le atormentara un poco.